中公新書 2004

天野郁夫著

大学の誕生（上）

帝国大学の時代

中央公論新社刊

目次

大学の誕生（上）

プロローグ　帝国の大学

大学誕生の物語

わが国の大学は、どのようにして生まれたのか。近代日本における「大学誕生」の物語を書いてみたい。

物語は、明治一〇（一八七七）年にわが国最初の「大学」名称を持つ高等教育機関として設立され、明治一九（一八八六）年に帝国大学となった東京大学を中心に語られることになる。しかし、それは東京大学・帝国大学だけの誕生の物語ではない。ここで物語の舞台として設定するのは大正七（一九一八）年、すなわち帝国大学以外の官公私立の大学の設置を正式に認める、「大学令」の公布された年まで、明治一〇年から数えれば四〇年余にわたる長い期間である。帝国大学以外の官公私立、とくに私立の高等教育機関にとって、それが「大学」としての誕生に必要とされた時間であった。

そこに至る四〇数年は、わが国の大学の、いってみれば長い懐妊期間にあたる。そこで展開されたのは太陽系の誕生にも似た、帝国大学を核にした多様な大学の誕生をめぐるダイナミックなドラマである。ドラマの最も重要な主役は、もちろん、わが国最初の大学としての東京大学・帝国大学である。しかし、このドラマにはそれとは別の数多くの登場人物、官公私立の多様な高等教育機関が存在したことを見落としてはならない。彼らこそが真の主役であり、東京大学・帝国大学は脇役、いや敵役に回る場面も少なくなかった。

大学誕生のドラマは、東京大学・帝国大学を中心に置きながらも、大学を志向するそれ以外の官公私立の多様な高等教育機関が織りなす、複雑で波瀾《はらん》に満ちた、ダイナミックな物語として語られなければならない。

なぜ帝国大学か

それにしてもなぜ、東京大学・帝国大学の誕生からなのか。

それはわが国の、欧米諸国に比べればごく短い大学の歴史のなかで、明治一〇年に設立された東京大学が最初の近代大学だからというだけではない。東京大学が明治一九年、帝国大学という唯一の、しかも「国家ノ須要《しゅよう》」に応ずることを目的とした特異な大学に転生し、その後も戦前期を通じてわが国の大学・高等教育の世界に、重く大きな位置を占め続けてきたからである。

東京に唯一存在した帝国大学は、明治三〇年、京都に第二の帝国大学が設置されたことから東京帝国大学と改称される。やがて東北・九州の両帝国大学が設立され、「大学令」公布直前に東北帝国大学から分離独立した北海道帝国大学を加えて、五校になる。大正七年までわが国の正規の大学は、これら東京帝国大学を筆頭とする五校の帝国大学のほかにはなかった。

このことは、大正七年になってようやく正規の大学として、法的な認知を受けることになる帝国大学以外の諸学校が、帝国大学の存在を意識することなしには自己形成を果たすことが不可能であったこと、帝国大学とのさまざまな葛藤《かっとう》、対抗と同調のドラマをはらんだ関係性のなかで生成し、発展を遂げざるを得なかったことを意味している。何よりも、あとで見るように大正七年の大学令の諸規定自体が、帝国大学令のそれを基本的に引き継ぐ、帝国大学を「原型」とするものに他ならなかった。わが国の大学の世界――「大学界」を太陽系にたとえれば、帝国大学はいわば太陽として出現し、他の諸大学はそれを取り巻く惑星群として生成してきたといってもよい。

大学令の公布以降、帝国大学は急速に数の上で少数派になり、官公私立の他の大学との位置関係や力関係も、次第に変わっていく。しかし、だからといって、帝国大学の存在の重さが減じたわけではない。それが戦前期を通じてつねに、わが国の大学の「範型」とみなされてきたから（寺崎、一九七二年）というだけではない。第二次大戦後の学制改革によって、新しい大学制度が発足し、帝国大学という いかめしい名称が姿を消してから六〇年が経過したいまも、その後身である東京大学をはじめとする「旧七帝大」（前記五校と昭和期に設立された大阪・名古屋の両帝国大学）は、「研究大学」としてわが国の大学界の頂点に君臨し続けている。帝国大学と、それを中核とした諸大学との関係構造は、いまなおわが国の大学界を基底的な部分で支配し続けているのである。近代日本における「大学誕生」の物語がその意味で、きわめて現代的な意義を持っていることが、追々わかっていただけるはずである。

奇異な名称

その帝国大学、旧制帝国大学あるいは旧帝大という言葉は、大学関係者の間では耳慣れた言葉といってよい。大方の大学人たちが、東京をはじめとして北海道から九州まで、帝国大学の後身である七校の国立総合大学・研究大学の名前をそらんじているはずである。それにしても、なぜ「帝国」大学だったのか。

明治一〇年に設立されたわが国最初の大学の名称は、よく知られているように東京大学であった。その東京大学を中核に、帝国大学という いかめしい名称の大学が誕生したのは明治一九年のことである。明治一九年は、日本の学校教育システムの基本的な骨格を作ったとされる、小学校令、中学校令、師範学校令の三つの勅令が公布された年でもあった。三つの勅令が出されたのが四月一〇日、帝国大学令は一ヶ月余り先立つ三月一日に公布されている。

わが国の教育システムの骨格作りは、帝国大学の創設から始まったといっても言い過ぎではない。

なぜ東京大学は「帝国」大学になったのか。「大日本帝国憲法」が発布されたのは明治二二年二月のことである。それに先立って、わが国の最初の大学につけられた、この「帝国」という名称は、当時の人たちにとって奇異に響いたらしい。そのころ学生で、のちに帝国大学医科大学の教授となる入沢達吉《いりさわたつきち》は、「其《その》当時、帝国大学といふと、如何《いか》にも新しいことであつて、耳に馴《な》れなかつたので異様に感じた」と回顧している（神田、一一四ページ）。自分の通っていた東京大学が帝国大学に、しかも東京帝国大学でなく「帝国大学」に生まれ変わったのである。「異様に感じ」られたのは、そのためもあったかも知れない。

帝国大学令公布時の文部大臣、森有礼《ありのり》の秘書官であった木場貞長《こばさだたけ》も、森がおそらくは「インペリアル」の訳語として選んだ「帝国」という言葉が、いまでこそ「自ら自然的になつて来たが、当時は何となくゴツ々々聞へて極《きわめ》て不自然であつた」と述べている（『東京大学百年史』資料一、一二七ページ）。その帝国大学の時代は明治三〇年、京都に第二の帝国大学が創設され、東京帝国大学となるまで続く。

森有礼の役割

東京大学を森有礼はなぜ改称し、帝国大学といういかめしい名前に変えたのか。大学誕生の物語の実質的な出発点となる、その命名・名称変更の背後には、わが国の大学と高等教育システムの将来を決定づける重要な、政治的な選択が隠されていたことが知られている。

帝国大学の設計図を描いたのは、明治一八年一二月に発足した内閣制度のもとでの、初代総理大臣と文部大臣であった、伊藤博文《ひろぶみ》と森有礼である。明治一五年から約一年、憲法調査のためイギリス、ドイツ、オーストリアなどに滞在した伊藤は、師事したウィーン大学教授ロレンツ・フォン・シュタインから、近代国家にとっての大学という制度の重要性を教えられる。伊藤がシュタインの話に強い感銘を受け、新しい大学作りの必要性を痛感させられたことは、そのために彼を日本に招こうとしたことからもうかがわれる（寺崎、二〇〇〇年、一一八ページ）。伊藤は幕末期に一年足らずだがイギリスに留学している。しかし彼が国家体制の理想を見出したのはそのイギリスではなくドイツ的な君権主義の国家であり、そのための憲法であり大学であった。

国家官僚の養成を中心に国家に奉仕する大学――それがシュタインに学んだ伊藤の描いた、理想の大学像に他ならなかった。

文部大臣の森有礼も維新以前にイギリスとアメリカに、しかも約三年間留学した経験を持っている。その森もまた、理想としたのは国家のための大学であった。明治二二年、直轄学校の校長対象の演説のなかで彼は、国費を投じて大学を創るのはつまるところ国家のためであるとして、次のように述べている。

「帝国大学ニ於テ教務ヲ挙クル、学術ノ為《た》メト、国家ノ為メトニ関スルコトアラハ、国家ノ為メノコトヲ最モ先ニシ、最モ重セサル可《べか》ラサル如《ごと》シ（中略）諸学校ヲ通シ、学政上ニ於テハ、生徒其《その》人ノ為メニスルコトニ非《あら》スシテ、国家ノ為メニスルコトヲ、始終記憶セサル可ラス」（『森有礼全集』第一巻、六六三ページ）。つまり、森にとってわが国の最初で唯一の大学は、どうしても国家の大学、「大日本帝国」の大学でなければならなかったのである。

明治一九年公布の「帝国大学令」第一条には、「帝国大学ハ、国家ノ須要ニ応スル学術技芸ヲ教授シ、及《および》其蘊奥《うんのう》ヲ攻究スルヲ以《もっ》テ目的トス」と書かれており、「大学の記念日や公の訓示では、各帝国大学歴代の総長はこの条章を朗読し引用するのが慣わしであった」という（『九州大学五十年史』通史、九八ページ）。

帝国の大学

森は、早くから「帝国」という言葉の愛好者であったとされる。駐米公使時代の明治五年にすでに、日本を「帝国」（エンパイア）、日本政府を「帝国政府」（インペリアル・ガバメント）と呼んでいたという（神田、一二二ページ）。東京大学に「帝国大学」という新しい、しかし大げさな響きを持つ名称を与えたのは、近代化を開始したばかりの東洋の小国の、しかも国際社会のなかでの日本の地位を知悉《ちしつ》した政治家としての森が、ひいては、国際社会にデビューし近代化を開始したばかりの日本という国家が、抱かざるを得なかった強いコンプレックスの裏返しだったのかも知れない。

いずれにせよ、東京大学の帝国大学への移行については、それが単なる名称の変更ではなかったことに注目すべきだろう。詳しくはあとで見るが、名前とともに大学としての実質にも大きな変化があったのである。何が、どのように変わったのか。国家の大学、大日本帝国の大学になったことは、この日本の最初の大学に、ひいてはその後の日本の大学と高等教育の発展に何をもたらしたのか。明治一九年に誕生し、敗戦後の大学改革のなかでその名称は消えたが、いまも形を変えながら生き続けている日本の大学の原点ともいうべき帝国大学——その帝国大学になる以前の東京大学とは、どんな「大学」だったのか。

まずは時代をさかのぼって、日本の大学の「範型」誕生に至るまでの、明治維新後の試行錯誤の過程から見ていくことにしよう。

第一章　帝国大学以前

一、国際的環境と日本

組織・制度としての大学

「大学誕生」の物語である。大学とは何かというところから始めよう。

ひとつの組織として、社会制度としての「大学」が出現したのは、ヨーロッパ中世社会においてである。学問の研究と教育のための組織は、文字による文化遺産の高度の蓄積を持つ文明社会には、自然発生的に登場してくる。しかし、大学（ユニヴァーシティ〔英〕、ウニフェルジテート〔独〕、ユニヴェルシテ〔仏〕）が、ヨーロッパ中世に独自の歴史的な産物とされるのは、その語源であるラテン語のウニヴェルシタスが「組合」を意味することからも知られるように、学問をするもの（教師と学生）の自律的な共同体としての性格、団体性を持って誕生したものだからである。

このヨーロッパ的な、学問の教育・研究の場としての「大学」は、発生的には教師の組合と学生の組合の二つの形があったとされるが、やがて統合され、大学は教師の組合中心に運営されるようになっていく。ギルドになぞらえていえば、学生は徒弟、学者（教師）は親方、学位（博士号）は一人前の職人としての資格証明ということになる。学問の自由、教育と研究の自由は、この学問をするものの組合・共同体が特権として認められた自律性（大学の自治）を基盤にしている。誕生以後の大学の歴史は、その自治と教育・研究の自由の保障をめぐる教会や国家との、対立・抗争の歴史であったといってよい。

ヨーロッパ文明圏に独自の社会制度として生まれたその「大学」は、近世・近代に入るとともに最初は南北アメリカの新大陸・新世界に、さらにはアジアやイスラムの諸文明圏に移植され、新しい環境のもとでさまざまな変種を生み出していく。しかし、ヨーロッパ社会が育《はぐく》んできた、学問をするものの共同体としての自治と自由は、それぞれの大学に共通の遺伝子として引き継がれ、個別の大学共同体は次第に国際的な、さらには世界的（グローバル）な「大学間共同体」へと発展を遂げていくことになる。一九世紀の後半になって日本が加わることになったのも、そうした大学間共同体の世界であった。

変貌する大学界

さて、日本である。明治維新を経て本格的な近代化を開始するまで、中国文明圏に属してきた日本にも、そうしたヨーロッパ的な意味での大学は存在しなかった。たしかに学問の教育・研究の場としては、藩校があり、私塾があり、幕府には最高学府として昌平坂《しょうへいざか》学問所や蕃《ばん》（洋）書調所《しょしらべしょ》があった。しかしそれらは、ヨーロッパ世界における大学とは組織としての性格も、そこで教育され研究される学問の性格もまったく異なっていた。蕃書調所をひとつの源流とする東京大学が明治一〇年を創設年としている、つまり大学としての出発点としているのは、その意味で当然といえるだろう。

日本が大学という西洋社会に独自の制度の存在を知ったのは、ようやく一九世紀の後半、幕末期になってからである。ヨーロッパ諸国が急速な近代化・産業化の道をたどり始めていたこの時期は、中世以来の歴史を持つ世界の「大学界」に、大きな変化が生じつつあった時代である。

よく知られているように、中世の大学は、法・医・神の各専門学部と、そこに進学する学生のための準備教育の場としての学芸（人文）学部の、四学部を原則に編成されていた。ギリシャ・ローマの古典語を共通の教授・学習用語に、学芸学部で教授される古典学を共通の知的基盤とする大学は、国境を越えた学生や教師の自由な大学間の移動を可能にする、開かれたコスモポリタンな存在であった。そうした大学界の国境を越えた一体性、大学の同一性は、ヨーロッパ世界の統合性を保障してきたカトリック教会の規制のもとにあった大学が、宗教改革を経てそのくびきから脱け出し始めたあとも、基本的に維持されてきた。

しかし、近代化・産業化の進展は、一九世紀に入るころから、こうした大学界の一体性・統合性を突き崩すさまざまな変化をもたらし始める。何よりも、大学の基盤にある知識と学問の世界が大きく変わり始めた。近代化・産業化とともに、新しい知識と学問の領域が次々に開かれ、加速度的に増殖し始めたのである。その変化の一部は大学の内部で進行したが、外部での変化はさらに大きかった。

大学は、知識・学問の蓄積・伝達・創造の場である。変化は、第一に、その大学の知識・学問の創造、すなわち研究機能の重要性の高まりという形で起こった。カトリック教会の支配から抜け出した大学のなかで、知識は次第にそれまでの古典学と神学を中心とした、閉ざされた体系から開かれた体系へと変化していく。大学は知識の蓄積・伝達の場から、知識の創造、すなわち研究の場へと変化し始めたのである。一九世紀の初め、学芸学部を開かれた知と学問の探究の場としての哲学部に代え、法・医・神の三専門学部と対等の位置に置いたドイツ大学の革新は、たちまちヨーロッパの他の国々の大学にも伝播《でんぱ》し、変革を促していった。

ただ、大学が開かれた知の創造の場に変容し始めたとはいえ、伝統的な学問を中心に発展してきた大学のそうした内発的な革新には、制約がつきまとっていた。

急速に発展していく自然科学は、ドイツの大学でも長く哲学部の枠内にとどめられていたし、何よりも産業化の進展とともに出現した新しい、応用的・実用的な知の世界に、大学は関心を払おうとしなかった。やがて工学・農学・商学など、産業社会の重要な教育・研究の領域へと成長を遂げていくそれら新興の学問は、大学から締め出され、大学の外側に大学とは別の、多様な「専門学校」群を生み出していった。ドイツでいえば「ホッホシューレ」、フランスでは「グランド・ゼコール」と呼ばれた、伝統的な大学とは異なる新しい教育・研究の場としての専門学校の出現、大学と専門学校という二元的な構造を持つ「高等教育システム」の生成——それが近代化・産業化とともに生じた、第二の大きな変化であった。

第三の大きな変化は、国家と大学の関係にかかわっている。すでに見たように、中世ヨーロッパの大学は国境を越えたコスモポリタンな存在であった。しかし国民国家の形成が進むとともに、大学は教会に代わって国家との結びつき、ナショナルな側面を強め始める。大学での教授・学習は、古典語ではなく、それぞれの国の言語で行なわれるようになり、その点でも国家性・国民性を強めていった。また国家は、大学の新しいパトロンになるとともに国家の統合性や威信の象徴として、さらには人材の育成をはじめとする近代化・産業化の手段として、大学の重要性に着目するようになった。研究の場と同時に、官僚を主体とする人材養成の場として大学の発展をはかったドイツは、その典型例といってよいだろう。

私立大学の出現

第四の変化は、私立大学の出現である。

中世以来の大学は、財政的な支援者が誰であるかにかかわりなく公的な存在であった。大学を大学たらしめているもの、大学の団体性を象徴するものは、何よりも大学だけに認められた学位の授与権である。それはより上位の権力、すなわち教会権力や国家権力によって、大学と呼ばれる団体にのみ付与されるものであった。右に述べた新興の専門学校群と大学とは、その学位授与権の有無によって厳しく区別されていたのである。

ところが、中世的伝統との訣別《けつべつ》のもとに発足した新大陸の国アメリカでは、大学の設立もまた、ヨーロッパ的な伝統から自由であり、それが多様な私立高等教育機関の設置をもたらした。それらは発足当初は、大学と称するにはあまりに貧弱な教育機関に過ぎなかったが、やがて近代社会に適合的な新しいタイプの大学へと成長を遂げていく。ヨーロッパ諸国が大学の国家との絆《きずな》を強化し、パトロンとして財政的支援を強化するなかで、アメリカは国家の規制と支援を離れた、私立大学の自由な生成・発展を容認する方向を選択したのである。

このように、一九世紀に入って以降、大学という社会制度は、国によりさまざまなバリエーションを持つようになり、また大学以外のさまざまな高等教育機関と、時には対抗し、時には同調しながらその外延を拡大しつつあった。一九世紀後半、明治維新を経て、近代化・産業化をめざして出発した新興国家日本の前に広がっていたのは、そうした、中世ヨーロッパ的な伝統から抜け出して変貌と革新の時代を迎え、国家間でも国家内でも多様化し始めた、大学・高等教育の多元的な世界だったのである。

多様なモデルの存在

アジアの他の国々のように、ヨーロッパ諸国によって植民地化されたのであれば、その多様化し始めた大学・高等教育システムのなかから、否応《いやおう》なく宗主国の大学・高等教育のモデルを押し付けられ、その移植をはからざるを得なかっただろう。しかし、独立国家として近代化を後発した日本にとって、それは新たに創出されるべき大学・高等教育システムについての、多様な選択肢の存在を意味していた。

外に広がる多元的な大学・高等教育の世界について、新政府の指導者たちがどこまで知識や情報を持っていたのかは明らかではない。わずかな数の海外渡航者の見聞や、乏しい、言語的にも制約された文献的知識からでは、どのシステムが優れているのか、モデルとするにふさわしいのか判断するに十分ではなかったことは疑いない。

しかし同時に、たとえば明治維新のリーダーの一人、岩倉具視《ともみ》の文書に残された明治三年の「海外留学生規則案」を見ると、留学生を送る国と学ばせる学術との関係について、イギリスなら主として器械学・製鉄法などを中心とした工学系、フランスは法律学・交際学（万国公法）など法学系、ドイツの場合は政治学・経済学等の社会科学系と星学・格致《かくち》学（物理学）・化学などの理学系、アメリカの場合には農学・牧畜学というように、制約されていたとはいえかなり正確な認識が、すでに彼らの間にあったことがわかる（『日本科学技術史大系』第七巻「国際」、三六ページ）。

それ以上に重要なのは、彼らが「文明開化」「富国強兵」「殖産興業」などのスローガンのもと、差し迫った近代化や産業化の推進のために、各国の学術の長短を分野ごとに比較・検討し、最適の国から最良のものを選択しようという意図を初めから強く持っていたという点である。それは留学生の派遣先の決定だけでなく、自分の国にどのような高等教育の機関を創設するかについての選択にも、深く関係していたと見てよい。これから建設されるべき西欧的な教育システム像を示した、最初の本格的な近代学校教育制度の構想である明治五（一八七二）年の「学制」が、「仏国学制」を基本としながらオランダやドイツ、さらにはアメリカなどの制度を参考に策定された、いわば折衷的な、採長補短的な性格のものであったことは、それを裏書きするものといえよう。

しかし、自立的で折衷的であればこそ、近代的な大学の建設は難事業であり、さまざまな試行錯誤の過程を経なければならなかった。あとであらためてふれるが、「学制」の構想によれば全国を八つの大学区（明治六年に七大学区に改正）に分け、それぞれに各一校の大学を置くことになっていた。仮にその大学を帝国大学と考えれば、最後の七番目の帝国大学が名古屋に設置される昭和一四（一九三九）年まで、実に七〇年近くかかったことになる。

二、東京大学成立まで

大学設立の初期構想

早急な近代化・産業化をはかるためには、何よりもその担い手となる専門的な人材が必要とされる。欧米諸国から最先端の学術技芸を身につけた人材を招聘《しょうへい》するのが、最も手っ取り早い方法だが、それだけに依存していたのでは、近代国家としての実質的な自立・独立は望みがたい。

実際に維新直後から、新政府は多数の「お雇い外国人」を招聘して、差し迫って必要な近代化・産業化の諸事業に着手したが、「終始彼等ノ余力ヲ仮《か》リ、功業漸《ようや》ク相遂《あいとげ》候様ニテハ、一時開化之形況有之《これあり》候トモ、万世富強之御基本ハ、トテモ相立申間敷《もうすまじく》、戦兢《せんきょう》之至ニ候」という認識を早くから持っていた。あとでふれる工部省に技術官僚養成のための学校、工部学校の設立を求める明治四年の建議書の前記の一節は、明治国家の指導者たちが抱いていたそうした危機感を、端的に表明したものと見てよい（『旧工部大学校史料』五ページ）。

「大学」という名称を持つ高度の教育機関を設置しようという動きは、明治五年の「学制」

公布以前から始まっていた。明治元年にはすでに、新政府の内部に「大学校」設立の構想があったことが知られている。ただそれは、欧米諸国に普遍的に見られる、開かれた学問の府としての近代大学の建設をめざすものではなかった。「大学」とはいっても、明治維新の「王政復古」としての側面を反映した、古代の「大学寮」の復活をめざすものであり、しかも教育内容を漢学中心にするか国学（皇学）中心にするかで、その内部に激しい対立と主導権争いをはらんでいたからである（大久保、一九四三年）。

本校・南校・東校

この「大学校」構想は翌明治二年には、旧幕府の最高学府であった昌平坂学問所を改組した国学・漢学の教育を行なう学校を「本校」とし、これも旧幕府時代に設立された開成学校（洋書調所）と医学校という、洋学を教授する二つの学校をあわせて総合的な高等教育機関を設立する構想へと発展する。その際、本校との地理的な位置関係から、開成学校は「大学南校」、医学校は「大学東校」と呼ばれることになった。最初の大学構想はこれによって「王政復古」だけでなく、維新の「文明開化」の側面をも併せ持つ、総合的な高等教育機関の構想へと展開することになったのである。ただ、本校・分校関係に見るように、その中心は依然として復古的な大学の建設にあった。

明治三年になると、この前近代と近代の折衷的な構想は、近代的な大学建設の方向にさらに一歩前進する。国学派と漢学派が抗争を繰り返す大学本校に業をにやした政府が、その廃止に踏み切り、大学建設の仕事は、大学南校・東校を中心に、洋学派の手で進められることになったからである。こうして同じ年、大学当局は初めて、西欧の近代学術を教授する本格的な専門教育機関の設立構想を打ち出すことになった。それは、これまでの漢学、国学、洋学（蘭学、英学、仏学など）という、国別の編成方式に代えて「教科、法科、理科、医科、文科」の五専門領域からなる、その意味でヨーロッパ的な大学の建設をめざすものであった。

とはいえ、この構想が依然として復古主義的な尻尾《しっぽ》を引きずっていたことは、そこでの教育目的にかかわる「貢進《こうしん》」という、人材養成の思想に端的に示されている。すなわちこの大学は、「廓廟《かくびょう》」（政府や朝廷）に人材を育成・供給するための機関とされ、学生についても各藩に、優秀な人材を選抜して「貢進」することを求めるものだったのである（唐沢、一九七四年）。

実際に大学南校は各藩に、その石高に応じた数の「貢進生」の選抜・推挙を求め、明治四年、三一〇人の学生を入れて教育を開始する。しかしその大学南校の実質はまだ、外国語学校に過ぎなかった。貢進生たちは、学ぶ外国語の別に英語（七〇％）、仏語（二四％）、独語（六％）の三グループに分かれ、お雇い外国人を主体とした語学教師から、それぞれの外国語中心の普通教育を受けていたからである。つまり語学教育という形で、国別の編成方式が依然として残っていたことになる。というより、欧米の最先端の学術技芸を学ぶためには何よりもまず西欧の言語を学び、身につけることが不可欠の前提条件だったのである。

そうした大学南校に比べて、旧幕府の医学所を引き継いだ大学東校は、水準はともかくとして、すでに近代的な専門教育機関としての実質を備えていた。オランダ語による医学を中心としたオランダの学問――「蘭学」については幕末期にすでに、一定の蓄積が形成されていたことは、よく知られているとおりである。その医学教育機関としての大学東校にとって維新後の最大の問題は、オランダ医学からドイツ医学への転換をはかることにあった。欧米諸国の学問事情についての知識が増えるにつれて、日本が頼りにしてきたオランダ医学の水準が、ドイツのそれに遠く及ばないことが明らかになってきたからである。早くも明治二年にはドイツ医学への転換が決定され、ドイツ政府に派遣を依頼した二人の医学教師の到着を待って、明治四年から本格的に最新の医学教育が開始される。

国別・分野別の学術水準の比較・検討に基づく最初の本格的な専門教育は、まずは医学の領域から始まったのである。

「学制二編追加」

日本の新首都東京に置かれた、この時点での唯一の近代的な高等教育機関である大学南校と東校のこうした現実からするとき、明治五年の時点で示された全国に八校（のちに七校）の大学を設置するという「学制」の構想が、壮大な夢に過ぎないことは、誰よりも構想を描いた関係者自身が十分に認識していたとみるべきだろう。

近代的な学校教育制度の全体像を示したわが国最初の法規である「学制」は、「学校ハ三等ニ区別ス、大学中学小学ナリ」とした後、全国を八の大学区に分け、それをさらに中学区・小学区に細分し、各学区にそれぞれ一校ずつの大学・中学・小学を設置するという壮大な構想を描いている。しかし、三段階の学校のうち、具体的に書き込まれているのは「小学」に関する諸規定だけである。とくに「大学」については「大学ハ、高尚ノ諸学ヲ教ル、専門科ノ学校ナリ、其学科、大略左ノ如シ　理学　化学　法学　医学　数理学」（学科はのちに訂正され、理学・文学・法学・医学になった）という簡単な規定があるに過ぎない。

先に見たような中世以来の伝統を持つ、大学というヨーロッパ世界に独自の組織や社会制度の基本的な性格を、「学制」の起草者たちがどこまで理解していたかは別として、大学南校・東校の実情からしても、また「小学・中学」の建設自体がこれからの課題である段階で、ヨーロッパ世界の産物である「大学」の設置を具体的に構想し、推進することは、事実上不可能だったのである。

翌明治六年に、政府は「学制二編追加」という形で、「大学」に代わる高等教育機関として、「学制」の本文にはその名称がない「専門学校」の設立構想を打ち出すことになる。それはそうした「学制」の理想と厳しい現実との間の大きなギャップを埋めるための、きわめて現実的な、その意味で妥当な選択であったというべきだろう。

「専門学校」の規定

その専門学校についての規定は、次のような奇妙な条文から始まっている。

「外国教師ヲ雇ヒ、専門諸学校ヲ開クモノハ、専《もっぱ》ラ彼ノ長技ヲ取ニアリ、其取ルヘキ学芸技術ハ、法律学医学星学数学物理学化学工学等ナリ、其他神教修身等ノ学科ハ、今之《これ》ヲ取ラス」（第一八九章）

「外国教師ニテ教授スル高尚ナル学校、之ヲ汎称《はんしょう》シテ専門学校ト云フ、但此《ただしこの》学校ハ、師範学校同様ノモノニシテ、其学術ヲ得シモノハ、後来我邦語ヲ以テ、我邦人ニ教授スル目的ノモノトス」（第一九〇章）

「専門学校ヲ分ツ左ノ如シ、法学校医学校理学校諸芸学校鉱山学校工業学校農業学校商業学校獣医学校外国語学校、コレナリ」（第一九三章）

専門学校という名称がどのようにして選ばれ、決められたのかはわからない。ただ、「学制」の制定にかかわった当時の文部卿大木喬任《たかとう》、あるいは彼のブレーンたちが、ヨーロッパ諸国における大学とそれ以外の専門教育機関との関係を、ある程度理解していたことは疑いない。

「学制二編追加」で「専門学校」の構想を打ち出した際に、大木はこう述べている。「西洋ノ大学ハ、順序ヲ踏ムモノトス、専門ハ、順序ヲ踏マサルモノトス、故ニ其位、大学ヨリ下ル、実事必《かならず》シモ下ラス」。つまりヨーロッパ諸国で大学に進学するには、初等教育から中等教育へと「順序ヲ踏」み、ドイツであればアビツーア、フランスであればバカロレアという中等教育の卒業資格を取得しなければならないが、専門学校進学には、そうした資格は要求されない。だから「位」が一段低い学校と見られているが、教育の内容・水準、つまり「実事」は大学と基本的に変わりはないというのが、その違いについての大木の理解であった（倉沢、一九七三年、七三五―七三六ページ）。

大木はそうした認識に立って、初等・中等教育がまだ未形成の段階で、しかも日本語でなく外国語で専門教育を担う高等教育機関を、その変則的な性格のゆえにあえて「大学」と呼ばず、「学制」の追加規定として「専門学校」の制度を打ち出したのである。

大木の言うような「順序ヲ踏ム」か、踏まないかの違いは措《お》くとして、その意味では「専門学校」はたしかに、「学制」に想定された「大学」とは性格を異にする高等教育機関であった。

第一に、大学が複数の専門科を置く総合高等教育機関であるのに対して、専門学校は基本的に専門一科の学校であった。第二に、専門学校で教授されるのはもっぱら実用的な学問、とりわけ自然科学系の学問であり、第三に、専門学校はそれらの専門科を、欧米諸国の「長技」を取るために「外国教師ヲ雇」って教授するものとされ、「神教修身等ノ学科」は対象外とされた。そして第四に、専門学校は「師範学校同様ノモノ」であり、日本語で教授する学校、何よりも近い将来設置されるはずの正規の大学の、教員養成の役割を担うことになっていたのである。

開成学校と医学校

このように見ていくと「学制二編追加」にいう「専門学校」が、大学とは別種の専門教育機関としてヨーロッパ諸国に数多く設置されていたそれではなく、具体的には大学南校・東校という旧幕時代から引き継いだ、二校の高等教育機関の存在を想定しながら、やがて創設されるべき本来の大学の準備段階として構想された、その意味で特異な学校であったことがわかってくる。実際に、この規定に従って大学南校は、第一大学区第一番中学を経て明治六年に専門学校の規定に準拠する開成学校（七年に東京開成学校）に、東校は第一大学区医学校を経て明治七年に東京医学校になっている。すでに専門教育を行なっていた東校が東京医学校になったのは当然として、大学南校が明治六年に開成学校と改称したのは、それがようやく専門教育を開始することになったからである。

その大学南校の専門学校への衣替えに伴って浮上してきたのは、外国語教育の問題である。すでにふれたように大学南校の貢進生たちは、履修する外国語によって、英・独・仏の三つの語学グループに分かれて、外国語による普通教育を受けていた。貢進生制度は明治四年に廃止されたものの、この履修外国語によるグループ分けはその後も続いていたのだが、開成学校への移行時に、その外国語が英語に統一されることになった。問題は、独語・仏語を学んだ学生の始末である。結局、開成学校は、英語専修の学生のために法学・化学・工学の三科を開設したほか、独語専修の学生には鉱山学科、仏語の学生には諸芸学科を暫定措置として、つまり学生が残っている間だけ設けるという対応策をとった。その後、鉱山学科は独語化学科に衣替えしたが志望学生が少なく廃止、諸芸学科は仏語物理学科として卒業生を出して廃止されている。

こうして実質的には、法学・化学・工学の三学科からなる「総合的な」専門学校として発足した開成学校だが、この時期すでにドイツの大学では哲学部が理学部と文学部に分かれ、神学部は相対的に縮小されつつあったこと、さらには医学校が別置されていたことを考えれば、「学制」の「大学」の条項に書き込まれた「理学・文学・法学・医学」という、その点ではヨーロッパ的な近代大学の編成形態に、大きく一歩近づいていたことになる。ただ、理学でなく化学・工学という応用的な学科を置いたところに、この学校の過渡的な性格が残されていたのだが。

東京大学の発足

専門学校としての開成学校にとってさらに大きな問題は、「外国教師ニテ教授スル高尚ナル学校」というもうひとつの性格にあった。

「師範学校同様ノモノ」で、卒業者はやがて「邦語ヲ以テ、我邦人ニ教授スル」という規定は、専門学校の先に、日本人が日本語で教授する別の学校、「学制」にいう本来の「大学」の設置が想定されていたことをうかがわせる。実際に、大木文部卿はそのように考えており、明治八年にはすでに千葉県の国府台《こうのだい》に「真の大学校」を建設する構想が文部省内にあり、校地まで購入されていたことが知られている（天野、一九七七年）。しかし、「洋語大学校」である東京開成学校とは別に「邦語大学校」を設置しようとするその構想は、結局具体化されぬままに終わった。明治一〇年には同校と東京医学校とを合併する形で、わが国の最初の大学、東京大学が発足することになったからである。

東京大学の創立年とされている、この明治一〇年の移行について、『東京大学百年史』は、単なる名称変更に過ぎず、大学建設への積極的な方針や抱負は見られないとしている（通史一、四一五ページ）。たしかに東京大学の実態は依然として、外国人教師が外国語で教授する「洋語大学校」、つまり「学制」の規定からすれば「専門学校」であり、また医学部として東京大学の一部になったとはいえ、旧東京医学校の管理運営もこれまでどおりで、何の変化もなかった。

当時医学校のドイツ人教授だったベルツは、この二校の合併について「余等《よら》の小生活圏中に政府が勃発《ぼっぱつ》せしめた小革命（中略）異変と名の附くものは名称変更の外、今まで何も起こっていない」と日記に書いている（ベルツ、六七―六八ページ）。東京大学の初代「綜理《そうり》」となる加藤弘之《ひろゆき》ら関係者の、統合と大学への移行の理由づけを見ても、「現ニ法学化学等ノ設アリテ、本科生徒之数モ亦《また》多キニ至レハ、大学校ト称スルモ、敢《あえ》テ過称ニアラザル儀」とか、「名称ヲ改メ、更ニ各科ヲ並列シ、之ヲ包括シテ東京大学ト唱」えるのだというように、たしかに積極性に乏しい（中野、一九九九年、六〇ページ）。

洋語大学校から邦語大学校へ

しかし東京大学への移行とともに、学部編成が法・理・文の三学部プラス医学部の四学部制になったこと、化学科と工学科をあわせて新発足した理学部の学科数が一挙に増え、大学としての総合性が大幅に増したこと、それに文学部、とくに和漢文学科が創設されたことは、大きな変化といわねばならない。西洋の学問を「洋語」で教授するだけだった「大学校」に初めて、「邦語」による学科、和漢文学科が開設されたのである。ちなみに新発足した理学部は、化学、数学物理学及星学、生物学、工学、地質学及採鉱学の五学科、また新設の文学部は、史学哲学及政治学、和漢文学の二学科という編成であった。

新たに「邦語大学校」を作らなくても、「洋語大学校」が卒業生を出し、彼らが外国人教師に代わって教壇に立つようになれば、洋語大学校自体が邦語大学校に、つまり専門学校が正規の大学に実質的に移行していくことになる。その間に初等・中等教育の整備も進み、「順序ヲ踏」んだ学生たちが、大学の入り口に到達するようになるだろう——政府はそうした、現実的な大学作りの方向を選択したのである。

それでも明治一〇年の東京大学が、実質的には依然として学制にいう「専門学校」と変わらなかったと見るのは、そこで専門学を教授していた専任教員が、事実上すべて外国人教師、「お雇い外国人」であったからである。東京大学が発足した明治一〇年の時点で見れば、法理文三学部の日本人教授四名に対して「外国教授」は一七名、その内訳はアメリカ八名、イギリス四名、フランス四名、ドイツ一名であった。早くから専門教育を進めてきた医学部でも、日本人教授五名に対し「外国教授」が一一名と多数を占めており、その全員がドイツ人であった。ようやく日本人が教授ポストにつくようになったとはいえ、まだその数は限られており、授業自体すべて外国語、試験も卒業論文も外国語によっていたのである。

予備門の開設

このことは、専門教育を受けるためには学生は、あらかじめ十分な外国語の能力を身につけている必要があったことを意味している。実際に、大学南校が実質的に外国語学校であったことはすでに見たとおりである。大学東校は「学制」の規定による医学校になってからも、ドイツ語と普通学の教育のための五年制の予科を置いており、この予科は東京大学医学部になってのちも存続していた。

大学南校のほうは、第一大学区第一番中学校を経て、明治六年に専門学校としての開成学校になった際、外国語による普通教育の課程が切り離されて、新設の東京外国語学校に移された。この外国語学校は、「学制二編追加」により創設された、「通弁」の養成と専門学校進学者のための外国語教育のための学校であり、東京以外に大阪・長崎・愛知・広島・新潟・宮城の各地にも一校ずつ、あわせて七校が設立された。翌七年には英語だけの教育、つまり専門学校進学者の予備教育だけを行なう英語学校へと衣替えするが、明治一〇年には東京・大阪を除く五校が廃止され、東京英語学校は新発足の東京大学に統合されて、同大学の「予備門」となった。

理由ははっきりしないが、同年の西南戦争による財政難や、専門教育の機能を強化した東京大学の発足が、より効率的で集約された英語教育の場を必要としたためと思われる。

その東京大学予備門は、帝国大学の創設とともに再度切り離されて第一高等中学校になるから、七校の英語学校の全国的な設置は、その後の「大学予科」としての高等学校制度の先駆けと見ることもできる。いずれにせよ、「洋語大学校」としての東京大学はもちろん、その後身である、依然として欧米の学術技芸の輸入・移植の場であり続ける帝国大学にとっても、外国語中心の予備教育機関は欠かせない存在であった。そして大木文部卿が外国語の問題に絡んで指摘した、順序を踏むか踏まないかという問題は、高等学校の高等教育システム内での位置、その存廃の問題として、その後も長く尾を引くことになる。

三、「日本型グランド・ゼコール」群の生成

専門学校の時代

ところで、帝国大学成立前のこの時期は、わが国の高等教育システムにとって、「専門学校の時代」であったといってよい。なぜならこの時期は、文部省以外の官庁もまた、「学制」の規定とかかわりなく、必要とされる専門官僚の育成を目的に、外国人教師が外国語で専門学を教授する専門学校を、独自に次々に立ち上げた時代だからである。やがて帝国大学に包摂され、その一部になるこれらの学校は、(外国語による専門教育機関だという点は別として)もっぱら官費で専門官僚を養成することを目的に、文部省以外の官庁の手で設立された、しかも大学と肩を並べる水準の高等教育機関だという点で、フランスのグランド・ゼコールと酷似している。

あとでふれるそれぞれの学校の設立の経緯からすれば、これらの専門学校は直接、グランド・ゼコールを模倣して設立されたものと見ることはできない。フランスのグランド・ゼコールが現在に至るまで、独自の(しかも大学よりも威信の高い)高等専門教育の系統として発展を遂げてきたのに対して、「日本型グランド・ゼコール」群はやがて帝国大学に統合され、帝国大学自体が専門官僚を含む官僚養成の機関化していくという点でも、両者は違っている。

しかし重要なのは、フランスと日本という二つの中央集権的な国家が、早急な産業化・近代化の推進をはかろうとしたとき、高度の専門的能力を持った人材養成の場として選択したのが、ともに大学（ユニヴェルシテ）ではなく専門学校（グランド・ゼコール）という高等教育機関の形態であったという事実である。革命後のフランスでは、中世以来の大学は事実上解体されて、ファキュルテと呼ばれる、それぞれが独立の法・医・文等の学校群になり、それとは別に軍事官僚や技術官僚養成のためのグランド・ゼコール群が、独自の発展を遂げていた。一九世紀後半のフランスは、専門学校の国だったのである。ドイツでも大学のほかに、高等工業学校（TH、テヒニッシェ・ホッホシューレ）に代表されるさまざまな専門学校（ホッホシューレ）が設置され、大学との同格化をめざして発展を遂げつつあった。

高等教育システムはすでに世界的に、ヨーロッパ中世以来の伝統的な大学以外のさまざまなタイプの高等教育機関を併せ持つ、近代産業社会に特徴的な性格と構造を持ち始めていたのである。

工部大学校と司法省法学校

文部省以外の官庁が設立した、その「日本型グランド・ゼコール」ともいうべき専門学校群としては、工部省の工部大学校、司法省法学校、開拓使の札幌農学校、それに内務省の駒場農学校の四校がある。簡単にその設立の経緯等を見ておくことにしよう。

工部省が「工部ニ奉職スル、工業士官ヲ教育スル学校」の設立を構想したのは、明治四年のことである。明治六年に工学寮工学校として教育を開始し、明治一〇年に工部大学校となった。

教頭に就任したヘンリー・ダイアーはグラスゴー大学出身の工学者で、教員もすべてイギリス人であり、教育は英語で行なわれた。維新政府とイギリスとの人的なつながりもあるが、産業化を先行するイギリスの工業技術を高く評価しての選択だったのであろう。スイスのチューリッヒにあった高等工業学校（TH）がモデルという説もあるが、理論と実践の統合をめざした、土木、機械、電信、造家、実地化学、採礦《さいこう》、鎔鋳《ようちゅう》の七科からなるこの総合的な工学教育機関は、当時のイギリスはもちろんフランスをはじめとするヨーロッパの諸国にも例を見ない、革新的な学校であったとされる。六年制で官費・全寮制を原則とし、学生は入学後二年間の予科学（普通学）のあと、二年間それぞれの専門学を学び、最後の二年間を「実地修業」にあてる実践重視の教育を受けた。卒業生には工学士の称号が与えられ、七年間の奉職義務という形で「工業士官」としてのポストが約束されていた（『旧工部大学校史料』一九三一年）。

司法省もまた工部省と同じく明治四年に、司法官の養成を目的に明法寮《めいほうりょう》を置き、翌五年に「法学生徒」の制度を設けて人材養成を開始した。

近代法の制定事業に着手したばかりの日本にとって、当時、民法をはじめ法典の最も整備された国として知られていたフランスは、法学教育についても学ぶべき最重要のモデル視されていた。司法官の養成はジュ・ブスケ、ボアソナードら、フランス人教師を招聘し、フランス法の教育を通して行なわれた。教育年限は八年で、そのうち最初の四年間が予科として、フランス語による普通教育にあてられた。フランスでは法律家の養成は、大学解体後は法学校(ファキュルテ)で行なわれていたから、グランド・ゼコールがモデルであったわけではない。しかし明治一〇年に司法省法学校となったこの学校も、学生はすべて官費で全寮制をとり、卒業者は法律学士の称号を与えられ、一五年間という長期の奉職を義務づけられていた(手塚、一九八八年)。

札幌農学校と駒場農学校

開拓使の設立した札幌農学校は、明治五年東京に開設された「仮学校」を前身とし、札幌に移ったあと明治九年から、農業技術者養成のための専門教育を開始した。農業を中心とした開拓事業のための人材養成ということで、教頭(実質的な校長)にはアメリカのマサチューセッツ農科大学(実質は農業専門学校)の学長、ウィリアム・クラークを招聘し、教員もすべてアメリカ人であった。ここでも官費制と全寮制をとり、学生は三年制の予科を経て四年間の専門教育を受け、卒業すれば農学士となり、五年間の奉職義務を果たすことを求められた(『北海道帝国大学沿革史』一九二六年)。

最後の駒場農学校は、最も遅く明治八年に構想され、明治一〇年に内務省勧業寮の農事修学場として発足し、同年校名を変更したものである。

ここでも農業技術者の育成を目的に、官費生を主体とした全寮制で予科二年・専門科三年の五年間の教育を行ない、卒業者には五年の奉職義務を課した。置かれた学科は農学・獣医学・農芸化学の三科で、農学士ないし獣医学士の称号が授与された。ただ外国人教師については、当初イギリスから招聘したが成果が上がらなかったのか、明治一三年にはドイツ人教師に切り替えられた。専門学の授業も通訳を入れて行なわれたという点が、他の三校とは異なっている（『駒場農学校等史料』一九六六年）。

このように、四校の日本型グランド・ゼコールのうち駒場農学校を除く三校は、いずれも「学制」の専門学校関連の規定が公布される明治六年以前に、自省の官僚養成のために専門教育機関の創設計画が立てられたという点で共通している。学生については官費制・全寮制をとり、教師には外国人を招聘し、外国語で普通教育から始めて実用的な専門教育を与え、卒業後は奉職義務を課した点でも同じである。遅れて発足した駒場農学校も、基本的に性格を同じくする専門学校であった。

これに対して文部省の東京開成学校は直接、官僚養成の役割を期待されておらず、したがって奉職義務制もとっていなかったという点で、明らかに性格を異にしている。しかし同時に、「師範学校同様ノモノ」として教員養成を主要な目的とし、卒業生には文部省所管の諸学校の教員になることが期待されたという点では、フランスの有名グランド・ゼコールである、エコール・ノルマール・シュペリオール（高等師範学校）とよく似ている。帝国大学成立以前の時代は文部省所管の学校を含めて、まさに「専門学校の時代」だったのである。

四、留学生派遣と教員養成

留学生の派遣

教員養成といえば、文部省の東京開成学校・東京大学はいうまでもなく、他官省立の日本型グランド・ゼコール群の場合にも、専門官僚の養成もさることながら、外国人教師と外国語依存の教育から速やかに脱却し、自力で必要な専門人材の養成をはかるために、欧米諸国の最先端の学術技芸を身につけた教授陣の、早急な育成をはかる必要に迫られていたことを指摘しておくべきだろう。

外国人教師を招いて外国語で専門教育を行なう機関を設置するのは、いってみれば日本の国内に小型の欧米大学や、専門学校を誘致・開設するようなものである。それではコストが高くつき、多数の人材を安定的に育成することができないだけでなく、先の工部大学校の設立建議書にあったように、欧米依存から脱却して学術技芸の自立的な発展をはかることが困難になる。欧米諸国への留学生の選抜・派遣とそれによる教員養成は、政府にとって、また東京大学を含むこの時期のすべての高等教育機関にとって、最重要の課題であった。

欧米先進諸国への留学生派遣は、幕末期にすでに始まっている。維新後もごく早い時期からさまざまな形で、留学生たちは欧米諸国に出て行った。明治六年の時点で文部省所管の官公費留学生が一九八人、私費留学生が一二三人、その他に大蔵省二三人、工部省一二人、開拓使二三人など、他官庁からもあわせて六一人の留学生が欧米諸国にいたことがわかっている。しかし「その多くはA・B・C二十六文字の稽古《けいこ》から始まっている」という、あるイギリス留学者の報告にあるように、押しなべてその質は低く、ばらつきも大きかったことは否めない（渡辺、上巻、二六八ページ）。維新後わずか数年、蘭学の時代がようやく終わり、本格的な外国語教育の時代が始まったばかりという時代状況を考えれば、無理からぬことというべきだろう。

ただそのなかには、明治三年に大学南校からアメリカに派遣された八人、大学東校からドイツ等に送られた一三人など、国内である程度組織だった教育を受け、選抜されて送られた質の高い留学生もすでに一定数含まれていた。あとで見るように彼らのなかには、その後、創成期の高等教育機関において第一世代の日本人教授となったものが少なくない。

「学制」以後の留学生

明治五年の「学制」は、その留学生についても詳細な規定を設けている。この時期、留学生の派遣がいかに重視されていたかは、「学制」の条文のほぼ三分の一が、留学生関連のそれにあてられていることからもうかがわれる（石附、一七二ページ）。それによれば、官費による留学生は、すべて文部省の実施する試験を経て「公ニ撰挙《せんきょ》」されたものでなければならず、卒業証書を得たもの以外は帰国後、再度文部省の試験を受け、また「必《かならず》官ニ奉職スルカ、又ハ官費ヲ償還スル」ことを求められ、その期間も「奉職十一年、償還十五年」と定められていた。「学制」の他の規定と同じく、そのすべてが実施に移されたわけではないが、留学生の選抜が能力主義の方向に大きく転換したことは疑いない。

厳選された官費留学生の本格的な派遣は、明治八年に始まった（以下、留学生の派遣については主として渡辺、上・下巻による）。この年、文部省は「学制」の規定どおり留学生の選抜試験を実施したが合格者はなく、東京開成学校生徒のなかから一一名が選ばれて、アメリカに九名（法学四、化学三、工学二）のほか、ドイツ・フランスに各一名（それぞれ諸芸学・鉱山学）が送られることになった。専門各科から選抜された、すでに語学力だけでなく専門分野の学問についても、一定の学力を身につけた学生たちであったことがわかる。この年にはまた、東京開成学校生徒以外の三人の「派遣生」が、アメリカに「師範学科」を学ぶために送られている。翌九年にも同様の手続きを経て、一〇名の東京開成学校生徒が選ばれ、八名がイギリス（法学三、化学二、工学三）、二名がフランス（物理学二）に派遣された。外国語を英語だけに絞り、仏・独語のコースを暫定的に残すという選択の結果と、法・化・工という学科編成をそのまま反映した、留学生の国別・専門分野別の構成が見て取れる。

なお、フランスは三名ともグランド・ゼコールのひとつ、エコール・サントラール、ドイツはフライブルク鉱山学校、アメリカは法学、工学、鉱山学の、やがて「プロフェッショナル・スクール」と呼ばれるようになる、大学の一部であっても付設的な専門学校、イギリスの場合も法学校や農学校、また大学の工学科というように、「専門学校の時代」は、留学先の学校選択にも端的に反映されていたことが知られる。

留学生政策の確立

こののちしばらく文部省の留学生派遣はなかったが、明治一二年に再開され、全員が東京大学卒業者の七名が選ばれ、三名がイギリス（法学・化学・工学）、二名がドイツ（医学）、各一名がオーストリア（医学）、フランス（物理学）に送られた。医学部の卒業生が加わったこともあるが、留学先を見るとロンドン、ベルリン、パリ、ウィーンなどの大学名が見られるようになったのは、大きな変化である。専門学校と大学の、高等教育機関としての性格の違いが認識され始めたことがうかがわれる。

自国の大学で本格的な専門教育を受け、学士号を取得したもののなかから、少数の精鋭を選抜して研究機能を持った、とくにヨーロッパの一流大学に留学させ、帰国後は外国人教師に代えて教授ポストにつけ、本格的に自前の大学作りを進める。そうした明確な政策的意図を持った文部省の留学生政策が、ようやく確立され始めたのである。

留学生の派遣は東京開成学校・東京大学だけでなく、他官省立の専門学校でも始まった。司法省法学校の場合、明治五年の第一期入学者のなかには、大学南校仏語コースからの転学者が多く含まれており、直ちに本科に進んで専門教育を受けたものが十数名いたこともあって、卒業を待たずに明治八年、七名を選んでフランスに留学させ、翌九年の卒業生のうちからさらに三名を送った。工部大学校も明治一二年、第一期卒業者のうち一一名をイギリスに送ったが、大量派遣はこのときのみで、あとは明治一八年の一名となっている。

札幌農学校と駒場農学校については、こうした教員ないし技術官僚養成のための積極的な努力のあとを見ることはできない。そこでは卒業生をまず、助教などの補助的な教員ポストに任用し、そのあとで適宜、海外に派遣するという方策がとられたからである。いずれにせよ、教員養成そのものに設置の主要な目的があった「師範学校同様」の東京大学に対して、これら専門学校の場合には専門官僚の養成に主たる目的があり、留学生派遣はあくまでも、自校の教員養成のための限定的なものにとどまっていた。

五、「教育令」とアメリカ・モデル

「学制」から「教育令」へ

東京開成学校と東京医学校が統合され、東京大学が発足してから二年後の明治一二年、「学制」は廃止され、代わって「教育令」が公布された。

全体で二一三章にわたる詳細な学制の規定に対して、教育令は四七条の簡潔な条文からなっており、大学・専門学校についても、「大学校ハ、法学理学医学文学等ノ専門諸科ヲ授クル所トス」、「専門学校ハ、専門一科ノ学術ヲ授クル所トス」と、短く規定しているに過ぎない。しかしこのことは、この時期、大学・専門学校のあるべき姿をめぐって何の議論もなかったことを意味してはいない。教育令の原案を審議した元老院で、議官の間に激しい議論があったことが知られているからである（『明治文化資料叢書』第八巻、一九六一年）。そして、ヨーロッパ社会が生み育ててきた大学という制度と組織についての、わが国の関係者の理解は、この論議を通して著しく高まったと見てよい。

議論は「自由教育令」とも呼ばれたその教育令案の、「全国ノ学校事務ハ、文部卿之ヲ統《とう》摂《せっ》ス、故ニ学校幼稚園書籍館等ハ、公立私立ノ別ナク、皆文部卿ノ監督内ニアルヘシ」という第一条、それに「以上掲クル所、何《いずれ》ノ学校ヲ論セス、各人皆之ヲ設置スルコトヲ得ヘシ」

という第八条の、二つの条文をめぐって展開された。

学制の廃止によって、全国七つの大学区に各一校の（官立）大学を置くという壮大な構想は、姿を消した。学制に代わる新しい教育令の第一条には「公立私立」とあるだけで、「官立」という言葉がない。しかも学校の設置は自由にするのだという。それは東京大学を含めて大学に官立は不要であって、公立私立、なかんずく私立に委《ゆだ》ねればよいということではないのかという疑問が、一部の議官から投げかけられたのである。

政府側の委員からは、そんなことはない、いまある東京大学を廃止しようなどとは毛頭考えていない、ただ大学については、政府がその運営に関与すべきものではなく、「高等ノ教育ハ、固《もと》ヨリ人民ノ自為ニ任シ、政府ハ之ニ干渉セスシテ、只《ただ》保護誘導スルニ止《とど》マルハ、素《もと》ヨリ然《しか》ルヘキノ主義」だと考えている、という答弁があった。しかし納得は得られず激しい議論になった。

モデル論議の萌芽

結局二つの条文は採決の結果、原案どおりとなるのだが、興味深いのはその過程で、あるべき大学の形をめぐって展開された議論の内容である。それは大学の自治や財政、公立私立大学の設置の可否、他官省設置の専門学校の監督権など多岐にわたっており、しかも欧米諸国の大学・高等教育についての、増え始めた知識や情報に基づいた問題の本質に迫る議論であった。

そこには「高等学科ハ、政府［が］（中略）関渉《かんしよう》スヘキヤ否ヤ（中略）聞ク所ニ依《よ》レハ、自由ノ精神ヲ、暢発《ちようはつ》セサレハ不可ナリ（中略）故ニ欧州ノ学校、多クハ政府之ニ関渉セス」、「高等学科ノ如キハ、欧米諸国既《すで》ニ之アリト雖《いえど》モ、政府ハ之ヲ、関渉スヘキモノニアラストシ、只其補助スルニ止マレリ」という意見もあれば、「泰西《たいせい》各国皆、大学ハ欠ク可カラサルモノトシ、大学ハ国税ヲ以テ之ヲ建ルノ明文ヲ、法律ニ掲ク」、「日本小ナリト雖モ、十数ノ大学ハ決《けつし》テ之ヲ欠クヘカラス、然ルニ政府ハ、其建否ヲ人民ノ自由ニ任ストセハ、我開化ノ進路ニ支障ヲ生スルヤ、此ヨリ大ナルハナシ」という意見もあった。どのような大学を理想とするのか。ドイツ的な「国家の大学」か、アメリカ型の「市民の大学」かの選択をめぐる、その後長く続くことになる議論と意見の対立が、この時点ですでに始まっていたことがわかる。

『理事功程』とアメリカ・モデル

明治一二年の教育令の起草者とされる、当時の文部大輔《たいふ》（次官）田中不二麻呂《ふじまろ》は、岩倉具視を代表に明治四年出発し、一年余にわたって欧米諸国を歴訪した、いわゆる「岩倉使節団」に文部省から派遣されて随行し、帰国後、報告書『理事功程《りじこうてい》』を作成・提出したことでも知られている（『理事功程』一九七四年）。アメリカ・イギリス・フランス・ドイツなど、八ヶ国の教育事情を紹介したこの報告書は当然のことながら、精粗の差はあるにせよ各国の大学・高等教育の現状にもふれている。

その国際的な事情に通暁した田中が最も深い関心を持ち、惹《ひ》かれていたのは自由主義的なアメリカの教育制度であった。彼は教育令の起草に先立ち、明治九年から一〇年にかけて再度渡米して教育事情を調査している。また彼が「学監」、すなわち教育顧問として文部省に招いたのも、アメリカ人ダビッド・マレーであった。

新大陸の国アメリカが、ヨーロッパ的な伝統から自由に、独自の教育システムを構築してきたことはよく知られている。教育についても各州の自立性の強い「合州国」として、連邦政府の統制権限の弱いこの国では、「人民ノ自為ニ任シ、政府ハ之ニ干渉」することのないままに、学校教育システムの構築が進められてきた。それは大学の場合も同様である。アメリカは西洋世界のなかで唯一、国立大学を持たず、州立大学の設置も南北戦争後にようやく始まったばかり、高等教育の主力は私立大学という、当時としては例外的な国家であった。

大学を含む学校設置の自由を謳《うた》った「自由教育令」の起草に中心的な役割を果たした田中は、そのアメリカを、新興国日本にとっての理想のモデルと考えていたのである。

しかし、教育顧問として招かれたマレーは大学について、どうやら田中とは違った考え方を持っており、私立大学中心のアメリカの高等教育システムに、必ずしも満足してはいなかったように思われる。マレーは明治六年に来日し、一一年に帰国するが、前年に作成され、教育令制定の重要な参考にされたと考えられる「学監考案日本教育法」、および「学監考案日本教育法説明書」という二つの文書が残されている（『明治文化資料叢書』第八巻、一九六一年）。このマレーの「日本教育法」は全体で一二〇章、成案となった教育令に比べて、はるかに詳細に書き込まれており、大学・高等教育についても具体的な記述がなされている。

そこで提案されている大学・高等教育システムを見ると、それがきわめてアメリカ的な性格のものであったことがわかる。すなわち文中には、「高等学校」「大学」「高等専門学校」「高尚専門学校」といった、高等教育機関を表わすさまざまな用語が出てくるが、訳語と原語の関係は「高等学校（インスティチューションズ・オブ・ハイアー・ラーニング、またはカレッジ）」・「大学（ユニヴァーシティ）」・「高尚（高等）専門学校（プロフェッショナル・スクール）」となっている（『東京大学百年史』通史一、四二四ページ）。なお、「インスティチューションズ・オブ・ハイアー・ラーニング」は、高等教育機関の総称として用いられていたと思われる。

マレーと高等教育システム

この時期のアメリカの大学は、市民教育を目的とした「リベラルアーツ」教育のための大学（カレッジ）から、研究と大学教員養成のための大学院（グラデュエート・スクール）を置く、つまり教育と研究の機能を併せ持つ、その意味でドイツ・ヨーロッパ的な大学（ユニヴァーシティ）への発展的移行の途上にあった。それはまたアメリカの大学に、付設校あるいは独立校としてさまざまな専門学校（プロフェッショナル・スクール）が現われ始めていた時期でもあった。先の『理事功程』によれば、アメリカの「「ユニウエルシチー」及「コルレジ」ト称スル大学校」の総数は三六九校、うち二五校の州立大学を除いて私立大学が圧倒的多数を占め、ほかに医学校八八、法学校二八、神学校九三、商学校二六、農学校二六があったという。マレーは、そのきわめてアメリカ的な高等教育システムを、日本にも採用すべきモデルとして勧めたのである。

ただそのマレーが、質的に問題のある私立大学が乱立するアメリカの高等教育の現実に批判的であり、日本についても同様の私立大学中心のシステムが望ましいとは考えていなかったことを、指摘しておく必要がある。

「文部省ハ、官立学校ヲ建設シ之ヲ直轄」する、「文部省ハ（中略）大学ヲ設立保護スヘキ責任アリ」（「日本教育法」）、「全国ノ高等諸学校ヲシテ、其諸規則ヲ同一ニ、且ツ善良ナラシメンニハ、之ヲ文部省ノ直轄トナスニ如《し》クハナシ」、「文部省ハ全国ノ情態ヲ忖度《そんたく》シ、之ニ適当セル高等専門学校ヲ設立保護スルヲ以テ、其職掌トナスヘシ」、「高等教育ニ至テハ、其費用甚《はなはだ》夥多《かた》ナリトス、是《こ》レ高等教育ニ免ル可ラサル所ナリト雖モ、決シテ之ヲ、生徒ニ負担セシムルコトヲ得ス」、「高等学校建設ノ過多ナルハ、其害タル、却《かえつ》テ建設ノ過少ナルヨリ甚シトス」（「同説明書」）といった、マレーの法案や説明書の内容は、それを裏書きするものである。

田中のような、アメリカのシステムを単純に理想化する日本の関係者は、マレーの目にはナイーブに過ぎると映っていたことだろう。実際に、「人民ノ自為ニ任」せた教育システムの構築をめざした田中らの構想は、早くも翌一三年には放棄され、「自由教育令」は、国家主導の構築へと転換をはかる「改正教育令」にとって代わられるのである。

六、東京大学の整備

東京大学の大学像

こうして当時の議論を追いながら奇妙に感じられるのは、いまある唯一の大学である東京大学の存在に、議論がほとんど及んでいないという点である。教育令という法令をめぐっての議論だということもあるだろうが、議論はもっぱら大学・高等教育の制度、システム全体をどう構想するのかをめぐって展開され、大学や専門学校、とくに大学を具体的にどのように組織し運営していくのかが、そこではまったく問題にされていないのである。

これまで見てきたように、開成学校・東京大学の教授陣の多数を占めたのはアメリカ人教師であり、文部省の政策もまた、学監マレーや大輔田中不二麻呂の存在に見られるようにアメリカの影響を強く受けていた。しかし、それは東京大学がアメリカ的な大学であったことを意味していたわけではない。当時のアメリカの私立大学は、大学院（グラデュエート・スクール）を開設し、専門学校（プロフェッショナル・スクール）を置いて、総合的な高等教育機関（ユニヴァーシティ）への道を歩み始めていたが、その中核は依然として市民的な教養教育の場である学部（カレッジ）、すなわち「リベラルアーツ・カレッジ」にあった。新興の州立大学はといえば、A&Mカレッジと別称されたことからも知られるように「農業（A・アグリカルチャー）」と「工業（M・メカニックス）」の産業技術者を養成する事実上の専門学校であり、札幌農学校がモデルとしたマサチューセッツ農科大学も、A&Mカレッジのひとつに他ならなかった。

法・文・理・医の四学部を置いて発足した東京大学は、たしかに教授陣の多数をアメリカ人が占めていたものの、そうしたアメリカの私立大学・州立大学のどちらとも異なっており、学部編成や専門学中心の教育のあり方からすれば、むしろ伝統的なヨーロッパの大学に近い大学だったといってよい。しかし同時に、唯一の官立大学とはいっても「師範学校同様」の学校だというだけで、当時、世界の大学界で最も高い評価を得ていたドイツの大学のように、研究と教育の機能を併せ持つ、国家のための人材養成の場をめざしたわけでもない。

大学と専門学校の違いについても、関係者の間で「専門諸科」と「専門一科」との違い程度にしか理解されていなかったことは、教育令の規定に見るとおりである。医学部のドイツ人教授ベルツが日記に記していたように、アングロサクソン型の東京開成学校・法理文三学部と、ドイツ型の東京医学校・医学部を統合して、東京大学を発足させはしたものの、あるべき大学像については未定のまま、試行錯誤の過程が依然として続いていたと見るべきだろう。

教員集団の重要性

大学という組織について最も重要なのは、すでに見たように、中世ヨーロッパにおける誕生以来大学が持ち続け、守り続けてきた団体性・共同体性であり、その具体的な担い手は教員集団である。「お雇い外国人」中心の、しかも彼らが教育の主要部分を握っている東京大学には、そのような団体性・共同体性の基盤となる教員相互の、学部や学科の枠を超えた連帯感・一体感はまだ存在せず、したがってそれに基づく日本的な大学像の本格的な模索も、すぐには望みがたいことであった。モデルの模索を言う以前に、東京大学はまず、「洋語・洋学大学校」から「邦語・日本大学校」への転換をはからねばならなかったのである。

東京大学の発足から四年目の明治一三年、大学総理の加藤弘之は、東京大学は依然として「洋学大学校」ではないかという批判に応えて、次のように書いている。

「東京大学ニ於テハ、方今《ほうこん》専ラ、英語ヲ以テ教授ヲナスト雖モ、此事決シテ、本意トスル所ニアラス（中略）将来教師ト書籍ト倶《とも》ニ、漸漸《ぜんぜん》具備スルニ至レハ、遂ニ邦語ヲ以テ教授スルヲ目的トナス（中略）［法理文］三学部ニ於テ、現今施行スル所ノ規則ト雖モ、決シテ洋学校ノ性質ニ適セル規制ニアラス（中略）今ノ東京大学ハ、不十分ナカラモ既ニ、日本大学ノ性

質ヲ具セルモノト、云ハサルヲ得サルノ理ニシテ、決シテ洋学大学校ト、認ムヘキニアラサルヲ知ルヘシ」（天野、一九七七年）

加藤の反論は、この時点ではまだ強弁だったかも知れない。しかし、「洋語大学校」から「邦語大学校」への転換は、彼のリーダーシップのもとで、実際に急速に進行し始めていた。

「邦語大学校」へ

変化は加藤が反論を書いた次の年、明治一四年に始まった。

まず、それまで法理文三学部と医学部がまったく別組織で、それぞれに「綜理」を置き、それを加藤が「総理」として統括する形をとっていた東京大学が、この年、職制上完全に統合されて綜理の職は廃止され、総理の下に各学部長が置かれる形に変わった。同時に教授の名称は日本人教員に限られ、外国人は「外国教師」という一段低い（?）呼称に変更された。それまでの「助教」が「助教授」になり、「教授ノ職掌ヲ助ク」という、その後長く続く「助ける」規定が生まれたのもこの時である。

こうした変化の背景にあったのは、日本人教授数の増加がもたらした教員集団の構造変化である。表1-1には、東京大学発足以降の教員集団の構成に生じた数の変化を示したが、そこには明治一三年と一四年の間に起こった大きな変化が、端的に映し出されている（天野、一九九七年）。

表1－1　東京大学における教授数の推移（明治10—17年）

学部＼年		明治10	11	12	13	14	15	16	17
法学部	日本人					1	3	4	5
	外国人					1	1	1	1
理学部	日本人	4	4	5	5	7	9	10	14
	外国人	12	17	15	14	6	5	5	4
文学部	日本人					5	5	6	8
	外国人					2	3	3	3
医学部	日本人	5	6	5	5	8	8	10	13
	外国人	11	11	10	10	7	5	4	4
合　計	日本人	9	10	10	10	21	25	30	40
	外国人	23	28	25	24	16	14	13	12
その他	助教授	10	11	8	9	27	29	36	34
	講師	—	6	8	14	10	16	19	33

（『文部省年報』各年度より作成）

第一に、東京大学全体として明治一四年に初めて、日本人教授の数が外国人教師のそれを上回った。第二に、助教授の数が急増し教授とほぼ同数になった。ただしその学部別内訳を見ると、理・医の二学部が二七人中二五人、一七年にも三四人中二九人を占めており、この二学部の早い充実ぶりと、文学部・法学部の立ち遅れがうかがわれる。第三に、それら助教授に講師(非常勤。明治一〇〜一三年は員外教授を含む)を加えた教育スタッフの数が、各学部とも大幅に増えた。とくに助教授数の少ない法学部・文学部では、その代わりに講師数が多く、明治一四年の一〇人中八人、一七年の三三人についても、そのなかの二〇人を占めている。

明治一五年には、法学部が卒業論文の作成に邦文または漢文の使用を認め、さらに明治一六年、教授用語を英語から日本語に切り替えることを決定するなど、教授・学習用語の点でもまさに「洋語」から「邦語」への移行が始まっていたが、それはこうした教員集団の「邦人」化によって初めて可能だったといってよい。このように年々より多くの、しかも日本人の教育スタッフを抱えることにより、東京大学は次第に、他の官省立専門学校から頭ひとつ抜け出した存在になり、「知の共同体」としての大学へと、順調な成長の道を歩み始めるのである。

教員集団の変化

こうした教員集団の構造変化をもたらしたのは、ひとつには明治初年以来政府が派遣してきた留学生の相次ぐ帰国であり、もうひとつは卒業者数の増加である。

留学生について見れば、大学南校・東校時代の留学帰国者に加えて、明治八・九年の両年度、東京開成学校生徒のなかから選抜され五年の年限で各国に送られた留学生が、明治一三年に一二名、一四年に八名帰国したのをはじめ、私費留学中に官費留学生に切り替えられたものを含めて、帰国者数は一五年八名、一六年一名、一七年三名、一八年六名と、次第に増えていった（『教育ノ効果ニ関スル取調』三一―三二ページ）。

その帰国者のすべてが東京大学の教授職についたわけではない。近代化を開始したばかりの日本は、政府も民間も欧米の学術技芸を本格的・系統的に学んだ人材に、決定的に不足しており、引く手あまたの帰国者には大学以外にも魅力的な、さまざまなポストが約束されて

表1－2　大学教授の留学状況（明治10―18年）

	留学						非留学	合計
	英	米	独	仏	他	計		
法学	1			2		3	2	5
理学	4	6	4	2		16	1	17
文学		1				1	7	8
医学			7	1	1	9	3	12
合計	5	7	11	5	1	29	13	42

（天野『教育と近代化』264ページ）

いたからである。

それでも、帝国大学以前の東京大学で教授職についた人々の大多数を、留学帰国者が占めたことに変わりはない。表1－2に見るように、この時期に教授職についた四二名のうち、七割に近い二九名が留学帰国者であり、一三名の非留学の教授は、法学部では日本の「古今法制」や「古代法律」等の科目担当教授、また文学部では和漢学科の担当教授など、特定の学問領域に限られていた。

外国語の重要性

留学帰りの教授たちは、日本語で授業をするのが基本になったとはいえ、訳語も定まらぬ状況下で、使用されるテキストは事実上すべて欧米諸国のもの（原書！）であり、授業は大部分が外国語で、あるいはそれに日本語混じりで行なわれていた。

その外国語も医学部はもっぱらドイツ語、法理文の三学部は英語を主とするとはいえドイツ語・フランス語も必要とされるという複雑さであり、学生たちには依然として高度の、しかも複数の外国語能力が要求されていた。授業時間の大半を外国語の履修にあてる予備門が、あとで見るように帝国大学の発足後、高等中学校・高等学校として制度化されねばならなかったのは、そうした学問的な後進国・植民地としてのわが国の大学の、その後長く続く重要な特質と不可分にかかわっていた。

明治一四年以降、卒業者の数が増加するとともに増え始めた、次世代の教授候補者としての助教授たちについても、欧米諸国への留学が教授昇格への不可欠の条件とされていた。文部省の留学生政策はこうして、将来の教授候補者の欧米諸国への留学・派遣を中心に、制度化されていくことになる。

七、「グランド・ゼコール」群の衰退

工部省と司法省の学校

ここで日本型グランド・ゼコール、官庁立専門学校のその後についても見ておこう（天野、一九八九年、七六—八〇ページ）。

まず、専門教育機関として最も整備され規模も大きかった工部大学校だが、第三回の卒業生を出した明治一四年には、すでにその存立基盤が揺らぎ始めていた。明治一三年の「工場払下概則」の制定に象徴されるように、官から民への工業化政策の転換が始まるなかで、国

家的な土木建設事業だけでなく、官営工場・鉱山の設立など、「上からの工業化」の推進に中心的な役割を果たしてきた工部省の地位そのものに、大きな変化が生じ始めたからである。

工部大学校には当初から、官費生のほかに若干の私費生の入学が認められていたが、明治一二年の入学生から全員が私費生となり、奉職義務も解かれたのは、そうした変化の象徴的な表われと見てよい。明治一五年には増加する卒業生を「人民ノ請願ヲ徴シ、之ニ貸与」することや、「卒業後直《ただ》チニ誓約ヲ解キ、本人ノ自由ニ任」せることを決めた「官費卒業生ノ処分」に関する通達まで出されている（『工部大学校史料』一四四ページ）。「工業士官」育成の時代は、こうしてあっけなく終わりを告げた。大学校そのものは、その後も順調に成長し明治一八年には外国人教授五人のほか、留学帰国者の邦人教授五人、卒業者中から任用された助教授一二人を擁するまでになったが、同年、本体である工部省自体が廃止され、工部大学校は文部省に移管されることになる。

その工部大学校に比べて司法省法学校は規模も小さく、また明治九年に第一期の卒業生を出してから第二期の学生を入れ、彼らが四年間の予科を終えて本科に進学した明治一三年に第三期生を入学させるという、変則的な教育方式をとっていたことにも見られるように、高等教育機関としての存立の基盤はもともと安定性を欠いていた。

この方式ではコストが高いだけでなく八年に一度しか卒業生を得られず、司法制度の整備とともに生じた大量の司法官需要を満たすには到底足りなかった。司法省はあとでふれるように、短期間により多くの司法官の養成が可能な、日本語による教育課程の創設を進める一方で、明治一七年の「判事登用規則」の制定に見るように、公開の資格試験制度により、外部から人材の登用をはかる方向に転じた。東京大学法学部の充実だけでなく、後述する私立法律学校群の生成が、そうした政策転換の背後にあったと見てよい。司法省法学校は明治一七年、文部省に移管され東京法学校となった。

二つの農学校

開拓使の札幌農学校も、存立基盤の揺らぎを免れることができなかった。財政的逼迫《ひっぱく》を理由に開拓事業の縮小が始まったからである。

明治一三年、第一回の卒業生を出したその年の新入生から、工部大学校と同様に官費生制度は廃止され、奉職義務も解かれた。明治一五年には開拓使本体が財政難を理由に廃止され、この年の卒業生は他の府県等に職場を求めることを余儀なくされた。農学校は農商務省に移管されて存続することになるが、学校の前途を危ぶんで入学希望者が激減し、新入生の採用を見送らざるを得なくなるなど、低迷状態を続けることになる。

駒場農学校は明治一四年、新設の農商務省に移管されるが、翌一五年には学生が官費生主体から私費生主体に移り、ここでも専門官僚養成機関としての性格が薄められていった。

農商務省所管の専門教育機関としては、このほかに明治一五年、東京山林学校が開設された。それ以前の四校と違って、この学校の教員は全員が日本人、校長に就任したのも、明治初年にドイツ・エーベルスワルデ山林学校に留学・帰国した日本人松野礀《はざま》である。したがって外国語学習のための予科は置かれず、教授用語は日本語、初めから私費生主体で奉職義務もないという、明治一〇年代半ばの時代状況を反映したグランド・ゼコールであった。この山林学校と駒場農学校は明治一九年に統合され、東京農林学校となる。

人材養成に果たした役割

創設からわずか一〇数年の間に、日本型グランド・ゼコールのたどった運命はこのように波瀾に満ちた、しかも悲劇的な結末を伴うものであった。しかし近代化の最初期段階において、これら専門学校群の人材養成に果たした役割がいかに大きかったかは、東京大学をあわせたこの時期の官立高等教育機関の卒業者数を見た、表1-3からも明らかである。

卒業者の総数でいえば、大学四七三人に対して官立専門学校四四六人でほぼ同数、専門領域別でも法学系では同数（それぞれ六二人）となっている。医学系（二一五人）・文学系（四七人）は東京大学だけ、農学系（一七三人）は専門学校だけと分かれているが、理工学系では、工部大学校の二一一人に対して、東京大学理学部の卒業者も一四九人をかぞえる。ただし学部名称に象徴されるように、理学部の主流は物理学をはじめ理学系の学科であり、機械、土木など工学系学科の卒業生数は五八人と全体の三分の一強を占めるに過ぎない。

表1－3　大学・官立専門学校卒業者数（明治9－18年）

学校名		明治9年	10	11	12	13	14	15	16	17	18	計
工部大学校					23	40	38	35	35	22	18	211
司法省法学校		25								37		62
札幌農学校						13	10	18		17	12	70
駒場農学校						45		20	5		33	103
	小計	25			23	98	48	73	40	76	63	446
東京大学	法学部			6	9	6	9	8	8	6	10	62
東京大学	医学部	31		9	30	17	39	32	27	13	17	215
東京大学	理学部		3	15	22	24	17	20	22	11	15	149
東京大学	文学部					8	6	4	10	13	6	47
東京大学	小計	31	3	30	61	55	71	64	67	43	48	473
	合計	56	3	30	84	153	119	137	107	119	111	919

（『東京帝国大学一覧』『旧工部大学校史料』『北海道帝国大学沿革史』等より作成）

農学系を含めて、産業化の中核的な担い手である技術者群は、もっぱら専門学校群で育成されていたのである。

これら日本型グランド・ゼコール群は、あとで見るように帝国大学の創設に前後して、次々に吸収・統合され、帝国大学のなかに工学・農学という、この時期のヨーロッパの大学には見られぬ、応用的・実践的な教育・研究の流れを作っていく。ただひとつ札幌に残された農学校も、やがて東北帝国大学の創設とともに帝国大学の一角に加わり、のちに独立して北海道帝国大学となる。

官立専門学校群が、日本の大学制度の重要な源流のひとつとして果たした役割には、きわめて大きいものがあるといわねばなるまい。

八、人材の「簡易速成」

「簡易速成」の課程

東京大学を含む官立専門諸学校の設立からほぼ一〇年で総数約九〇〇人、年間一〇〇人前後という卒業者の数は、欧米的な近代高等教育の経験や蓄積が事実上ゼロの地点からの出発であったことを考えれば、評価すべき成果といってよい。

しかし、近代化の開始とともに一時に生じ、しかも絶え間なく増大していく専門人材への需要からすれば、育成・供給数は明らかに不足していた。だからといって、政府高官のそれを上回るほどの高額の報酬を支払い、外国人教師を雇って欧米諸国の「出島」のような教育の場を運営していくのでは、コストがかかりすぎるだけでなく、需要に応えるだけの数の専門人材を、安定的に育成することはできない。「師範学校同様」の東京大学や官立専門学校が卒業生を送り出し、選ばれて派遣された留学生が次々に帰国するようになれば、彼らを教師とする、つまり日本人教師が日本語で教える、その意味でより簡易で速成の可能な教育コースや、学校を開設しようという動きが生まれるのは、当然である。

それはまず東京大学・官立専門学校における、日本語による教育課程の開設の形で始まった（以下、速成教育については、天野、一九八九年、五三―五七、八二―八六ページ参照）。

表1－4　官立専門諸学校卒業者数（明治10―18年）

学校名		明治10年	11	12	13	14	15	16	17	18	計
東京大学	別課医学			31	58	20	44	168	118	267	706
	製薬学		23	20	34	15	41		11	33	177
東京外国語学校				5	14	3	11	14	15	14	76
東京商業学校		7	1	1		4	4	10	19	14	60
司法省速成科				47				101	1	12	161
工部美術学校							20	15			35

（『文部省年報』『日本帝国統計年鑑』各年度および各学校史等による）

速成教育の場として最初のものは、明治八年東京医学校に開設された、「通学生教場」である。「実地修業ヲ主トシ、医術ノ速成ヲ期スルカ故ニ、講義ヲ都《すべ》テ国語ヲ以テス」る、この教育課程の開設は、「医術」の持つ実践性もあるだろうが、幕末以来の本格的な専門教育の経験と、その担当能力を持つ「邦人教師」の一定の蓄積があって、初めて可能であった。明治一〇年、東京大学の一部となった時点で、医学部にはすでに留学帰国者を含む教授七人、助教七人の「邦人教師」がおり、彼らがこの三年制（のちに三年半）の「簡易変則」の課程を担当していた。明治一三年には名称も「別課医学」に変わり、明治一六年以降は毎年一〇〇人を超える卒業生を出した。明治一八年までの卒業生数は七〇六人に達している（表1－4）。

速成教育の場は、明治一三年、製薬学についても設けられた。医学部の薬学教育は明治六年、五年制の製薬学科が開設されたときに始まり、医学科と同様、明治八年に速成目的の二年制の「通学生教場」が設けられた。その後、製薬学科の年限は八年に延長されるが、「本科ハ高尚ニ過キ、通学ハ簡易ニ過キ、両ナカラ其宜ヲ得」ないという理由で、両者が統合されて明治一三年に三年制の新しい製薬学科が生まれた。入学者には外国語の読解力が要求されたが、授業のほうは本科卒業生が担当しており、早期に日本語教育の開始された専門分野のひとつになっている。明治一八年までの卒業者数は一七七人であった。

司法省法学校も明治九年、「諸般ノ法理ヲ研究シ、裁判ノ方法ヲ練習セシメ」る、二年制の「出仕生徒」の制度を設けた。司法制度の成立とともに、一時に生じた裁判官の大量需要に応えるためである。まだ留学帰国者も邦人教師もいない時点での速成教育だから、フランス人教師の講義を、法学校の第一期卒業生のなかから選ばれた通訳が、訳述する方法がとられた。卒業生が実務に習熟し、留学生が帰国するのを待って、明治一二年以降は彼らが直接日本語で授業を行なうようになり、年限も三年に延長される。ただし、速成科・変則法学・邦文法律など、名称を変えながら存続したこの課程も、本科と同様、卒業生の出るのを待って次の入学者を迎えるという、変則的な教育方式をとっており、明治一八年までに一六一人の卒業生を送り出すにとどまった。

東大法学部の危機感

法学分野の速成教育としてはこの他に、東京大学法学部に明治一六年に開設された「別課法学科」にふれておかなければならない。一五年までにわずか三八人の学士を送り出したに過ぎない東京大学の法学教育の現状に危機感を抱いた、法学部の日本人教授たちの建議に基づいて設置されたものである。建議を読むと、その後の帝国大学と他の高等教育機関、とりわけ私立専門学校との位置関係を予想させる、東京大学教授たちの現実認識と危機感とがうかがわれて興味深い。

建議は、イギリスの大学が法学部で「高尚ノ学科ノミヲ教授シ、敢《あえ》テ便宜ノ学科ヲ講習」させなかったために、社会の需要を満たすことができず、私学（といっても国王の勅許を得た「法学院」〔イン・オブ・コート〕）の隆盛を招いたことを紹介し、次のように述べている（『東京帝国大学五十年史』上冊、五九九―六〇〇ページ）。

「本邦ニ在テ、今日未《いま》タ、標準尺度ヲ統理スルノ一校所ナク、私学ハ益《ますます》増加シテ、「東京大学」法学部ノ景況、漸《ようや》ク萎靡《いび》ニ向フノ色ナキニアラス。抑《さて》方今、東京府下ニ東京専門学校アリ、専修学校アリ、明治法律学校アリ。其他、法律講授ノ私学甚タ多キ、未タ諸外国ニ其類ヲ見サル所トス。而テ此等《しこうし　これら》ノ諸私学ハ、概《おおむ》ネ皆ナ資本乏シク、規模少ニシテ、到底天下ノ望ヲ充《み》タスニ足ラスト雖モ、今ニシテ之ヲ措《お》テ顧《み》ミサルトキハ、本邦ノ法学部ハ終《つい》ニ、英国法学部ノ覆轍《ふくてつ》ニ陥リ、日ヲ追テ、萎靡衰頽《すいたい》ニ至ランヤ必セリ」

そこで、「此際、東京大学法学部内ニ別課ヲ設ケテ、便宜ノ学科ヲ教授スルノ制ヲ立」てる構想を立てたのだが、大学もこれからは「漸次《ぜんじ》、邦語ヲ用ヒテ教授スルノ方法、ナカルヘカラス」、「別課ナルモノハ、即チ邦語ヲ用ヒテ教授スルモノナレハ、後来其本科ニ於テ、邦語ヲ用ヒテ教授スル方法ノ、基礎トモナル」だろう。

法律家（法曹）に対する需要は、司法省法学校が養成の目的とした司法官だけに尽きるわけではない。最大の需要はこの時期「代言人《だいげんにん》」と呼ばれていた、在野法曹としての弁護士にある。あとで詳しく述べるが、近代司法制度の発足とともに、その在野法曹の養成を目的に、次々に私立法律学校が設立されつつあった。このままいけば法曹養成の主流は、私学の手に移ってしまうのではないか。東京大学法学部の教授たちはそのことに危機感を抱き、自ら日本語による「簡易速成」の課程の立ち上げをはかったのである。

その三年制の課程は、明治一八年には入学者の募集を停止し、帝国大学の発足時には、医学部の「別課医学」とともにあっけなく姿を消すことになる。なぜ私学への対抗策は短期間で姿を消すことになったのか、誇り高い法学部教授たちの危機感が、それに代わるどのような対応策を編み出したのかは、またあとでふれることにしよう。

九、もうひとつの専門学校群

『文部省年報』の専門学校

人材の「簡易速成」については、ここで、そうした東京大学や官立専門学校付設の教育課程だけでなく、公私立の専門学校、これまで見てきた日本型グランド・ゼコールとは異質の、「グランド」とはいいがたい、もうひとつの専門学校群の登場についてもふれておかなければならない。

統計データを中心に教育政策と行政、さらには教育の実態の詳細な報告を載せた、歴史資料の宝庫とも言うべき『日本帝国文部省年報』（各年度、以下『文部省年報』と略す）のなかに、その別種の専門学校が姿を見せるのは明治八年度からである。たとえば明治九年の「専門学校」の項を見ると、官立の東京開成学校・東京医学校の現状についての報告のほかに、「其他、公立専門学校五箇、私立専門学校六箇アリ。今其学科ヲ区分スレハ、東京府下ニアルモノ、医学三箇ニシテ、農学法学各一箇（後略）」と書かれている。

開成学校と医学校が合併して東京大学になった翌一〇年度の『文部省年報』では、この項の記述が大きく変わる。すなわち「文運漸ク進ミ、人知稍《やや》開クルニ随《したが》ヒ、其数大ニ増加セリ。乃《すなわち》本年ニ於テハ、公私立専門学校五十二箇ヲ見ル」としたあと、次のように続けている。「専門学校ノ学科ヲ挙《つ》クレハ、法律学医学農業学商業学航海学化学数学画学等トシ、其内、数学最モ多ク、医学之ニ亜キ、商業学又之ニ亜ク。但、医学ノ公立ニ係《かかわ》ルモノハ、其規模、頗《すこぶ》ル観ル可シト雖モ、商業学数学ニ至テハ、一二学校ノ、嶄然《ざんぜん》タルモノヲ除クノ他、大率《おおむね》商估《うこ》ノ子弟ニ、浅近ノ課業ヲ授クルノ類ニシテ、未タ之ヲ以テ、悉《ことごと》ク高尚ナル専門学校ト、同視ス可ラス」。

これまで見てきたように、「専門学校」という学校種の名称は、もともと「学制」の本文にはなく、追加規定として、しかも官立の開成学校と医学校を具体的な対象に設けられたものである。しかもそれは、外国人教師が外国語で教授する、やがて設立されるはずの大学と肩を並べる、あるいはそれよりも高い水準の、「高尚」な学校を想定してのものであった。ところがその「専門学校」という名称が、公布からわずか数年の間に、現実には「浅近ノ課業ヲ授クルノ類」の学校を含むところまで拡大された、さらにいえば「低俗」化されてしまったことが、この『文部省年報』の記述からうかがわれる。

「専門一科」の学校群

近代化を後発したとはいえ、日本のように高度の文字文化の発達した国では、新しい教育システムの構想や法制とかかわりなく、時代状況の変化に応じ、社会と個人の必要や要求に応えてさまざまな学校・教育機関が自生的に設立されていく。

明治一五年度の『文部省年報』の「専門学校」の項に言うように、教育についても「抑抑《そもそも》、需要ノ繁簡ニ因《よ》リテ、其供給ヲ計ルヘキハ、世ノ通理」である。近代化の進展とともに、一握りの官立高等教育機関だけでは満たすことの不可能な水準にまで、爆発的に増大した西欧近代の学術技芸に対する学習需要が、明治一〇年代に入るころには、それに応えようとする多様なタイプとレベルの「専門一科」の教育機関の設立ブームとなって、噴出し始めたのである。

法的に定められた、「設置基準」などというもののまだなかった時代である。何であれ「専門一科」の教育を提供する、(学生の年齢や教育内容の専門性が) 相対的に高いとみなされた学校はすべて、統計上この範疇《はんちゅう》に括《くく》られ、「専門学校」は、レベルもタイプも雑多な学校群を対象とした、包括的な名称へと変質を遂げてしまった。文部省立の二校の専門学校が合併されて東京大学となったあと、「専門学校」は、『文部省年報』のなかで、「グランド」とはいいがたい、雑多な「専門一科」の学校の呼称に変わってしまったのである。

すでに見たように、明治一二年の教育令には、「専門諸科ヲ授クル所」である「大学」と対比させる形で、「専門学校ハ、専門一科ノ学術ヲ授クル所トス」という一条が設けられていた。また「農学校・商業学校・職工学校」についても、別の一条が設けられていたが、実際の統計類を見ると、のちに実業学校として類別されるこれら学校群もこの時期にはまだ、専門学校の範疇に加えられていたことがわかる。

それにしても、教育令にいう専門学校が、かつての「高尚」な地位を奪われ、「専門一科」というだけで、「浅近・低俗」なものまで含む、いわば制度上の地位の低落した専門学校になってしまったことに変わりはない。専門一科ということで、私塾的なものや泡沫《ほうまつ》的なものまで包み込んだこの時期の専門学校は、その後、各種学校・実業学校・実業専門学校、さらには大学として次々に括り出され分化していくさまざまな学校類型の、いわば揺籃《ようらん》的な役割

表1－5　公私立専門学校数・生徒数（明治13―18年）

	学校数						生徒数					
	明治13年	14	15	16	17	18	13	14	15	16	17	18
法学	10	7	9	9	10	10	256	1,023	1,634	2,141	2,003	1,603
医学	45	41	39	31	32	31	3,501	3,937	4,066	3,904	4,188	4,313
農学	6	8	10	9	9	13	400	431	316	231	260	438
商業学	5	6	6	5	5	6	383	557	572	269	369	389
薬学	—	1	1	2	4	4	—	38	45	94	136	185
獣医学	—	1	1	1	2	2	—	11	13	31	49	61
外国語学	1	—	1	1	1	2	35	—	123	125	104	144
職工学	—	—	—	2	2	2	—	—	—	14	32	38
航海学	2	1	2	2	2	3	397	18	41	37	41	64
数学	11	9	7	4	20	19	531	509	265	133	707	1,659
画学	3	3	3	3	3	3	104	97	96	102	131	101
その他	2	9	7	9	9	4	75	415	336	428	383	286
合計	85	86	86	78	99	99	5,682	7,036	7,507	7,509	8,403	9,281

（『日本帝国第五回統計年鑑』より作成）

を果たしていたと見てよい。

表1－5は、その雑多な公私立専門学校の校数と生徒数の推移を、専門分野別に見たものである。「専門一科」というだけで、いかに多様な学校群が一括されているかがわかるが、そのなかで数学は別として、医学と法学が突出した位置を占めていることが知られる。

それは、医師と法曹という二つの代表的な専門的職業（プロフェッション）について、資格試験の制度が整備されたことと深くかかわっている。しかも明治一五年の数字でいえば、この二領域の専門学校は、法学系九校のうち八校を私立が占めているのに対して、医学では三九校中三一校までが公立という、対照的な構成になっていた。

東京大学法学部の教授たちが提出した建議のなかにも現われた、私立法律学校の問題はあとに残し、まずは公私立の医学校について見ておくことにしよう。

公立医学校群の生成

私学を含めてこのように多数の医学校が開設されたことは、それだけ医学教育に対する社会的需要が、爆発的に増加しつつあったことを意味している。漢方医の時代が終わり、西洋医学を学んだ医師を国家が試験によって資格認定する時代がやってきたのである。全国各地に設立された多数の医学校は公私を問わず、明治九年の内務省達《たつし》「医術開業試験」に始まり、明治一二年に公布された「医師試験規則」によって整備された、国家試験に向けて準備する若者たちの予備校的な性格を持っていた。

その医学校の教育の実態は「外面ヨリ之ヲ見レハ、頗《すこぶ》ル其旺盛《おうせい》ヲ称スルニ足ルカ如シト雖モ、然レトモ内部ヲ察スレハ、大抵規模大ナラス、教科備ハラス、或《あるい》ハ教員其人ヲ得サルモノアリ、或ハ理論ニ偏シテ、実験ニ疎ナルモノアリ。其教規ノ完《まった》クシテ、授業ノ宜ヲ得、真ニ医学校ノ体制ヲ備フルニ至テハ、殆《ほとん》ト稀《まれ》」（『文部省年報』明治一五年度）という状態であった。

文部省は教育の整備・改善のために、明治一五年「医学校通則」を定め、そこでの規定に準拠する「甲種医学校」の卒業者には、無試験で「開業免許」を付与するという形で、その水準向上をはかろうとした。それは一定の基準を設定することによって、雑多な専門学校のなかから高等教育機関と呼ぶにふさわしい学校を括り出し、育成していこうとする最初の政策の表われと見ることができる。

その甲種医学校の認定条件として、文部省が重視したのは、教育課程以上に教員の資格である。すなわち「教員中少クトモ三名ハ、東京大学ニ於テ、医学士ノ学位ヲ以テ之ニ充《あ》テ」ることが、認可の必要条件とされたのである。「師範学校同様」のものとして構想された東京医学校・東京大学医学部の卒業生が、ようやく安定的に送り出され始めたこと、また医学部の「別課医学」によって日本語による医育のモデルが示されたことが、こうした措置を可能にしたと見てよい。

「通則」により「甲種」と認定された医学校は、明治一六年で一五校、すべて公立（府県立）であった。これら甲種医学校の数は、明治一八年には二一校に達している。帝国大学の発足は、この公立医学校のその後の運命にも大きな影響を及ぼすのだが、明治初期のごく短い期間とはいえ、府県が自力で多数の医育機関を設立・維持した時代があったということは、記憶されてよいことだろう。日本の高等教育システムの発展構造は、官立（国立）と私立という二つのセクター間のダイナミックスを基軸にとらえられるが、公立セクターが、無視しえぬ比重を占めた時代もあったことを忘れてはならないだろう。

一〇、法学系私学の登場

私立専門学校の出現

さて、私立専門学校である。東京大学法学部の教授たちが提出した、「別課法学」に関する先の建議のなかに出てくる諸学校の創設年を見ると、専修学校が明治一三年、明治法律学校一四年、東京専門学校一五年となっている。現在の主要私立大学の前身となる法学系私学の第一陣が登場してくるのが、この時期なのである。ただ、法律学校に代表される高等教育段階の私立学校は、明治一〇年代の中ごろになってはじめて、歴史の舞台に登場してくるのではない。

激しい議論を経て制定された明治一二年の「自由教育令」が短命に終わり、明治一三年の「改正教育令」にとって代わられたことはすでに見たとおりだが、「改正」の主たる狙いは初等教育の振興策にあり、高等教育関係の規定も、「何ノ学校ヲ論セス、各人皆之ヲ設置スルコトヲ得ヘシ」という、激論の火種になった規定も、そのままに残されていた。つまり、私立学校の設置の自由が否定されることはなかったのである。いやこの規定自体、明治初年にすでに始まっていた私立学校設立の動きを、事後的に承認するものに他ならなかった。法学系私学の問題に入る前に、わが国の教育システムに占める私立学校の位置について簡単にふれておくことにしよう。

私塾から私学へ

もともとわが国は、明治維新の以前から私学の国であった。庶民に読み書きそろばんを教える寺子屋がすべて、自生的な民間の初等教育機関であったことはよく知られている。福沢諭吉をはじめ、近代化の初期段階を担う各界のリーダーを多数輩出した緒方洪庵《こうあん》の蘭学塾適塾《てきじゅく》も、漢学の教育的革新で知られる広瀬淡窓《たんそう》の咸宜園《かんぎえん》も、大坂の商人たちが設立した有名な懐徳堂《かいとくどう》も、いずれも私塾、つまり私立学校であった。幕府の最高学府である昌平黌《しょうへいこう》自体、儒学者林家の家塾から出発したものである。各藩の学問所である藩校と、学者が個人的に設立する私塾、つまり官公立と私立の学校が並立していたのが、明治以前のわが国の中等・高等レベルの教育の姿であった。

明治維新とその後の廃藩置県によって、藩校はすべて姿を消す。しかし私塾のなかには維新後も存続し、多数の学生を集めるものが少なくなかった。ただ、学制が公布され近代学校制度が発足してからあと、そこに示された要件に準拠する正規の学校へと衣替えすることに成功した私塾は、驚くほど少ない。

もともと深い学識や徳の高さで知られる教師と、彼を慕ってやってくる弟子とによって成立する私塾は、師の存命中一代限りの教育機関というのが一般的であった。それは近代学校に特徴的な、（私学であれば官学以上に重要な）組織や団体としての基本的要件や、連続性を持ち合わせていなかった。先にあげた幕末期の三つの私塾が歴史に名をとどめているのは、それらが例外的に組織体としての要件を備え、連続性を持っていたからである。

ましてや学問と教育の主流が、漢学・国学から洋学へと大きく振れた激動の幕末・維新期を生き延びて、近代学校へと成長を遂げることのできた私塾は、漢学・国学はいうまでもなく、洋学の世界ですらほとんどなかった。幕末の有名洋学塾のうち、生き延び発展することができたのは慶應義塾だけであり、それはカリスマ福沢諭吉を中心に集まり、社を結んだ卒業生たちの献身的な努力によって、初めて可能だったのである。

「学制」公布後、文部省の諸統計に姿を現わす私立学校群は、そうした幕末以来の私塾の系譜とは異なるところから、しかしその精神の一部を引き継ぐものとして登場してくる。私立法律学校もまた、そうした私立学校の新しい系譜の主要な一翼を担うものに他ならなかった。

私立法律学校の生成——専修と明治

代言人（弁護士）の資格試験制度が発足したのは、明治九年のことである。最初の法律学校法律学舎が設立されたのは、その前年である。しかし、資格の「検査」基準を定めた「代言人規則」によれば、重視されたのは法的知識や裁判実務よりも「品行」であったとされている。しかも、司法省法学校や東京大学法学部は、まだ卒業生を送り出すに至らず、裁判制度は発足したばかり、近代法の制定もこれからという状況のもとで、それは近代的な学校というより、代言人が代言業務の傍ら徒弟制的に試験準備教育をする、「法律私塾」と呼ぶほうがふさわしい、低度の教育機関に過ぎなかった。

同様の法律私塾はいくつも作られたが、短期間に姿を消していったものが多い。本格的な法律学校が出現するのは明治一三年、ようやく最初の近代法である刑法と治罪法が制定・公布され、「代言人規則」の改正によって資格試験も厳格化されて以後のことである。そして、それら法律学校の設立主体となったのは留学帰国者たちであり、司法省法学校と東京大学法学部の卒業生たちであった。

最初の本格的な法学系私立学校は、明治一三年設立の専修学校(現・専修大学)である。田尻稲次郎《たじりいなじろう》、相馬永胤《ながたね》ら設立者四人は、大学南校と東京開成学校、それに旧藩から派遣され、アメリカの諸大学で法学や経済学を学んだ留学帰国者である。彼らは在米中に親交を結び、帰国後に学校を設立することを誓い合ったという。はじめは慶應義塾の庇《ひさし》を借り、夜間法律科を開設したが、独立して法学と経済学を教授する専修学校を創設したものである。四人の後ろには、アメリカ留学帰国者九人と東京大学法学部の卒業者四人をメンバーとする、東京法学会という結社があり、学校はその同志的結合によって支えられていた(『専修大学百年史』上巻)。ただし、この学校は次第に法学よりも、経済学の教育を主体に発展を遂げていくことになる。

明治一四年設立の明治法律学校（現・明治大学）は、司法省法学校の卒業生・留学帰国者によって創設された学校である。専修学校が英米法系であったのに対して、こちらはフランス法系の学校ということになる。岸本辰雄《たつお》ら創設者三人を含む司法省法学校の卒業者や、西園寺公望《きんもち》のようなフランス留学者たちが、教鞭《きょうべん》をとっている。「講師は、多数の学説及び判例等を咀嚼《そしゃく》し、其れ自らの説として講義を行った」が、それは「当時我国に於いては、破天荒の新式講義」であったという（『明治大学五十年史』三六ページ）。

仏法・独法・英米法

同じ年、これもフランス法系の東京法学校が発足した（明治一三年設立の東京法学社より独立）。司法省雇でボアソナードに私淑する薩埵《さった》正邦《まさくに》を主幹に設立された学校であり、ボアソナードをはじめ、司法省法学校の関係者が支援を惜しまなかった。明治法律学校とは競合関係にあり、共倒れが懸念されるほどの、激しい学生獲得競争を展開した時期もある（同書、七ページ）。のちに、留学帰国者などフランスと関係の深い人たちが集まって、明治一八年に設立された仏学会が一九年に開設した、東京仏学校の法律科と統合され、明治二二年に和仏法律学校（現・法政大学）となった（『法政大学八十年史』一六四ページ）。

東京仏学校より先、明治一七年には、「ドイツ文化移植の目的をもつて」明治一四年に設立された独逸《ドイツ》学協会を母体に、ドイツ法を教授する目的で、独逸学協会学校専修科（現・独協大学の前身）が開設された。独逸学協会は加藤弘之・青木周蔵・桂太郎・品川弥二郎《やじろう》など錚々《そうそう》たる政府関係者が集まって、明治一四年に結成した団体である。協会の創設メンバーの一人、官僚政治家として知られた平田東助の回顧談によれば、当時は「政治経済の学は、英仏二国に限ると信ぜられ、独逸の長所は医学のみにして、其他は遥かに英仏の下風に在」るとみなされていた時代であった（『伯爵平田東助伝』三四ページ）。この学校はそうした「英米仏の自由主義をおさへ、堅実なる君主国日本の将来を築く為に、独逸の法律政治の学問を取入れ」るという、強い政治的な意図をもって設置されたものである（『独逸学協会学校五十年史』八ページ）。

明治一八年には、今度は「数多《あまた》ノ英米法学者相集マリテ、英米法律ノ全科ヲ教授」する目的で、東京大学法学部の卒業者および関係者一八人によって、英吉利《イギリス》法律学校（現・中央大学）が設立された。その中心メンバーとなったのは穂積陳重《ほづみのぶしげ》や土方寧《ひじかたやすし》ら、イギリスに留学・帰国した法学部教授たちである（『中央大学七十年史』七―八ページ）。司法省系のフランス法中心の法律学校隆盛のかげで不振をかこってきた、東京大学法学部における英米法系の関係者は、ようやく誕生したこの「正統の嫡子」に全面的な支援を惜しまなかった。

法学教育と政治教育

こうして、イギリス・フランス・ドイツという三つの法系が鼎立《ていりつ》し、それに対応する法律学校が次々に開設されるなかで、この時期多数の学生を集めたのは、なんといってもフランス法系の私学である。日本の近代法の立案作業がフランス法をモデルに進められていたこと、また英米法中心の東京大学法学部に対して、司法省法学校卒業者が数においても優位にあったことなどが、フランス法優勢の主な理由であったと思われるが、そこにもうひとつ政治的な要因が加わっていたことは疑いない。

もともと私立法律学校は法律の学習、より具体的には代言人の養成を主目的に設立されたものである。しかし、法律学校に集まったのは、代言人をめざして法律を学ぼうという、「法律青年」だけではなかった。「明治一四年政変」に象徴される国家体制の選択をめぐる政府部内の対立・抗争ともかかわって、自由民権運動が高揚期を迎えるなか、権利や自由の重要性を説くこれらフランス法系の学校は、多数の「政治青年」をひきつけることになり、法学教育が同時に政治教育の役割を担うことになったからである。

とりわけ「官学」化したフランス法系の学校のなかでも、自由民権運動とかかわりが深く、野党的な性格を持つ明治法律学校は、「大革命の余を受けたる、仏国の法理を学ひし者、以て権利を増し、自由を論せんとす。争《いか》てか、当局の忌疑を免れむや」（『明治法律学校二十年史』二一ページ）と自ら認めるほど、政府から「猜忌《さいき》の眼を以て注視」されていた。司法省法学校の現職外国人教師として絶大な権力を握り、同省の顧問でもあったボアソナードが、明治法律学校と対立的な東京法学校の校舎の建設に「自ら数千金を投じ」、教頭になり、毎月講義に来るなど（『法政大学八十年史』一九ページ）肩入れを惜しまなかったのも、そうした法学教育の政治化を危惧《きぐ》してのことであったと思われる。その東京法学校は校則に「本校ニ於テ、政事《せいじ》ニ関スル事項ハ、一切之ヲ講セス」（『東京諸学校学則一覧』五六七ページ）と謳っていた。

先に見たように、ドイツ法系・英米法系の学校の設立もまた、隆盛を極めるフランス法への対抗策的な、その意味で政治的な意味合いを強く持っていたのである。

一一、「明治一四年政変」の衝撃

大隈と東京専門学校

そうした明治一〇年代半ばから後半にかけての「政治の季節」のなか、明治一四年の政変で野に下った前参議大隈重信《おおくましげのぶ》が東京大学の卒業生を擁して、もうひとつの法学系私学、現在の早稲田大学の前身である東京専門学校の創設に踏み切る。それは政府のみならず、東京大学にとっても衝撃的な出来事であった。先に見た東京大学法学部の「別課法学」の創設は、その衝撃のひとつの産物と見ることができるだろう。

東京専門学校は、文部省の統計上では法学系に分類された専門学校である。しかし、それは単なる法律学校ではなかった。「本校ハ、政治経済学科法律学科、及ヒ物理学科ヲ以テ目的ト為シ、傍ラ英語学科ヲ設置ス」という創設時の校則の第一条に見るように、法律学よりも政治経済学を主体とする、しかも物理学科も持つ複合的な高等教育機関であり、さらにいえば「余ハ本校ニ向テ望ム、十数年ノ後チ、漸クコノ専門学校ヲ改良前進シテ、邦語ヲ以テ我ガ子弟ヲ教授スル大学ノ位置ニ進メ、我邦学問ノ独立ヲ助クルアランコト」を、という創設の中心人物小野梓《あずさ》の明治一五年の開校式演説（『早稲田大学百年史』第一巻、四六二ページ）にあるように、初めから正規の「大学」としての地位を志向する学校でもあった。

それだけではない。明治初年に英米に留学して経済学や政治学を学び、帰国後、会計検査院の官僚に任用されたが、政変を機に大隈とともに下野した小野梓が、大隈の意を受けて東京専門学校を創設するにあたって協力を求めたのは、高田《たかた》早苗《さなえ》・天野為之《ためゆき》ら七人の東京大学卒業者であった。七人は大学在学中に小野と知り合い、以前から小野を中心とする政談会鷗渡会《おうとかい》のメンバーであったが、明治一五年の法学部卒業者八人中三人、文学部卒業者四人中三人が、新設の私立専門学校、しかも反体制的な「大隈の政治学校」に教員として参加したのだから、東京大学だけでなく政府の受けた衝撃も大きかった。

当時、東京大学の政治学・経済学の課程は文学部に置かれていたが、それらの課目を担当したアメリカ人教師アーネスト・フェノロサは、教授総代としての卒業式演説のなかで、高田らを指して「苟《いやし》クモ、此大学ノ学生タル者ガ、卒業以前乎《か》、又ハ卒業後直《ただち》ニ、身ヲ政治上ノ変動中ニ投ジ、之ヲ以テ責任ト為《な》」したことを厳しく批判している（栗原、一一八―一一九ページ)。また「政府から反謀《はんぼう》学校を以て目されたる(中略)政治学校」(『早稲田大学八十年誌』四八ページ)に卒業者の多くを奪われたことは、政府首脳の間に、東京大学と国家・政府との関係をどうするかが重要な政治課題であることを、あらためて認識させる重要な契機となった。

伊藤博文編の『秘書類纂《るいさん》』に収められた、明治一六、七年ごろの起草とされる官僚任用制度についての構想「文官候生規則案」は、司法省と工部省がそれぞれ自省の官僚養成学校を持つなかで、文部省立の大学はどのような役割を果たすべきかについて、次のように述べている。

「独リ行政官ニ至リテハ、之ヲ養成スルノ場所ナキガ如シ。蓋《けだし》文部省ノ大学ハ、則チ此任ニ当ラザルヲ得ズ。然《しか》リ而《しこう》シテ、今日ノ大学卒業生ハ、多年蛍雪ノ労ヲ嘗《な》メ、政府亦《また》一人ノ為ニ、少クモ数千ノ金ヲ費スニモ拘《かかわ》ラズ、其実際ニ任用スルノ方法ニ至リテハ、漠トシテ定則アルコトナシ。是レ恰《あたか》モ、種子ヲ下スヲ知リテ、其収穫ヲ忘レタルモノノ如シ」(『秘書類纂・官制関係資料』一五四―一六七ページ)

東京大学が「師範学校同様」の学校であればよかった時代は、どうやら終わろうとしていた。国家が多額の資金を投じて設立・運営し、育成した、東京大学卒業の選《え》り抜きのエリート候補者たちが、反体制的な政治活動にかかわり、「反謀学校」の教員となり、むざむざ民間に流出していくのをなんとか食い止めなければならない。政府は行政官僚養成の学校、国家に奉仕する学校を持たなければならない。東京大学は、国家の大学でなければならない。ドイツの大学こそが、東京大学のモデルとされるべきである——立憲改進党党首大隈重信を設立者とする東京専門学校の開校は、東京大学の「帝国大学」への移行を、大きく促進する役割を果たしたといってよいだろう。

こうして、東京大学や政府関係者の危機感を煽《あお》った東京専門学校であるが、物理学科は数年で消滅、法律学科も主要スタッフを新設の英吉利法律学校に奪われるなど、不振に陥り、政治経済学科を中心とした「政治青年」の集まる学校へと、ますます傾斜を強めていくことになる。

福沢と慶應義塾

東京専門学校（早稲田大学）と並んで、やがて私学の雄となる慶應義塾も、「明治一四年政変」の影響を強く受けた学校のひとつである。

幕末・維新期を生き抜いた事実上唯一の洋学塾として、これまでの漢学や国学に代わる、産業化の時代の要求する新しい教養としての「実学」を教授する学校として、卒業者を教育・言論・政治・行政・実業など多方面に送り出しつつあった慶應義塾にとって、政変は、大隈と同じくイギリス型の国家体制を支持するそうした義塾出身者の多くが、政治・行政の世界を離れ、言論と実業の世界に身を移していく重要な契機となったからである（『慶應義塾百年史』上巻、七九二ページ)。ちなみに福沢の言論活動の拠点となる『時事新報』が創刊されたのも、政変の翌年、明治一五年のことであった。

慶応四(一八六八)年、芝新銭座《しんせんざ》への移転を機に決められたとされる校名の「義塾」とは、「共同結社の意味を表はしたものであつて、西洋の私立学校の制度に倣《なら》ひ、一つの「会社」(ソサイテイ)を立て、これに来学入社するものを社中と称し、社中同志者の協力を以てこれを維持するの仕組みとした」(『慶應義塾七十五年史』二〇ページ)のだという。この、教員だけでなく学生・卒業者までを構成員とする、ひとつの「会社」・結社としての学校という発想は、これまで見てきた他の私学に見られぬ独自のものであり、現在に至るまで慶應義塾の重要な特徴となっている。

その福沢の慶應義塾だが、実はこの時期にはまだ専門学校ではなかった。『文部省年報』登載の「学校一覧」によると、その校名は明治九年までは外国語学校の欄にあり、明治一〇年から一三年には、専門学校の欄に慶應義塾医学所の名称はあるが本体の名前はなく、その後も専門学校一覧のどこにも校名が出てこない。

洋学塾から出発した慶應義塾が、本格的に近代学校への転換をはかり始めるのは明治五年、アメリカ人宣教師クリストファー・カロザースらを雇用し、アメリカのハイスクール(中等学校)をモデルに、英書をテキストに使って予科三年・本等(本科)四年の普通教育を開始してからである。とはいっても、専門性の高い専任の教員がいるわけではなく、上級生が下級生を教えるという、かつての適塾などに見られた「半教半学」的な教育システムによる新しい教養としての「実学」教育が、明治九年ごろまで続いていた。

医学所は、別組織として明治六年に開設された、医師試験をめざす人たちのための予備校的なもので、一三年には閉校されている。このほかにも、簿記講習所(明治一二～一五年)、夜間法律科(同一二～一三年)、支那語科(同一二～一四年)などの専門教育のコースが併設されたが、いずれも短命に終わっており、慶應義塾の本体はあくまでも英語による中等・高等レベルの普通教育の課程にあった。当時のアメリカのハイスクールとカレッジを一緒にしたような学校、といえばよいかもしれない。それは教育令にいう中学校でも、外国語学校でも、ましてや専門学校でもない、法規上は「各種学校」に分類される他はない、きわめてユニークな存在だったのである。

慶應義塾が本格的な専門教育課程の開設、「大学部」の開設を真剣に検討し始めるのは、明治一九年になってからである。このままでは徴兵制とかかわって徴兵免除・猶予の特典にあずかることができない、という事情もあったようだが、帝国大学の発足が微妙に影響していたのかも知れない。

資金と授業料

こうして発足した私立学校に共通に見られるのは使命感、とりわけ啓蒙《けいもう》への強い志向である。明治法律学校の創設者たちは、官費で司法省法学校に学び、卒業後さらに留学させてもらい、いまは公職について高い報酬を得ている、その「御国恩に報ひんか為、無月謝を以各公務の余暇」に法学教育を行なうのだとしているが（『明治法律学校二十年史』一九ページ）、それはこの時期の官立高等教育機関の卒業者や留学帰国者に一般的な心情であり、学校設立の動機でもあったと見てよい。

しかし、学校設立の動機がどれほど純粋で理想的だったとしても、その志を形あるものにし持続していくためには、資金が必要とされる。校地も校舎も必要だし、創設者はともかく講師を依頼し、さらには専任の教員を雇おうとすれば、謝金や俸給も支払わなければならない。しかも資金の必要性は、学校がより多くの若者をひきつけ規模が拡大すればするほど高まっていく。

この問題に最初に直面したのは最も成功した洋学塾、慶應義塾である。『福翁自伝』は、次のように述べている。

「従前日本の私塾では（中略）生徒入学の時には束脩《そくしゅう》を納めて、教授する人を先生と仰ぎ奉り、入学の後も盆暮両度ぐらいに生徒銘々の分に応じて金子《きんす》なり品物なり熨斗《のし》を附けて先生家に進上する習はしでありしが、私共の考へに、とてもこんな事では活発に働く者はない、教授も矢張り人間の仕事だ、人間が人間の仕事をして金を取るに何の不都合がある、構ふことはないから公然価を極《き》めて取るが宜《よ》いと云ふので、授業料と云ふ名を作りて生徒一人から毎月金二分づつ取立て、其生徒には塾中の先進生が教へることにしました。其時塾に眠食する先進長者は月に金四両あれば食ふことが出来たので、ソコで毎月生徒の持て来た授業料を掻《か》き集めて、教師の頭に四両づつ行渡れば死にはせぬと大本を定めて、其上に尚《な》ほ余りがあれば塾舎の入用にすることにして居ました。今では授業料なんぞは普通当然のやうにあるが、ソレを始めて行ふた時は実に天下の耳目を驚かしました」(『福翁自伝』三四〇ページ)

授業料の徴収はまさに「慶應義塾が創《はじ》めた新案」であり、明治二年のことであった。授業料納入の際は「水引《みずひき》、熨斗を用ゆべからず」と規則で定めたというのだから、徹底している。

困難な私学経営

これからあと大方の私学は、低額ではあっても一定額の授業料を徴収するようになる。しかし当時の学生の大半は、これまで長い間藩校といういわば無償の公立学校で学んできた、しかも秩禄《ちつろく》処分を経て斜陽化した士族の子弟である。自立的な学校経営をまかなうに足るほどの授業料を徴収できる学校は、皆無であった。

授業料徴収の「新案」を実施に移した慶應義塾でさえ、明治一一年ごろには経営難に陥り、文部卿にあてて「私塾維持の為、資本拝借之願」なるものを差し出している。二五万円を、無利子で一〇ヶ年貸し付けてくれれば、その利子収入で教育経費の不足分を補うことができる、というのである(『慶應義塾百年史』上巻、七三八ページ)。しかし、この願は入れられず、結局明治一三年に「慶應義塾維持法案」を策定し、同志や有志の寄付金による経営の自立をめざすことになる。

大隈の財政的支援を受けていた東京専門学校も、経営はきわめて苦しかった。高田早苗や天野為之ら「専務講師」は三〇円の月給をもらっていたが、「一週間少なくとも授業が三十時間、一ヶ月百二十時間を下らない（中略）学校創設以来後六年間といふものは、まるで衣物を新調したことは一度もな」かった（『半世紀の早稲田』六五—六六ページ）という。なんとか学校経営の自立化をはからねばならないというので、明治一九年には授業料を一円から一円八〇銭に値上げし、同時に滞納者の一掃に乗り出すことになった。

全学生を集め、増額の趣旨説明をすると同時に「月謝の滞納者には、今後は気の毒ながら猶予なく、受業停止を命ずべし」と伝え、二ヶ月ほどのちに規則どおりに、月謝を払わなかった全学生の三分の一に停学を命じたところ、「激昂《げっこう》した学生が、幹事を叩き殺そうという騒ぎさえ起きた」という（『早稲田大学八十年誌』七三ページ）。

慶應義塾と東京専門学校がとりわけ授業料の徴収に熱心だったのは、この二校だけが専任の教員を抱えていたからでもある。それ以外の法学系私学は、いずれも他に本来の職業を持つ人たちが、まさに「公務ノ余暇」に教育にあたっていたのであり、「教員講師ハ総《すべ》テ無謝儀」（『法政大学八十年史』一三九ページ）という場合も少なくなかった。私学にとって最大の経費は人件費である。この時代はいま以上にそうであった。大方の私学は専任教員をまったく持たず、非常勤の時間講師を頼りに校舎も借り物で、もっぱら夜間パートタイムの教育を行なっていたというのが実態であった。

これを、最先端の欧米の学問を身につけた、限られた人材の有効活用の方策と見ることもできないではないが、ひとつの学校、とりわけ私立学校が永続的な組織として発展し、やがて「大学」へと「離陸」を遂げるためには教育、さらには研究活動の安定的な担い手となる教員集団を、どうしても持たなければならない。慶應義塾と東京専門学校が、数ある私学の先頭を切って、帝国大学に対抗する大学へと成長を遂げることができたのは、それが最初から、小なりといえども専任の教員集団を持ち、またあとで見るように、自前でその拡大再生産をはかる努力を早くから重ねたからである。

資金と経営の問題は、いまに至るまで、すべての私立大学にとって、宿命的な課題であり続けている。

第二章　帝国大学の発足

一、帝国大学の誕生

帝国大学令の公布

明治一九（一八八六）年三月一日、勅令「帝国大学令」に基づき、帝国大学が創設された。わが国の近代大学制度の実質的な出発点にあたる、また東京帝国大学がその後長く創立記念日として祝うことになるこの日に、その帝国大学では何の式典も行なわれなかった。

三月一日というのは、実は「帝国大学令」が公布された日である。しかも創設といっても、その日にまったく新しい大学が設立されたわけではない。初代総長渡辺洪基《こうき》自身、同年九月の第一回卒業式の演説で述べているところによれば、「本年三月一日ノ勅令アリテ、東京大学ト工部大学校ノ事業ヲ更正シテ、帝国大学ヲ創設」したのだ、つまり実質的には両大学を合併・再編して「帝国大学」としたのだ、という程度の変化に過ぎないという認識であった。何の式典もなかったのは、当然というべきかも知れない。

大学側には異論があったようだが（中野、一九九九年、五二―五六ページ）、このように勅令の施行日がそのまま創立記念日とされ、祝賀の式典も執り行なわれなかったとしても、帝国大学という制度、帝国大学という組織が法的に定められ、その名のついた大学が出発したことが、その後のわが国の大学と高等教育の発展に、計り知れないほどに大きな影響を及ぼしたことに変わりはない。これまで「学制」でも「教育令」でも、名前はあっても制度と組織の形が定まっていなかった「大学」が初めて、しかも「国家ノ須要」に応える「帝国」大学として、その具体的な姿を現わしたのである。

帝国大学令はその後何度か改正され、また帝国大学の実態も着実に、その規定に沿うものへと変化を遂げていく。そして帝国大学令とそれに基づいて設立された大学は、わが国のすべての大学と高等教育にとって、つねにそれとの距離が測られ、異同が問われる最も重要な「範型」、いわばメートル原器的な役割を果たしていくことになるのである。

さて、全一四条からなるその帝国大学令だが、「帝国大学ハ、国家ノ須要ニ応スル学術技芸ヲ教授シ、及其蘊奥《そのうんのう》ヲ攻究スルヲ以テ目的トス」という、有名な第一条から始まる。第二条には「帝国大学ハ、大学院及分科大学ヲ以テ構成ス、大学院ハ、学術技芸ノ蘊奥ヲ攻究シ、分科大学ハ、学術技芸ノ理論及応用ヲ教授スル所トス」とあり、第一〇条にはその「分科大学」として、法科・医科・工科・文科・理科の各大学の名称があげられている。大学院で研《けん》鑽《さん》を積み、試験に合格したものには学位（博士号）が授与されることも書かれている（第四条）。大学の運営機構としては、各分科大学の教授から二名ずつ選ばれる評議官からなる、評議会が置かれることになった（第七〜九条）。近代大学としての帝国大学の、組織と制度の基本的な骨格が、初めて法規の形で姿を現わしたのである。

モデルとしてのドイツ大学

当時、文部大臣森有礼の秘書官であった木場貞長は、「帝国大学令」について森が、大臣就任前から「東京大学の実情を探究し、欧米諸国の実例を参酌《さんしゃく》し、深く考へ遠く慮《おもんぱか》り、鋭意考査して略《ほぼ》成案を得」たものだとしている（『東京大学百年史』資料一、一二七ページ）。たしかに勅令の内容からするとき、森が、欧米の特定の国の大学だけにそのモデルを求めた、と見ることは難しい。

ただこの時期、イギリスの大学は紳士と市民のための大学に過ぎず、フランスでは革命によってパリをはじめとする中世以来の大学は解体され、法学・医学・文学・理学等の専門教育は「ファキュルテ」という名の専門学校で行なわれ、大学が事実上存在せず、また新興のアメリカの大学もようやくドイツの大学をモデルに、「カレッジからユニヴァーシティへ」

の移行期にあった。森が通暁していたであろうこうした欧米諸国の状況のもとで、彼の目にドイツの大学が「国家の大学」であるというだけでなく、組織としての整備の最も進んだ、学術技芸においても最高水準の大学として、最重要のモデルとして映っていたであろうことは、想像に難くない。

政治体制の面で、明治一〇年代の半ばから、ドイツ・モデルの学習が始まっていたことはすでに見たとおりである。森が伊藤博文と会い、大学をはじめとする学校教育システムの構築を託されたのも、伊藤が憲法取調べのためドイツ・オーストリアに滞在中であった明治一五年、パリにおいてである。そして政治や行政だけでなく学術の面でも、帝国大学の発足以前から、ドイツ・モデルへの傾斜が強まりつつあったことは、たとえば「文学理学ノ最旺盛ナルハ、独逸国ニ若《し》ク者無」として、東京大学の文理両学部でドイツ語が必修化され、ドイツ人教師の数が増え、教授候補者たちの留学先が急激にドイツ一辺倒になっていったことからもうかがわれる（『東京大学百年史』通史一、四八〇―四八七ページ）。ちなみに、文部省留学生の国別構成を見ると、ドイツ留学者は、明治一三年までの三三人中では八人に過ぎないが、一四年から一八年の二二人については一八人と、圧倒的な多数を占めるようになっていた（天野、一九九七年、二七三ページ）。

帝国大学にとって、「国家ノ須要」に応ずるという一点だけでなく、国際的な大学と学問の世界で最も成功した大学であるという点でも、ドイツの大学は「範型」と仰ぐにふさわしいものだったのである。

グランド・ゼコール群の統合

帝国大学の「帝国」大学たる所以《ゆえん》は、何よりもそれが、北海道の地にある札幌農学校を除いて、すべての日本型グランド・ゼコール群を併合し、統合して発足した点にある。これによって、帝国大学は日本帝国の唯一最高の大学、文字どおりの最高学府となった。

統合の過程は明治一七年末、司法省法学校の正則科が文部省に移管されたことに始まる。翌年夏には改称されて東京法学校となるが、すぐに東京大学法学部に吸収・合併された。同じ一八年の年末には、今度は東京大学文学部に置かれていた政治学科が法学部に移され、法学部は法政学部と改称された。時を同じくして、理学部中の工学関係学科を分割して、工芸学部が新設され、その数日後には、内閣制度の発足とともに工部省が廃止されたことから、工部大学校が文部省に移管されている。

帝国大学発足に先立つ一年余の間の、このめまぐるしい動きは、唯一最高の学府としての帝国大学創設準備が、急ピッチで進められていたことを教えている。付け加えておけば、東京大学予備門が大学から分離独立し、別課法学科・別課医学科等、「簡易速成」の教育課程が募集停止になったのもこの時期である。「大学本然ノ事業ヲ拡充整備センニハ（中略）此等ノ余業ヲ廃」せざるを得ない（『東京大学百年史』通史一、四六二ページ）というのが、その理由であった。

最高学府づくりに必要なものは吸収・併合するが、最高学府にふさわしくないものは分離し切り捨てていくという、東京大学を「帝国」大学たらしめるためのドラスティックな再編の過程が、急進展したのである。

若干の軋轢

在京の日本型グランド・ゼコールのなかで、残された農商務省所管の駒場農学校と東京山林学校についても、明治一九年の時点ですでに帝国大学への統合案があったことは、文部省作成と見られる帝国大学令の草案に、分科大学のひとつとして「農学科及山林学科」からなる農科大学の名称があげられていることからも、うかがわれる（『東京大学百年史』通史一、七九四ページ）。

しかし、農科大学は直ちに設置されることはなく、駒場農学校と東京山林学校は帝国大学発足の数ヶ月後に合併して東京農林学校となり、明治二三年になってから農科大学として、帝国大学の一部に加わることになった。農科大学を加えるに際して、帝国大学の側から「東京農林学校に設くる所の学科は程度低く、未だ帝国大学の一分科大学たるに足」らないという異論が出されていることからすると（『東京帝国大学五十年史』上冊、九七三ページ）、明治一九年当時にも同様の議論があったことが推測される。

こうして東京大学の法政学部・文学部・理学部・工芸学部・医学部に工部大学校を加え、それを五分科大学に再編して帝国大学が発足することになるのだが、理学部から分かれた工芸学部と工部大学校とが合併した工科大学については、新発足に際して若干の軋轢《あつれき》があったことが知られている。

東京（司法省）法学校を吸収した法政学部を引き継ぐ法科大学の場合には、フランス法系の司法省法学校が、もともとイギリス法系でしかもドイツ法の重視され始めた東京大学に、統合されることになったわけだが、発足当初は法律学第一（フランス法）、法律学第二（イギリス法）、政治学の三学科編成だったものが、翌二〇年には法律学科が第一部（イギリス法）、第二部（フランス法）、第三部（ドイツ法）という編成に変わっている。フランス法系の地位の相対的な低下がうかがわれるが、それ以上に大きな変化はなかった。

明治二三年にはカリキュラムが外国法中心から日本法中心へと大きく転換されるが、履修する外国法の国別によるこの三部編成はその後も長く続くことになる。ただ、東京法学校に在職した三名の日本人教授のうち法科大学に雇用されたものはなく、明治二三年になってようやくその一人、梅謙次郎《うめけんじろう》が教授に就任している。司法省法学校からの留学帰国者である木下広次《ひろじ》が、明治一六年以降教授職にあったとはいうものの、東京法学校は実質的に、東京大学法学部・法科大学に吸収される形になったと見てよいだろう。

工芸学部と合併した工部大学校の場合には、工部大学校の側、とくに学生たちの間に強い反対があったことが知られている。当時の学生の一人の回顧談によれば、合併話が持ち上がると学生たちは大集会を開いて、反対運動をすることに衆議一決し、文部大臣森有礼に建議書を提出することになった。その内容は、次のとおりである（『旧工部大学校史料』付録、一二〇―一二五ページ）。

「抑《そもそも》工部大学校ノ教育法タル、理論ト実践トヲ兼ネ教ヘ、其理学ハ、後来実業ノ基礎トナリ、企業心ノ原動力トモナ」るものとされてきた。これに対して「東京大学内理学部ヲ置カレ候ハ、専ラ学術ノ真理ヲ考究シ（中略）、寧《むし》ロ実業ニ疎キモ、理論ノ考究ヲ怠ラス、理学ノ研究ヲ第一ノ眼目」とするためである。つまり、「東京大学、工部大学校ハ、同ク大学ノ名称ヲ有スルモ、其精神ノ存スル所、組織ノアル所ニ至リテハ、全ク相同シカラス、二ツノ者有之《これあり》候テ後《のち》、始テ理学ノ研究ト工業ノ盛大ヲ期スヘク、工部大学校廃止ノ不可タル、猶《な》ホ東京大学理学部廃止ノ不可ナルト同様」である。

工芸学部という名称から、「之レカ組織タル、我工部大学校ト大同小異ノモノ」と思われるかもしれないが、もともと理学部中にあった工芸学部の（教育）組織は、工部大学校のそれとはまったく異なっている。「今度工部大学校ヲ、工芸学部内ニ、御編入相成候風説ニシテ、果シテ信《ママ》ナラハ、何《いず》レノ組織ヲ採用相成候モノニヤ」。もし合併して、工芸学部のそれを採用することになれば、「実用工業者」を教育する目的で建設され、「東洋第一」と「内外人ノ称賛」する工部大学校の学風は、完全に失われてしまう。それは学問・工業双方の振興にとって、大きな損失ではないか。

ここにはグランド・ゼコールとしての工部大学校関係者の、東京大学との教育目的の違いについての明確な認識と、大学に対する強い対抗意識、さらには実践性重視の教育に対する誇りと自負の念をうかがうことができる。

結局、反対にもかかわらず両者は統合され、イギリス人教師の一人が辞表を提出する一幕もあったが、工部大学校の日本人教授、助教授は全員が工科大学に移った。工部大学校出身者は、教授こそ一一名中三名に過ぎなかったが、助教授では七名中六名を占めている。それまでの卒業生数の違いなどを考えれば、ほぼ対等の合併と見るべきかもしれないが、東京大学出身者が優位に立ったことは否めないだろう。

二、教員集団の形成

教員の自給化

こうして、グランド・ゼコール群を統合し、全体としての再編をはかることによって、帝国大学の高等教育機関としての総合性は著しく高まった。とくに工・文・理の三分科大学では、分離や新設により学科数が大幅に増えた。そこにはこれまでの人材養成・専門家養成重視の視点を超えて、西欧の学術技芸の持つ体系性を可能な限り忠実に反映した教育・研究体制を構築しようとする、明治政府の強い意欲を見て取ることができる。

学科数が増えただけでなく、それに伴って各分科大学の日本人教員数も大幅に増加した。表2－1は、帝国大学発足時の専任教員数を見たものだが、依然として各分科大学とも外国人教師を雇用しているものの、その数は一三人に過ぎず、日本人教員が教授四二人、助教授一九人と、圧倒的に多数を占めるに至っていたことがわかる。明治初年からの留学生派遣の成果が、ようやく実を結び始めたのである。それにしても東京大学の発足から一〇年足らず、開成学校から数えても一五年足らずという短期間での事実上の自立は、旧幕時代から引き継いだ知的遺産の大きさを物語るものといってよいだろう。

表2－1　各分科大学の教員数（明治19年）

	学科数	外国人教師	教授	助教授
法科大学	2	3	7	1
医科大学	2	3	7	5
工科大学	9	3	11	7
文科大学	7	2	6	—
理科大学	7	2	11	6
計	27	13	42	19

（『東京帝国大学五十年史』上冊より作成）

大学院の設置

こうした日本人教員集団の形成とかかわって、帝国大学令が第二条で教育と研究の機能を明確に分け、「学術技芸ノ理論及応用ヲ教授」する分科大学とは別に、「学術技芸ノ蘊奥ヲ攻究」する場として大学院を置くとし、研究と研究者・大学教員の自立的な養成をめざしたことに注目する必要があるだろう。

大学院（グラデュエート・スクール）という、研究と研究者・大学教員養成に特化した組織は、「カレッジからユニヴァーシティへ」の転換をはかるアメリカの大学が、ドイツの大学にならって創設したものとされている。しかし当のドイツの大学には、大学院に相当する組織や教育課程はなく、帝国大学の大学院（「ユニヴァーシティ・ホール」と英訳されていた）のモデルがどこにあったのかははっきりしない（寺崎、一九九二年、五四—五五ページ）。

ただ、アメリカ同様わが国の場合にも、教育機能のみを持つ「カレッジ」的な大学から、研究機能を重視する、つまり知識の伝達だけでなく、創造の機能を重視する、真の（ドイツ的な）「ユニヴァーシティ」へと転換をはかろうとしたとき、研究と研究者養成の場を設置する必要性が痛感されたであろうことは、想像に難くない。いやそれ以前に、一日でも早く外国人教師依存の教育体制から抜け出し、教育機関としての自立をはかるために、海外に留学生を派遣するだけでなく、国内でも将来の教員を養成する努力を始める必要があった。東京大学時代の明治一三年にはすでに、学部卒業後さらに研究を深めたいとする学生のための「学士研究科」が開設されており、官費研究生の枠も設けられていた。

しかし、その学士研究科は言うまでもなく、後身である帝国大学の大学院も、実際には独立の教員組織があるわけでも、教育課程が組まれているわけでもなく、整備された組織というにはほど遠かった。学位制度との関係についても、あとで見るように大学院での研鑽は博士号取得の必要条件とはされず、大学教員・研究者の養成組織としての性格の曖昧《あいまい》さを免れなかった。こうして、最先端の学問を学ぶためには欧米の大学に留学するほかはない時代がその後も長く続くのだが、ただ同時に、大学院という形で研究を志向する学生たちの溜《た》まり場が用意されたことの重要性を、見落としてはなるまい。

大学院生の数は、明治二〇年代の中ごろで四〇名前後に過ぎない。しかし個人名を見ていくと、その後選ばれて海外留学したものを含めて、帝国大学は言うまでもなく他の高等教育機関の教員となり、学界や教育界で活躍した人たちが多数含まれていることがわかる。とりわけ実習・実験のための設備や装置が必要とされる、理・工・医の自然科学系の分野では、大学院制度なしに早期の学問的「離陸」は望みがたいことであったといってよい。大学院の制度化は、小規模で弱体であるとはいえ、帝国大学がその内部に大学教員・研究者集団の、自前の再生産装置を持つに至ったという点で、きわめて重要である。

団体性と自治の萌芽

こうした教員集団の拡充、自給体制の整備とともに、大学の団体性は強化され、大学運営に対する彼らの発言権と責任もまた大きくなっていった。帝国大学令による「評議会」の設置は、その端的な表われである。

大学自治の萌芽《ほうが》とも言うべき、大学教員を構成員とする審議機関の始まりは、明治一四年、東京大学に設置された「諮詢会《しじゆんかい》」にあるとされる（寺崎、二〇〇〇年、四六―七三ページ）。その諮詢会は、総会と部会に分かれ、別に部長会が設けられていた。つまり、大学評議会（総会）・部局長会議（部長会）・学部教授会（部会）という、戦後の国立大学につながる重層的な管理運営機構の萌芽的な形が、この時期に生まれたことになる。ただ、外国人教員を排除したこの諮詢会は、主として教育関連の問題を審議する、総理および各学部長の単なる諮問機関に過ぎず、大学運営上の実質的な権限は持っていなかった。

それに比べて帝国大学の創設と同時に置かれることになった、各分科大学から二名ずつ、計一〇名の教授が、文部大臣により「評議官」に「特選」・任命される帝国大学評議会は、大学運営にかかわる大きな審議権限を認められていた。そこでの審議事項は学内規則や学生・教員にかかわる事項だけでなく、大学関連の法規から財政問題まで多岐にわたっており、文部大臣の諮問機関的な役割まで果たしていたことが知られている（寺崎、同書、一四三―一五六ページ）。

このように評議会を、帝国大学における唯一最高の審議機関とする体制のもとで、各分科大学長が評議官に任じられたこともあって、部局長会議に相当する組織は置かれず、また教授会の設置も公的には認められていなかった。しかし実際には各分科大学に実質的な教授会が設置され、時には評議会に対して議案を提出し、さらには評議会の委任に基づいて特定の案件を審議することもあった（寺崎、同書、一六〇ページ）。分科大学教授会の設置が正式に認められるのは、明治二六年の「帝国大学令」改正によってであるが、大学自治への要求は、教員集団の拡充と団体性の自覚化とともに、着実に膨らみつつあったといってよい。

「帝国」大学への移行とともに本格化した、研究機能の強化と教員集団の拡充、学術研究の担い手としての社会的独自性の自覚化、専門的職業人（プロフェッショナル）としての意識と倫理の形成は、大学教授たちの権利意識と同時に特権意識を高め、やがては大学自治と学問の自由をめぐって、「帝国」政府そのものとの対立・抗争を生むまでに至るのだが、それはまだあとの話である。

三、帝国大学の諸特権

法科大学と官僚養成

ところで、明治一〇年代後半の政治の季節がもたらした強い危機感を背景に、伊藤博文と森有礼の手で構想され、創設された帝国大学の「帝国」大学である所以は、五分科大学のなかで最も重視されたのが法科大学であったという点に、象徴的に示されている。法科大学長は総長が兼任するものとされ、学生定員の最大数が、この官僚養成のための分科大学に割り振られた。法科大学の入学定員一五〇人は、全体の定員四〇〇人の四割弱にあたる。

帝国大学の「帝国」大学である所以としてさらに重要なのは、その法科大学卒業生に与えられた、高級官僚への任用上の特権である。明治一七年当時、東京大学卒業者が行政官僚への道を選択しようとしないことに危機感を抱いた伊藤博文が、官僚任用制度を整備し、東京大学の官僚養成機関化を構想したことは、すでに前章でふれたとおりである。実際に東京大学法学部と文学部（政治学系のみ）の明治一六年までの卒業者七三人のうち、官僚になったものは六人の司法官を含めて二三人、三分の一弱に過ぎなかった（天野、二〇〇七年、二一一ページ）。しかも当時の反体制派の中心人物ともいうべき大隈重信の東京専門学校に、その少ない卒業者のなかから七人も奪われたのだから、伊藤が強い危機感を抱いたのも無理はない。

前章でも引用した、伊藤の官僚養成の構想を描いた「文官候生規則案」（『秘書類纂・官制関係資料』一九三五年）によれば、「文官候生」つまり官僚の候補者は、政府・司法・技術の三種、一等・二等・三等の三級に分けられ、三等候生になるには「官立簡易専門学校、又ハ文部卿ノ特許ヲ得タル公私立専門学校」を、二等候生になるには「官立大学校、又ハ之ニ準スル官立専門学校」を卒業して、それぞれの試験に合格すること、一等候生はさらにそのあと三年の実務経験をつんだあと一等候生試験に合格すること、とされている。中・高級官僚を、これら試験に合格した候生のなかから選ぼうというのが、その構想であった。

すでに司法官には司法省法学校、技術官には工部大学校があるが、「独リ行政官ニ至リテハ、之ヲ養成スル」ところがない。「官立大学校」つまり東京大学はその行政官、しかも高級官僚の養成機関として位置づけていく。伊藤内閣のもとで発足した帝国大学は、まさに、そうした行政官僚の養成機関として設計されたのである。

高等文官試験

官僚任用制度についての伊藤の構想は、帝国大学の発足から一年後、明治二〇年に勅令「文官試験試補及見習規則」として具体化された。

この「規則」によると、試験は奏任官対象の高等試験と判任官対象の普通試験の二種類に分かれ、試験の合格者は最低三年の「試補」、判任官では最低二年の「見習」の期間を経て、正式に任官されることになっていた。戦前期の官僚の身分は、勅任官・奏任官・判任官の三ランクに分かれ、このうち勅任官・奏任官があわせて高等官と呼ばれていたから、高等試験は高等官のための試験ということになる。「規則」は、その高等試験について、帝国大学法科・文科両大学とその前身校・学部の卒業生に、無試験で試補になる特権を認めたのである。それはドイツの大学にも見られぬ特権であり、政府が帝国大学の「帝国の大学」化を、いかに重視したかをうかがわせる（官僚の任用試験制度については、天野、二〇〇七年を参照）。

帝国大学卒業者以外の官僚志望者については、出身学校による受験資格の制限が定められたことを付け加えておこう。

すなわち、高等試験の受験資格は「高等中学校及東京商業学校」または「文部大臣ノ認可ヲ経タル学則ニ依リ、法律学政治学又ハ理財学ヲ教授スル私立学校」の「卒業証書ヲ有スル者」に限られ、また普通文官（判任官）試験については、「官立府県立中学校、又ハ之ト同等ナル官立府県立学校」、それに「帝国大学ノ監督ヲ受クル私立法学校」の卒業証書を持つものに、試験免除の特権が認められていた。ここには官公立学校の重視と同時に、法・政・経系の私立学校を国家・帝国大学の統制下に置き、補助的な官僚養成機関化しようという政策的意図が、あからさまに示されている。

帝国大学による法学系私学の「監督」の問題はあとに譲るとして、ここではこうした特権が法科大学卒業者と高級官僚の任用試験制度だけではなかったこと、法科大学卒業者と司法官任用試験・弁護士試験、医科大学卒業者と医師試験、文科・理科大学卒業者と中等教員試験というように、帝国大学の卒業者にはすべての国家試験制度について、試験免除の特権が与えられていたことを指摘しておこう。

「帝国の大学」と奨学金

「帝国の大学」としての性格は設置学科にも示されている。工科大学における軍事系の造兵工学科・火薬学科は言うまでもなく、その他の開設学科についても「国家ノ須要」が強く意識されていたと考えられるからである。それを裏づけると思われるひとつの資料を見ておこう。

明治一九年度の『帝国大学第一年報』には、学生に対する奨学金の提供を求める文章が載っている。「皇帝陛下、帝国大学ヲ設置セラレシ所以ノ盛旨《せいし》ニ副《そ》」い、「小ニシテハ官庁会社、其他有志各位、人材需要ノ供給ヲ充タシメ、大ニシテハ国家須要ノ学術技芸ヲ拡張」するために、各方面に奨学金の提供をお願いしたいというのである。「国家須要ノ学業」として、そこには「法律、行政、財政、国際法、医術、衛生、地質、金石、採鉱、冶金《やきん》、土木、機械、電工、造船、造家、応用科学、薬学、文学等諸学科」があげられている。法科大学を筆頭に、医科大学・工科大学の諸学問をあげ、文科・理科の両大学をその下に置く、応用的な学問重視と基礎的な学問軽視の帝国大学の設計——それは、何が国家にとって須要な学問かという、右に列挙された学科名称にも端的に示されている。

しかし、その「帝国の大学」でなぜ奨学金だったのか。

この時代、ドイツをはじめヨーロッパの大学では授業料は基本的に無償であった。ところがわが国の大学も専門学校も、官立でありながら私費を原則としていた。日本型グランド・ゼコール群は官費生制度をとっていたが、それは卒業後の長期にわたる奉職義務と引き換えであったことはすでに見たとおりであり、しかもその官費生制度は短期間に次々に廃止されていった。東京大学には給費・貸費の制度があったが、その恩恵にあずかる学生の数は限られていただけでなく、明治一八年には森文相によって、授業料がそれまでの月額一円から二円五〇銭に一挙に引き上げられ、貧乏士族の子弟が多数を占める学生たちに衝撃を与えた。

当時の文部省の高級官僚で、明治二六年には帝国大学総長にもなる浜尾新《あらた》によれば、貧乏学生を教育しても、卒業後「徒《いたずら》ニ月俸ニ恋々シテ、僅《わずか》ニ一身一家ヲ維持スルヲ謀《はか》ル」にとどまり、「到底完全ノ専門家タルノ実力ヲ顕《あら》ハス」ことはできない、これからは「中等以上ノ資格ヲ備フル人民ニシテ、充分ノ学資ヲ有スル者ノミヲ養成」するほうがよいからだというのが、その授業料引き上げの理由であった（天野、二〇〇五年、五三ページ）。

帝国大学助教授の最低年俸が四〇〇円という時代の明治二二年に、森文相がその授業料をさらに月額一〇円にまで引き上げると宣言して、学生たちに大きな衝撃を与えた。官立学校は「皆国家ノ必要ニ由《よっ》テ設立スルモノ」だから、おおむね「其経費ハ国庫ヨリ支弁」するが、「修学スル生徒ハ亦《また》、其自己ノ教ヲ受クル報酬トシテ、其授業料ヲ払フハ固《もと》ヨリ当然ノコト」ではないか、というのである。なにやら昨今の国立大学の授業料をめぐる議論を聞くような話だが、このドラスティックな値上げ案は、森の暗殺という思いがけない事件で沙汰《さた》やみとなり、授業料は据え置かれることになった（同書、五五ページ）。

国家の須要・個人の利益

しかし、教育費は基本的に個人負担という原則までが放棄されたわけではない。いくら「月俸ニ恋々」するのはけしからんといわれても、高額の授業料を支払わなければならないとなれば、学生たちは卒業後、その教育投資に見合う報酬や地位を約束してくれるような専門分野を、つまり「パンのための学問」をめざすようになる。表２－２に見る各分科大学の定員と実員の著しいズレ、法科大学への集中と文科・理科両大学の不人気は、そのひとつの表われと見てよい。

前記の奨学金提供者の募集は、そうした「国家の須要」と「個人の利益」のギャップを埋め、「国家の須要」を満たすのに必要な人材育成を目的に計画されたのである。後発国における「国家の大学」の底の浅さをうかがわせる、苦肉の策という印象は否みがたい。

しかし、それもまた帝国大学が「帝国の大学」であることを、広く社会の支配層の間に認識させ、また帝国大学の教授と学生たち自身に自覚させるための、巧妙な方策であったと見るべきなのかも知れない。なぜなら、この奨学金公募については文部省（師範学校・中学校教員の養成のため）三〇人、司法省三〇人、内務省土木局一〇人、陸軍省（理事官養成のため法科学生）七人、さらには岩崎弥之助《やのすけ》一〇人、古河市兵衛《ふるかわいちべえ》（採鉱冶金工学科生）六人等々というように、明治一九年だけで、官民あわせて学生約一四〇人近くの貸費・給費の申し出があり、発足したばかりの帝国大学と官界・財界とを結びつけるうえで、大きな役割を果したた

表2－2　帝国大学の編成

	入学定員（明治19年）	入学者数	
		明治20年	明治25年
法科大学　法律学科 英吉利部 仏蘭西部 独逸部 政治学科	150	88	146
医科大学　医学科 薬学科	60	18	28
工科大学　土木工学科 機械工学科 造船工学科 造兵工学科 電気工学科 造家学科 応用科学科 火薬学科 採鉱及冶金学科	70	25	59
文科大学　哲学科 和文学科 漢文学科 史学科 博言学科 英文学科 独逸文学科	60	8	32
理科大学　数学科 星学科 地理学科 化学科 動物学科 植物学科 地質学科	60	12	23
合　計	400	151	288

（『帝国大学第一年報』及び『東京大学百年史』資料３より作成）

ことが知られているからである。

四、「高等中学校」の創設

高等中学校の設置

こうした強い期待に支えられて発足した帝国大学だが、表2－2の数字は、文科・理科両大学の不振もさることながら、帝国大学が発足から六年目を迎えた明治二五年になっても、大学全体として定員を満たすのに十分な数の学生を得られないという、意外な事態に直面していたことを教えている。ただ、それは高い授業料のためでも、帝国大学の不人気のためでもない。それは何よりも、帝国大学が安定的に学生を受け入れるのに必要な下位の学校、とりわけ中等学校の整備の遅れによるものだったのである。

東京大学も、それ以外の日本型グランド・ゼコールも、本来の専門教育の課程のほかに予備教育の課程を置いていたことは、すでに見たとおりである。それは第一に、専門教育が外国人教師により外国語で行なわれていたこと、第二に、専門教育を受けるのに必要な、基盤的な普通教育の機会を提供する中等学校が未整備であったことの、避けがたい結果であった。

明治一二・一三年の教育令の規定に、「中学校ハ、高等ナル普通学科ヲ授クル所トス」（第四条）とあるように、大学や専門学校への進学者のための「高等普通等教育」は、制度上は中学校の役割とされていた。実際に、この規定に準拠する中学校の教育内容を定めた明治一四年の「中学校教則大綱」は、中学校に初等・高等の二種を置き、高等中学科を「卒業ノ者ハ大学科、高等専門学科等ヲ修ムルヲ得ヘシ」としている。

しかし、現実には高等中学科を置く中学校は皆無に近く、ましてや中学校での外国語教育は、大学で専門教育を受けるのに必要とされる水準には、到底及ばなかった。東京大学も日本型グランド・ゼコールも、中学校とは別に、長期の予備教育課程を置かなければ専門教育が成り立たなかったのは、すでに見てきたとおりである。

その予備教育の課程は、帝国大学の創設に向けた統合再編の課程で、東京大学予備門に一本化されていたが、文部大臣森有礼は明治一九年、新たに公布した「中学校令」で、中学校を尋常・高等の二段階に分け、高等中学校は文部大臣の管理下に置いて予備教育の役割を担わせるものとし、全国を五つの学区に分けて東京大学予備門を第一高等中学校とするのをはじめ、各学区に一校の官立高等中学校を置くことを決定した。つまり、尋常中学校と高等中学校は、別個の学校種として設計されることになったのである。

この高等中学校が、のちに高等学校に名称変更されることになる。いわゆる「旧制高等学校」制度の発足である。設置の場所は、第一・東京、第二・仙台、第三・京都（明治二二年に大阪より移転）、第四・金沢、第五・熊本と定められた。

なお、この高等中学校については、設置・運営に必要な資金を寄付すれば、管理を文部省に委ねるという条件付きで、つまり準官立の形で、私人が学校を設置することも認められており、維新時の二大雄藩、長州と薩摩の旧藩関係者によって、山口高等中学校と鹿児島高等中学造士館の二校が創設されたことを、付け加えておこう。これら七校の高等中学校は、五年制の尋常中学校の卒業生を入学させて二年間の教育をし、帝国大学は高等中学校の卒業生に自動的に、つまりあらためて学力試験や選抜をすることなく、入学を認めることになっていた。

「予科」としての高等中学校

高等中学校とその後身である高等学校については、現在では、それを「教養教育」の場として高く評価する見方が支配的である。しかし、少なくとも発足時の高等中学校についてはその後も大正期になるまでは)、それが各分科大学進学者のための純然たる予備教育機関であり、アメリカのリベラルアーツ・カレッジのような、本格的な教養教育のための配慮はほとんどなかったことを、指摘しておかなければならない。それは明治二一年に三部制が導入され、生徒は一部（法科・文科）、二部（工科・理科・農科（明治二三年より））、三部（医科）に分属し、しかも各部内でさらに、進学先の分科大学別のカリキュラムによって教育されていたことからも知られる。

実際の教育課程を見ても、全員必修は外国語、数学、地質及鉱物、物理、化学、理財学、法学通論、体操の八科目に限られ、それ以外は、たとえば地理・歴史は一部、図学・力学は二部、動物及植物は三部の生徒だけが履修するというように、進学予定の分科大学別に科目と時間数が細かく分けられている。国語及漢文ですら、全員必修ではなかった。なお外国語は第一と第二に分かれ、第一の英語が必修、第二は独語、仏語いずれかの選択になっていた。第二次大戦後、「新制大学」の一般教育課程に取り入れられた外国語の二科目履修制の原型は、ここに求めることができる。

こうして発足した高等中学校だが、公立主体の尋常中学校との間には依然として、教育・学力面での大きな落差が存在していた。

森文相は中学校令のなかに、「地方税ノ支弁、又ハ補助ニ係ルモノハ、各府県一箇所ニ限ル」という一項を書き込んで、それまで乱立していた尋常中学校の整理と質の向上をはかる努力もしている。実際に、明治一八年に府県立七〇校を含めて一〇六校を数えた中学校は、この措置により、翌一九年には府県立四八校、町村立六校、私立二校の計五六校に激減した。しかし、英語や数学をはじめとする近代教科の教授能力を持った教員が不足し、教育課程自体、近代教科中心の編成が難しいという厳しい現実のもとで、尋常中学校の教育の水準はすぐには高まらなかった。

このため高等中学校は、尋常中学校の上級三学年に相当する三年制の「予科」を置いて、学力水準の確保に努めざるを得なかったのだが、東京大学予備門を引き継いだ一高以外の高等中学校はそれでも足らず、下級二学年相当の二年制の「補充科」を置くことを余儀なくされた。つまり、予科や補充科の名称で、事実上の尋常中学校を付設せざるを得なかったのである。そのうえ、創設時に本科生がいたのは一高と四高だけ、すべての高等中学校が本科の卒業生を出すのは明治二五年になってからで、二四年までの全卒業生八九八名のうち九割までを一高が占めていた（『東京大学百年史』通史一、九八五ページ）。

「帝国」の首都東京所在の一高と、地方所在の高等中学校の間には大きな落差があったことがわかる。医科大学進学者のための三部が置かれたのも、はじめは一高だけであった。天下の秀才たるもの何としてでも一高から帝大をめざさなければという、その後の激しい進学競争の基本的な構図は、こうした発足時の現実を出発点にしている。

進学競争と尋常中学校

進学競争といえばこの時期の高等中学校は、進学希望者が入学定員を大幅に超えるためという意味での、現代的な入学試験を実施していたわけではない。十分な学力を持った尋常中学校卒業の進学希望者がいれば、自動的に定員まで受け入れるというのが、制度上のたてまえになっていたからである。問題は尋常中学校卒業者の学力が、高等中学校の期待する水準にはるかに及ばない点にあった。

制度上のたてまえに応じて、たとえば第一高等中学校は明治二二年、第一学区内の尋常中学校との「聯絡《れんらく》」制度を定めている。それによれば「区域内ニ於ケル、尋常中学校ノ卒業生ニシテ、該学校長ノ品行方正、学術優等、身体壮健ト認メタル者ハ、試業ヲ須《もち》ヒスシテ、学力相当ノ学級ニ編入スヘシ」とあり、「聯絡」校からの志願者が定員に満たないときに初めて、「試業ヲ須ヒテ、其補欠員ヲ募集」することになっていた。

この「聯絡」制により無試験推薦入学を認められたものは、明治二三年度の予科第三級（最下級）の在学者三〇四人のなかに三八人いたが、その大部分は一八歳から二〇歳を超えていた。つまり、高等中学校の本科に直接入学できるだけの学力の持ち主が、尋常中学校にはまったくいなかったのである。

それだけでなく、尋常中学校を卒業するまでにすでに一七歳という制度上の想定年齢を大幅に超えている生徒が、ほとんどであった。尋常中学校と高等中学校本科との間には、実質的に教育年数で三年程度の学力格差があったことになる。その格差を埋めていたのは、首都東京に集中した受験予備校である。地方の尋常中学校の卒業者や中途退学者は競って上京し、これらの予備校で高等中学校への受験準備に励んで帝国大学へというのが、ごく一般的なルートであった（天野、二〇〇七年）。

高等中学校の、それ以前に尋常中学校の教育の未整備が、帝国大学の規模拡大の強い制約条件として働いていたことはこれで明らかだろう。ただ、定員どおりの学生が確保できなかったのは、帝国大学・高等中学校の歴史の最初の、ほんの短い期間に過ぎなかった。入学者の供給源として全国的に配置された五校（実際には七校）の高等中学校は、やがて尋常中学校の整備が進むとともに、上昇移動欲求に満ちた受験秀才を自動的に帝国大学に送り込み、その「最高学府」としての地位をさらに高め、学校教育システムの最上位に君臨させ、自らの「帝国」を築きあげるうえで、大きな役割を果たすことになるからである。その詳細については、またあとでふれることにしよう。

高等中学校の専門学部

ところで高等中学校については、森文相が描いた学校教育システム構想のなかで、それが単なる帝国大学進学者のための予備教育機関以上の位置と役割を与えられていたことを、指摘しておかなければならない。

中学校令の第一条にある「中学校ハ実業ニ就カント欲シ、又ハ高等ノ学校ニ入ラント欲スルモノニ、須要ナル教育ヲ為《な》ス所」という規定は、尋常・高等の両中学校にかかわるものである。森は、高等中学校は「上流ノ人ニシテ、官吏ナレハ高等官、商業者ナレハ理事者、学者ナレハ学術専攻者ノ如キ、社会多数ノ思想ヲ左右スルニ足ルヘキモノヲ、養成スルノ場所」だと考えていた。

こうした「上流ノ人」を養成する場所はこれまで、帝国大学と第一高等中学校のほかにはなかったが、このたび、「高等中学校ヲ各要地ニ設置」するのは、そうした人材養成の役割を期待してのことだ、というのである（『森有礼全集』第一巻、五三七ページ）。

実際に、明治二三年施行の「高等中学校官制」を見ると、この学校が大学予備教育と同時に、高等普通教育、専門職業教育という三つの機能を期待された、複合的な高等教育機関として構想されていたことがわかる（『資料集成　旧制高等学校全書』第二巻、三五ページ）。さらに具体的にいえば、高等中学校には「法科文科理科医科工科農科商科等ノ専門学部」の設置が認められていた。これら専門学部の名称は、商科を除いて帝国大学の分科大学と同じであり、高等中学校は帝国大学に準ずる複合的な専門教育機関化する、制度上の可能性を認められていたことになる。

医学部の付設

高等中学校の専門教育機関化の具体的な試みはまず、医学部の付設から始まるが、ここでも森文部大臣は思い切った強権的な措置をとった。すなわち、明治二〇年、千葉（第一）、宮城（第二）、岡山（第三）、石川（第四）、長崎（第五）の各県立医学校を移管する形で、五校の官立高等中学校に、それぞれ医学部を設置することを決めたのである。

維新後、各府県が地方の医療の近代化と医育の拠点として、医学校の設置・充実に努力してきたことはすでに見たとおりである。その努力の結実である甲種医学校は、明治一九年の時点で二三校にのぼっていた。公立医学校はその最も充実した部分を官立校の一部に組み込まれ、奪われたことになる。

それだけでなく、同じ明治二〇年には「府県立医学校ノ費用ハ、明治二十一年以降、地方税ヲ以テ支弁スルコトヲ得ス」という、公立医学校撲滅策とも言うべき勅令が公布された。これにより、付属病院の収入によって辛うじて費用をまかなうことができる、大阪・京都・愛知という大都市部所在の三校を除いて、他の公立医学校はすべて閉校に追い込まれ、姿を消すことになった。

付け加えておけば医学校以外の唯一の、しかも文・理・法の三科を置く公立の総合専門学校として明治一四年に設立され、発展を遂げてきた石川県専門学校も明治二〇年、第四高等中学校に転換されて姿を消した。移行措置に伴って四高の生徒になった西田幾多郎《きたろう》が、一変した教育方針に反撥《はんぱつ》し、中途で退学したため帝国大学文科大学の正規の学生になれず、選科生として苦労した話はよく知られている（竹内良知、一九七〇年）。

いずれにせよ、高等教育は国、中等教育は府県という、現在まで続く教育の責任体制の基本はこの時点で決まったのであり、わが国の高等教育システムは以後、国立（官立）と私立の二セクターを中心に発展していくことになる。

専門学部の不振

森が早世を余儀なくされたため、医学部以外の専門学部の設置を彼がどこまで具体的に計画していたのかはわからない。明治二三年、芳川顕正《よしかわあきまさ》文相のときに閣議決定された、「数箇もしくは一箇の大学を、地方に興すこと、既設の五高等中学校を拡張して、各種緊要な専門部を興すこと」という増設案は、森の遺志を継ぐものであったかも知れない。しかし、この案は、財政上の理由から裁可を得るに至らなかった（海後宗臣編、一九六八年、四〇七—四〇八ページ）。

結局、あとで見る明治二七年の井上毅《こわし》文相による、専門教育機関としての「高等学校」構想まで、新たに設置されたのは第三高等中学校の法学部（明治二三年）だけであった。高等中学校を、どのような高等教育機関として育成・発展をはかるのか、帝国大学との差異化をどうはかっていくのか。公立専門学校群の発展の芽を摘み取ってまで強化をはかった高等中学校だが、医学部は「入学志願者寡《すくな》クシテ（中略）満員ニ至ラ」ず、法学部もまた「実員ハ未タ［定員ノ］三分一ニモ足ラ」ないという、意外なほどの不振のなかで、その制度上の地位は不安定であることを免れなかった（内田、二三四—二三五ページ）。

五、官立専門学校群の生成

中等学校の教員養成

帝国大学以外の官立専門教育機関は、高等中学校の専門学部以外にも姿を現わしつつあった。中等学校の教員養成のための高等師範学校（のちに東京教育大学）と女子高等師範学校（現・お茶の水女子大学）、東京音楽学校および東京美術学校の二校（現・東京藝術大学）の特殊な専門学校と、高等商業学校（現・一橋大学）、東京工業学校（現・東京工業大学）等の実業専門学校群がそれである。官立の、しかし「グランド」ではない「エコール」、あるいは「ホッホシューレ」の日本版とでも言えばいいだろうか。

高等師範学校から見ることにしよう。

教員養成の役割を担う師範学校について、高等・尋常の別が設けられたのは、明治一九年の「師範学校令」によってである。尋常師範学校では小学校、高等師範学校では師範学校（および中学校等）の教員養成というのが、その与えられた役割であった。各府県に一校置かれた尋常師範学校は入学資格等からするとき、中学校とほぼ同一水準の学校であったから、高等教育機関と呼びうるのは東京に置かれた唯一の官立高等師範学校だけということになる。その高等師範学校の前身は、明治五年に創設された官立の東京師範学校である。この学校はもともと小学校教員の養成を目的に設立されたものだが、明治八年には、中学師範学科を開設して中学校教員の養成を開始していた。

中学校をはじめとする中等学校の教員は、医師や法律家に準ずる、近代社会の主要な専門的職業のひとつである。その教員をどのように養成するのか。明治五年の学制は、中学校の教員について「大学免状ヲ得シモノニ非サレハ、其任ニ当ルコトヲ許サス」と規定して、大学による養成システムを構想していた。しかし、大学そのものがまだ設置されていない時点で、それは空文に過ぎず、その空白を埋めるために中学師範学科が設置されたものと見てよい。

しかも同様の動きは中学校教員の不足に悩む他府県にも広がり、明治一三年の時点で、五校の公立師範学校に中学師範学科が開設されていた。ただ、これら公立の中学師範学科はいずれも臨時的な、高いとはいえない水準のものであり、明治一七年に「中学校通則」が定められ、中学校の「教員中少クトモ三人ハ、中学師範科ノ卒業証書、又ハ大学科ノ卒業証書ヲ有スル者ヲ以テ充」てねばならないとされた時点までに、すべて姿を消している（『日本近代教育百年史』3、一三五四―一三五五ページ）。中等学校教員の養成機能は、東京大学・帝国大学と、東京師範学校・高等師範学校に委ねられることになったのである。

大学と教員養成

このように大学だけでなく、師範学校という別系列の教育機関にも中等学校の教員養成機能を持たせたことは、その後の大学・高等教育システムの発展に大きな影響を及ぼすことになるのだが、この点について、とりあえず次のような厳しい見方があったことを指摘しておこう。

「中学校教員の養成が大学といふものとは全く別関係に、師範教育として行はるる事となつた結果、後に正式に国家から認められた大学が出来、中等教員の供給を寧《むし》ろ重要なる使命とすべき文学部や理学部が設けられた時に及んでも、大学は中等教員養成の上に於ては自然、単に傍系としての位置に立ち（中略）大学自身亦、中等学校教員養成の問題に全く無関心なりし時代をも現出するに至ったのは、遺憾のことと言はねばならぬ」（『明治以降教育制度達史』第一巻、八〇三ページ）

実は、帝国大学は中等学校の教員養成にまったく無関心だったわけではない。明治二二年には、文科大学に「特約生教育学科」を置き、ドイツ人教師エミール・ハウスクネヒトを雇って、中等教員の養成を試みているからである。学生は理科・文科両大学の卒業生、同選科の修了生、それに中等教員の間から選抜されたもので、実習を含む一年余の教育学主体の課程であった。ドイツの大学における中等学校（ギムナジウム）の教員養成にならって、帝国大学にも高等中学校を含む中学校教員の養成責任を持たせようとしたものだが、ただ、肝心のハウスクネヒトの帰国等もあって、わずか一回、一二名の卒業生を出しただけで終わっている（『東京大学百年史』通史一、一〇一二ページ）。

七校の帝国大学中、文学部を置いたのは東京・京都のわずか二校にとどまることを含めて、この大学と高等師範学校という二元的な、いや専門諸学校や試験検定制度を加えればさらに多元的な、中等教員養成システムがはらんでいた問題点については、またあとで取り上げることにしよう。

高等師範学校に戻れば、明治二三年には、これも東京に女子高等師範学校が設立された。明治七年に、小学校教員の養成機関として設立された官立の東京女子師範学校が、一八年にいったん東京師範学校に統合されてその女子部となり、再度分離独立して高等女学校の教員養成機関となったものである。女子対象の官立高等教育機関は、戦前期を通じてこの女高師以外にはなく、同校はその後長く、中等段階から別学化されていた女子教育の最高学府としての位置を占めることになった。

東京音楽学校

東京音楽学校と東京美術学校の二校も、教員養成の機能を強く期待されて設立されたという点で、師範学校同然の学校であったといってよい。このうち東京音楽学校は、明治二〇年に発足したが、その前身は明治一二年、「東西二洋ノ音楽ヲ折衷シテ、新曲ヲ作ル事」、「将来国楽ヲ興スヘキ人物ヲ養成スル事」、「諸学校ニ音楽ヲ実施スル事」の三つを目的に設置された、文部省の音楽取調掛《とりしらべがかり》である。

明治八年に、文部省から「師範学科取調」のためアメリカに留学した伊沢修二《いさわしゅうじ》を校長に、アメリカ人教師を招聘して西洋音楽中心の教育を行なうこの学校は、「汎《ひろ》ク音楽専門ノ教育ヲ施シ、善良ナル音楽教員及音楽師ヲ養成スル処《ところ》トス」という、学則の第一条にあるように、その力点を演奏家の養成よりも教員養成に置くものであった。明治二六年にいったん高等師範学校の付属とされた（三二年に再独立）ことも、その教員養成機関としての性格と無関係ではないだろう。

ただその卒業生については、教員としての就職すら難しく、明治二四年には校長自ら、府県の学事担当者を前に「尋常師範学校ニテハ、将来成ルヘク、本校ノ卒業生ヲ採用アランコトヲ希望ス。又中学校ニテハ、本校ノ生徒ヲ採用セルモノ、幾《ほと》ト《ん》皆無ノ姿」と、苦境を訴えるほどであった（田甫編著、一九八一年）。

東京美術学校

東京美術学校も明治一八年、同じく文部省の図画取調掛から出発し、二二年に正規の学校となった。美術系の教育機関としては、明治九年にイタリア人教師を招聘して、画学・彫刻の二科を置く工部美術学校が、工部大学校の前身である工学寮工学校に付設されたことが知られている。東京美術学校は、明治一六年にその工部美術学校が廃止された後、東京大学文学部を明治一三年に卒業して文部省に入った岡倉天心が中心となり、フェノロサを顧問格に迎えて発足したものである。

絵画・彫刻・図案の三科を置いたものの、同校の創設時の教員はすべて、日本の伝統絵画と工芸の専門家で占められていた。つまり音楽学校と違って美術学校は、「日本の伝統美術のみを教える国粋派の牙城《がじょう》」（木下、一二八ページ）だったのである。西洋画科が開設され、黒田清輝《せいき》や藤島武二《たけじ》らパリ仕込みの洋画家たちが教員となったのは、明治二九年になってからである。

この美術学校も、学則の第一条に「絵画彫刻建築及図案ノ師匠（教員若《も》シクハ制作ニ従事スヘキ者）ヲ養成スル所トス」とあるように、教員養成を主要な目的に掲げるものであった。事実、日本画の初期の卒業生を見ると、横山大観《たいかん》の京都市美術工芸学校をはじめ、ほとんどの就職先が学校であったことがわかっている（『東京美術学校の歴史』六二ページ）。

急速な近代化が始まったとはいうものの、制作者や演奏家は言うまでもなく、教師としても自立的な職業活動を可能にするところまで、社会や文化、教育の発展水準はまだ達してはいなかった。明治二四年の帝国議会では、女子高等師範とともに音楽学校の廃止案まで出ている。政府のこれら特殊な専門教育機関に対する関心も低く、しかも、事実上の創設者としてその存続・発展に苦闘した伊沢修二も岡倉天心もともに、中途で校長の座を追われていることを指摘しておくべきかも知れない。

高等商業学校

苦闘を強いられたのは、実業系の官立専門学校、「日本型ホッホシューレ」も同様であった。

この系統の代表的な学校は、高等商業学校（現・一橋大学）である。帝国大学の分科名にはないが、高等中学校に設置が構想されていた専門学部名の最後にあげられた、商科系のこの学校は、明治八年、アメリカ人ウィリアム・ホイットニーを教師に、森有礼によって私立の「商法講習所」として創設された（『一橋五十年史』一九二五年）。当時まだ外交官僚だった森が、公使として在米中に商業教育の重要性を認識させられ、帰国後、設立に踏み切ったものである。

「国家ノ須要」に応える帝国大学の分科大学にも学科にも商科を含めず、のちの帝国大学と東京高等商業学校の抗争の種をまくことになる森だが、富国策として、商業教育の重要性に着目していたことがわかる。

ただ、官立学校としての設立を考えてホイットニーを招いたものの、彼が来日した時点では政府の承諾を得るに至らず、やむを得ず私立学校として出発させたというのが、その経緯であった。政府関係者と森の間に、商業教育の必要性について認識の違いがあったことがうかがわれる。

しかも創設からほどなく、森が公使として清《しん》国に赴任したこともあって、商法講習所の管理は渋沢栄一が会頭をつとめる東京（商業）会議所が引き受けることになり、さらに翌九年には東京府の所管に移され、矢野二郎が所長に就任した。矢野は、開港地横浜で実業家として財をなし、代理公使としてワシントンに勤務した経験もある、森の知己であり、渋沢の推挙で所長職を引き受けたものである。以後明治二六年に辞職するまで一八年間にわたり、創設期の商業学校を支えた。

東京府の所管といっても、学校運営に必要な経費は半額程度しか支給されなかったため、渋沢ら有志の寄付金や矢野の私財によって不足を補い、慶應義塾と同様、卒業生がわずかな給料で週三〇時間もの授業を担当して外国人教師を助けるという形で、辛うじて経営を成り立たせる時代が続いた。明治一四年には、東京府会で予算案が否決されて商法講習所の廃止が決まり、矢野もいったんは所長を辞任したが、府知事の上申により農商務省から経費補助がもらえることになり、なんとか存続が可能になるという一幕もあった。

明治一七年にようやく農商務省の直轄になり、校名も東京商業学校と変わったが、今度は同じ年に文部省が東京外国語学校に高等商業学校を付設したことから、両校が競合する形になった。翌一八年の春、東京商業学校は文部省に移管され、森文部大臣のもと、秋には外語・高商と合併して新しい東京商業学校となり、明治二〇年に高等商業学校と改称して、ようやく経営の安定を見るに至った。

このめまぐるしい変遷が、何よりも商業教育について、というより実業教育一般、とくに高等教育レベルのそれについて、政府が定見を持つに至っていなかったためであることは、工業分野の専門学校東京工業学校の場合からもうかがわれる。

東京工業学校

わが国の工学教育が、工業化の開始と同時に東京開成学校と工学寮工学校とで開始されたことは、これまで見てきたとおりである。工業技術の性格からすれば、技術者養成は、大学卒業の高級技術者だけでは不十分であり、工場現場で働く実践的な中・下級の技術者についても、体系的な養成システムを構築する必要があることは、外国の事情に通じた一部の関係者の間で早くから認識されていた。

実際に明治七年には、発足したばかりの東京開成学校に「製作学教場」と呼ばれる、実践的な技術者の速成課程が開設されている。しかし、明治一〇年には、大学にこのような「卑近実用のものを併置」するのはふさわしくないという理由で、あっさり廃止されてしまった。のちに東京工業学校と改称される東京職工学校が実践的な中級技術者の養成機関、というより今後に設置されるべき中等工業学校のモデル校、およびその教員養成の機関として創設されたのは、それから四年後の明治一四年のことである。

その東京職工学校の場合、問題は何よりも「工業工場があって、而《しこう》して工業学校を起こすのではなく、工業学校を起こし、卒業生を出して、而して工業工場を起こさしめ」(『東京工業大学六十年史』六五ページ)なければならないという、工業化初期の逆説的な状況にあった。つまり「工業工場」そのものがまだ、実践的な工業技術者の安定的な需要を生むのに必要な発展水準に達していないにもかかわらず、学校のほうが先行して設立されたのである。

同校については、第一回の卒業生を出す明治一九年にいったん帝国大学の付属に移され、翌二〇年に再び独立校になるという短期間の変転もあった。その背景には、財政的な困難と不人気を理由にした、農商務省への移管論や、不要論・廃止論があったことが知られている（『手島精一先生遺稿』二三ページ）。東京大学理学部の卒業者を教員に、中学校卒業程度を資格に入学させて三年間の専門教育を行なう、この学校の教育水準や教育内容からするとき、「職工学校」という校名自体が世間の誤解を招き、不振の原因になっているのではないかという説まであった。

工業技術者の養成は、帝国大学工科大学だけで十分なのかどうか。工部大学校を吸収して「学理」重視に傾いていく工科大学の工学教育に対して、専門学校レベルの工業教育はどのような性格のものであるべきなのか。商業教育と違って帝国大学にすでに、整備された高級技術者の養成機関としての工科大学が存在するなかで、工学系の専門学校は制度上どのように位置づけられるべきなのか。答えがないまま東京職工学校が東京工業学校と改称されたのは、明治二三年になってからである。

この時点ですでに、東京商業学校のほうは「高等」商業学校に校名変更していたことも、指摘しておくべきかも知れない。大学レベルの商科の教育は必要ないのか、商科の専門学校だけになぜ「高等」の語を認めるのかを含めて、実業系専門学校の制度的に不安定な状況はその後も続くことになる。

六、国家試験と専門諸学校

『文部省年報』の専門学校

ここまで、帝国大学以外の官立専門教育機関を見てきたが、専門教育機関としてこの時期すでに多数を占めていたのは、官立でも公立でもなく私立の専門学校群である。

ところがその専門学校は準拠すべき法令のない、いわば制度上で継子《ままこ》あつかいされた学校群であった。高等中学校専門部は「中学校令」、高等師範学校は「師範学校令」という勅令によって設立されたものである。帝国大学は、もちろん「帝国大学令」に準拠している。これに対して、学制と教育令にその名称があった専門学校について、森文部大臣は何の法規も用意していなかったのである。

毎年度の『文部省年報』を見ると、たしかに専門学校の項があり、明治一九年でいえば府県立四三、町村立三、私立四三という校数があげられている。しかし準拠法令を持たないこれら専門学校の内容は、多様というよりも雑多であり、その後の学校種の分類でいえば、各種学校から中等実業学校、さらには本来の専門学校から実業専門学校まで、水準も教育の目的・内容も異なる、雑多というほかはない「専門一科」の学校を含んでいた。

『文部省年報』の統計データの記載を見ても、明治二六年にはそれまでの「専門学校」というラベルが「専門学校及技芸学校」と変わり、二八年には「専門学校」と「技芸学校」とが別項目に分離され、同時にこの年から「調査方法ノ改定」によって、「各種学校」の一部が「専門学校」に加えられたことが記されている（天野、一九八九年、一三七ページ）。さらにいえば「実業学校令」の公布により、「技芸学校」が「実業学校」に名称変更されたのが明治三二年、「専門学校令」が公布されるのは明治三六年になってからである。この間、「専門学校」の制度上の位置づけについてはさまざまな議論があったが、それについてはあとに譲ることにして、ここではその多様な専門学校、とりわけ私立専門学校の創成期の姿を見ておくことにしよう。

公私立専門学校の実態

二つの表をあげておこう。まず表2－3は、前記のような統計分類上の「専門学校」概念の変遷と連続性を考慮して、中等レベルの技芸学校・実業学校にあたる学校群を除いて作成した、公私立専門学校数の推移である。さらに、明治三五年度の『文部省年報』の巻末には、「専門学校令」公布前年の専門学校一覧が掲載されているので、そのなかから明治二三年までに設立された学校名をあげ、その時点での開設学科名と在学者数を見たのが表2－4である。＊印を付したのは、明治三六年の専門学校令公布の際、それに準拠する正規の専門学校として法的に認知されなかった学校をさしている。

表2－3　公私立専門学校数（明治19—36年）

年度	医・歯・薬		法・政・経		文	理	その他		計		
	公	私	公	私	私	私	公	私	公	私	計
明治19年	23	2	1	7	1	1			24	11	35
20	18	4	1	6	4	1			19	15	34
21	3	4	—	6	4	—			3	14	17
22	3	4	—	7	4	—			3	15	18
23	3	3	—	7	4	—			3	14	17
24	3	5	—	8	4	1			3	18	21
25	3	5	—	9	3	1			3	18	21
26	3	6	—	10	3	1			3	20	23
27	3	6	—	8	4	1			3	19	22
28	3	13	—	12	3	8	—	8	3	44	47
29	3	14	—	10	2	7	—	8	3	41	44
30	3	13	—	10	4	7	1	6	4	40	44
31	3	11	—	10	5	6	3	3	6	35	41
32	4	11	—	12	4	7	—	4	4	38	42
33	4	10	—	12	7	2	—	10	4	41	45
34	4	11	1	15	6	2	—	11	5	45	50
35	4	12	—	15	6	3	—	10	4	46	50
36	3	2	1	11	8	—	—	7	4	28	32

（『文部省年報』各年度より作成）

注　明治19—25年は『年報』の「専門学校」の項より作成。明治26—27年は「専門学校及技芸学校」のなかから明治28年以降の「専門学校」に連続的な学校種別をとった（本文参照）。

表２－４　明治23年までに設立の公私立専門学校（明治35年当時の状況）

学校名	所在地	設立年	学科	在学者数
東京慈恵医院医学校	東京	明治14年	医学	210
＊済生学舎	東京	明治９年	医学	620
＊東京歯科医学院	東京	明治23年	歯科	92
＊東京薬学校	東京	明治21年	薬剤学	348
明治法律学校	東京	明治14年	法律・経済	1,784
東京法学院	東京	明治18年	法律・経済	1,260
和仏法律学校	東京	明治22年	法律・経済	1,124
専修学校	東京	明治13年	理財学	700
日本法律学校	東京	明治23年	法律・経済	1,533
早稲田大学	東京	明治15年	法・政経・文学	2,364
慶應義塾大学	東京	明治23年	政治・理財・法律	320
国学院	東京	明治23年	文学	180
哲学館	東京	明治20年	文学	288
＊物理学校	東京	明治14年	理学	421
＊同志社波理須理科学校	京都	明治23年	理学	2
同志社神学校	京都	明治８年	神学	16
＊大阪薬学校	大阪	明治23年	薬学	170
関西法律学校	大阪	明治19年	法律	684
＊神宮皇學館	三重	明治16年	皇學	106
京都府立医学校	京都	明治12年	医学	340
大阪府立医学校	大阪	明治13年	医学	409
愛知県立医学校	愛知	明治10年	医学	678

（『文部省年報』明治35年度による）

＊印は明治36年度に「専門学校令」による認可を得られなかった学校。

この二つの表を眺めていると、明治二〇年前後の「公私立専門学校事情」とでも言うべきものが見えてくる。

神職養成のための神宮皇學館（現・皇學館大學）を別として、それら専門学校は大きく三つのグループに括ることができる。第一は医歯薬系、第二が法律系、第三が文理系である。そして、それら学校群の生成の過程を見ていくと、公私立専門学校が何よりも法曹、医師・歯科医師・薬剤師、中等学校教員という、近代社会の代表的な専門的職業（プロフェッション）、それに行政官僚にかかわる各種国家試験制度の成立と深く結びついて出現し、発展を遂げてきたことがわかる。

以下では国家試験制度の発展とかかわらせながら、その明治二〇年前後の実態を、学校群ごとに見ていくことにしよう。

資格試験制度と専門学校

戦前期における日本の国家試験制度の特徴は、あとで詳しく見るように、それが受験資格という点できわめて開放的であると同時に、一部の学校だけに試験制度上の大きな特権を認めていた点にある。それは後発型の近代化のさけがたい産物であった、といってよいかも知れない。

政府は法曹・医療職・中等教員、それに行政官僚など、近代化の開始とともに一挙に必要性と需要の拡大した専門的な職業群について、早くから資格の社会的な制度作りと法制化に力を注いできた。しかし、肝心の彼らの養成、つまり教育のシステム作りについては、それと並行的な努力をしたわけではなかった。

たしかに、人材需要に応えることを目的に官立の諸学校が次々に作られたが、厳しい財政事情と乏しい人的・知的資源のもとで、その数は限られたものにならざるを得ず、一時に大量に生じた需要を満たすには到底足りなかった。どこでどのように必要とされる知識・技術を学び身につけたかを問わず、つまりきちんとした学校教育を受けたか、卒業したかを問わず、国家が実施する試験の結果によって職業資格を認定し、付与するという開放的な資格試験制度は、そうした需要と供給の大きなギャップを埋めるために設けられ、フルに活用されることになったのである。

国家が設立・維持する、したがって職業上の能力を形成するのに必要な、十分な教育水準を保障された、帝国大学をはじめとする官立学校の卒業者には無試験で資格を認める。しかし、それだけでは一時に大量に発生した法曹・医師等の専門的職業人（プロフェッショナル）や、行政官僚に対する需要を満たすことはできないから、開放制の資格試験制度によってその不足を補う。職業に必要とされる専門的な知識・技術の内容と水準は、試験の科目・問題等の形で国家が定めるが、合格に必要な知識・技術を受験者がどこでどのような形で学び、獲得するかは問わない。独学でも、徒弟制的にでも、あるいは私塾や予備校、専門学校でも、どこでどのように学ぼうとも自由であり、すべては試験の結果による。

そうした「開放的」なシステムのもとで、やがて組織的・体系的に専門教育を行なう公私立の学校が現われれば、一定の基準を設けて国家が審査し、正規の高等教育機関として認定したものには官立学校と同等、ないしそれに準ずる無試験の特典を認めていく。それが専門的な人材の養成と高等教育の関係について、明治政府が取った政策であった。最近の法科大学院（ロースクール）制度の発足に至るまで、一世紀余にわたって司法試験制度がその方式を堅持してきたことを考えれば、そうした「開放的」な資格試験制度がいかに長く、また深くわが国の社会に根を下ろしてきたかがわかる（資格試験制度については天野、二〇〇七年を参照）。

七、医療系人材の養成

医術開業試験と医学校

そうした国家試験と専門学校との関係を、まず、医歯薬系の人材養成から見ることにしよう。

医師は、明治以前の日本社会にも多数いた。しかし、そのほとんどは漢方医であり、また医師の全国的な資格制度も試験制度もなかったことは、よく知られているとおりである。したがって本格的な医育機関もごく少数であり、医師のもとに住み込んで徒弟制的な訓練を受けるか、さもなければ著名な医師が開設した私塾で学習するというのが、漢方医に限らず蘭方（洋方）医の場合にも養成の主流であった。

維新後、政府は西洋医学、具体的にはドイツ医学への大転換を決め、明治七年には「医制」を公布して近代的医療制度の建設に着手し、そのための新しい医師養成制度を構想した。しかしすでに見たように、「師範学校同様」の東京医学校一校を設置するのがやっとであり、「医制」に定められた医師資格規定に基づいて行なわれる医師の「開業試験」を、医師の養成・確保の実質的に最も重要な方策とせざるを得ない状況が、長く続いた。

当初、その試験の実施は各府県に委ねられていたから、各地に試験準備のための多数の医学校が開設されることになった。しかし、公立の医学校を含めてその水準は高いとはいえず、とくに私立医学校のほとんどは、学校といっても私塾に近い受験準備の場に過ぎなかった。明治一二年になって、政府は「医師試験規則」を定めて試験の国家試験化をはかり、一六年にはそれをさらに改善した「医術開業試験規則」および「医師免許規則」を施行する。それによれば試験会場は全国で九ヶ所に設けられ、試験は年二回、前期試験が基礎学科、後期試験は臨床学科や臨床実験となっており、合格までに前期三年、後期七年を要するといわれるほどの難関であった。

野口英世が合格して医学者への第一歩を踏み出したのも、この試験に合格したおかげである。高等小学校出の彼は、開業医のもとに住み込んで勉強し、医学予備校の済生学舎《さいせいがくしゃ》に一年半学んだだけで、見事に難関をパスして医師の資格を手にしたのである（天野、二〇〇五年、三六四ページ）。

その野口が学んだ済生学舎は、表2－4にあるように明治九年創設の、最大の私立医学専門学校であった。創設者の長谷川泰《たい》は旧幕期に蘭方を学び、のちに大学東校の少助教をつとめたこともある、医師あがりの政治家である。その人脈を使って、東京医学校・帝国大学医科大学の関係者、といっても助手や大学院生クラスを時間講師に、国家試験をめざす若者を教育し、明治二〇年から二四年の間だけでも一五〇〇人近い合格者を出した。

ただその実態は「医学校とはいふけれども大道店」同然といわれ、教育の質は高いものではなかった。大学を出たばかりの「講師は前の晩の八時に覚えてきて、翌朝の八時に生徒に講義するのだから、先生と生徒の知識の時間差は一二時間しかない。そこへ色々の事を質問されてどぎまぎする。少し押しの弱い奴はでられない」。ついに質問厳禁ということになったという話からも、その実態がうかがわれる（『近代名医一夕話』一九三七年）。

表2－4にある、もう一校の東京慈恵医院医学校（現・東京慈恵会医科大学）は、海軍軍医として留学しイギリス医学を学んだ高木兼寛《かねひろ》が、帰国翌年の明治一四年に創設した成医会講習所の後身で、成医学校を経て明治二四年に前記の校名になった。明治三六年の専門学校令施行の際に、済生学舎が廃校に追い込まれたのに対して、高木の学校は正規の学校として認

可を受けており、受験予備校から発展した数少ない私立医学専門学校のひとつとなっている。

これら私立医学校に比べれば、高等中学校医学部への移管と地方税による負担禁止という改革の大波を辛うじて生き延び、その後も「一種の変態学校」扱いされ、苦難の道を歩くことになった（『佐多愛彦先生伝』一九〇ページ）とはいえ、府県立の三校ははるかに恵まれた状況にあった。

何よりも、明治一五年の「医学校通則」と翌一六年の「医師免許規則」によって、「官立及府県立医学校ノ卒業証書ヲ得シ者」、具体的には府県立甲種医学校の卒業者には、無試験免許の特権が与えられていたからである。このうち大阪・愛知の二校は曲折を経て、それぞれ大阪帝国大学・名古屋帝国大学の発足時に、その医学部として吸収統合されることになる。あとで見るように京都府立医学校についても、京都帝国大学の発足時に医科大学として移管される話があったが、結局そのまま存続し、現在の京都府立医科大学へと発展を遂げることになる。

薬剤師と薬学校

国家試験への依存度は歯科医師・薬剤師も同様に、というより医師の場合以上に大きかった。

薬剤師については、明治七年の「医制」で薬舗《やくほ》開業のためには資格が必要とされることになり、医師と同様、試験による開業免許制度が導入された。これに対応して東京医学校・東京大学医学部には製薬学科のほかに、通学生教場・製薬学別課などの「簡易速成」の課程も設けられ、さらに明治一五年には「薬学校通則」が施行されて、「東京大学ニ於テ製薬士ノ学位ヲ得タル者」二名以上を教師に持つ学校を甲種薬学校とするなど、薬剤師養成の制度化に向けた努力が進められた。

しかし、医師の場合と違って、薬剤師の養成に対する社会的なニーズは低く、この規定による府県立学校の設立の動きは生じなかった。薬剤師試験の水準が必ずしも高くなかったこともあって、薬剤師をめざすものは東京をはじめ京都、大阪、名古屋、熊本等、主要都市に設立された私立薬学校で受験準備をするのが一般的であった。

明治二二年に「薬剤師試験規則」が公布され、国家試験としての整備が進むとともに、これら受験予備校的な薬学校のなかから、明治一八年に甲種薬学校となり、明治二一年には帝国大学医科大学の薬学担当教授下山順一郎を校長に迎えた東京の私立薬学校（東京薬学校を経て、現・東京薬科大学）のように、水準の高い薬学校も現われ始める。しかし、その東京薬学校が、薬学の領域で最初の私立専門学校として認可を得るのが大正六（一九一七）年ということからも知られるように、国家試験の準備教育はもっぱら、文部省の統計上でいえば「各種学校」としての薬学校で行なわれていたというのが、実態であった（『東京薬科大学九十年』一九七〇年）。ただ、これら私立薬学校は何よりも薬舗等の開業薬剤師の養成を目的とするものであり、官公立病院等での調剤関係の薬剤師養成については、帝国大学医科大学の薬学科のほか、各高等中学校医学部に薬学科が開設され、卒業者には無試験免許の特典が認められていたことを、付け加えておくべきだろう。

遅れた歯科医師養成

歯科医師の場合、養成システムの整備はさらに遅れた状況にあった。それは歯科医師の免許制度が曖昧なままであったことと関係している。すなわち明治七年の医制では産科・眼科等と並んで「口中科」の名前があげられ、その専門免状を持つものが歯科医師として、一般の医師と同等の扱いを受けることになっていたが、実際には正規の歯科医師以外の、在来の「歯医者」が多数治療行為に従事していた。

明治一六年公布の「医術開業試験規則」は第七条に歯科の試験科目をあげ、試験合格を歯科医師としての資格要件としたため、国家試験の受験準備に向けた講習会が各地で開かれるようになり、学校化されたものもいくつか生まれる。しかし、入れ歯・抜歯・口中治療など、歯科医師類似の業務を行なうものが依然として多数あり、その存在が黙認されていたこともあって、薬剤師以上に歯科教育の水準は低かった。

本格的な歯科医学校と呼べるものは、表2－4に東京歯科医学院として載っている、アメリカで本格的な歯科学を学んで帰国した高山紀斎《きさい》が明治二一年に創設した高山歯科医学院

（明治三三年に校名変更。現・東京歯科大学）だけであったといってよい（『東京歯科大学創立七十周年記念誌』一九六一年）。歯科学については、官立の独立校はもちろん学部・学科もなく、昭和三年になってようやく、官立の東京高等歯科医学校（現・東京医科歯科大学）が創設されたということも、指摘しておくべきだろう。この時期歯科医師の職業的・社会的な地位は、医師に比べて著しく低かったのである。

八、中等教員養成と検定制度

教員検定制度の発足

中等学校の教員養成も、私立専門学校の成立と深いかかわりを持っている。

戦前期、中等学校は中学校・高等女学校・実業学校・師範学校の四種に分かれていた。その中等学校の教員については、明治一九年に「尋常師範学校尋常中学校及高等女学校教員免許規則」が定められた。それによると、これら三種の学校の教員免許状は「高等師範学校卒業生、及丁年《ていねん》［満二〇歳］以上ニシテ、文部省ノ検定ヲ経タルモノニ之ヲ授与」するものとされていた。つまり（実業学校を除く）中等学校の教員養成の中心は、高等師範学校だというのである。しかし男子・女子それぞれ一校だけの高等師範で、中等学校の普及とともに年々増加していく教員需要を満たせるはずがない。養成の量的な主流は「検定ヲ経タルモノ」の側にあった。

その検定は、さらに「直接検定」と「間接検定」に分かれていた（牧、三二七ページ）。直接検定というのは、学力試験による検定であり、「免許規則」には「学力ノ検定ハ試験ニ依ル」と定められていた。もう一方の間接検定は、「内外高等学校卒業生等ハ、検定委員ニ於テ、教員タルニ適スヘキ学力アリト認ムルモノ」について、例外として学力試験なしに教員免許を与えるというものである。ここでいう「高等学校」とは高等中学校ではなく、大学をはじめとする「高等諸学校」をさしている。先に見た高等中学校、東京音楽学校と東京美術学校、高等商業学校・東京工業学校などの官立専門学校群、それに帝国大学とその前身校、さらには欧米諸国の大学・専門学校等がこれにあたる。これらの学校の卒業生はいずれも無試験で、中等学校の教員免許を与えられることになっていた。

学力試験による資格検定制度の始まりは、これより先、明治一七年に出された「中学校師範学校教員免許規程」にある。「文検」（文部省検定試験）と呼ばれ、その後長く続くことになるこの試験制度の第一回は、翌一八年に実施された。合格率が一割にも満たなかった（寺崎、一九九七年、一七ページ）この難関に挑むには、（独学を含めて）どこでどのように学んだかは問わないということであったから、東京にはさまざまな専門分野の受験予備校が出現することになった。

表2-4には文学系で国学院と哲学館、理学系で物理学校が載っているが、明治二五年当

時の『東京遊学案内』を見ると、このほかにも国民英学会、東京英和学校、国語伝習所、東京文学院、攻玉社《こうぎょくしゃ》、東京体操伝習所、東京唱歌専門学校など、受験準備を主目的とした多様な「各種学校」が存在したことが知られる。表中の三校は、そうしたなかで単なる受験準備を超えて、本格的な高等教育機関への明確な志向を持った学校群であった。

教員養成系の私学

明治二〇年設立の哲学館（現・東洋大学）は、東京大学文学部を明治一八年に卒業した井上円了《えんりょう》が独力で設立したものだが、加藤弘之・外山正一《とやままさかず》ら帝国大学の関係者をはじめ、文科大学・旧文学部の卒業者たちが、資金の拠出や講師としての出講など、さまざまな形で援助したことが知られている。

当初は「文科大学ノ速成ヲ期シ広ク文学、史学、哲学ヲ教授」して、とりわけ「教育家、宗教家ノ二家ヲ養成」することを目的としたが、明治二一年から一年間「欧米巡遊」に出た井上が、「日本主義ノ大学ヲ設立スル必要」を痛感させられて帰国すると、「東洋部」（国学・漢学・仏学）、「西洋部」（哲学・史学・文学）の二部制をとり、将来的にはその上に「東洋大学科」を置くという本格的な大学化構想を打ち出した。「日本大学トモ云フベキモノヲ組織」しようというこの計画は、具体的というにはほど遠く、実現までにはさらに数十年を必要とすることになるのだが、早い時期の、しかも「日本」大学化構想のひとつとして注目されよう。

その哲学館は、明治二三年にはすでに中等教員の無試験免許の特典を求めて、文部省に請願書を提出している。「文科大学ニ倣《なら》ッテ学科ヲ編成シ、自然ニ文科大学速成学校ノ形ヲ取」り、その卒業生の多くが教育家を志望し、実際に「倫理教育歴史ノ三科」に、二年間に一〇数名の合格者を出していることを、請願書はその理由としてあげている（『東洋大学創立五十年史』五九―六〇ページ）。いかに中等教員の養成に力を入れていたかがうかがわれる。官公立だけに認められていた、その「無試験検定」の特権に明治三二年、次に述べる国学院、それに東京専門学校とともに、哲学館も私立専門学校として最初にあずかることになる。

国学院（現・國學院大学）の創設は明治二三年だが、その発端は明治一五年の皇典講究所の設立までさかのぼらねばならない。皇典講究所は、もともと内務省所管の神官養成機関として、参議山田顕義《あきよし》らの努力で皇室等の援助を得て設立された「皇学」、つまり国学中心の学校である。明治一七年ごろには官立移管論もあったことが知られている。その後明治二二年に、当時司法大臣の職にあった山田顕義が所長に就任すると、「私立国文大学」の設立構想を打ち出した。西洋の学問に偏った帝国大学に対して、「我国固有ノ学術ノ蘊奥ヲ研究スルト共ニ、之ニ依リテ深ク愛国ノ精神ヲ涵養《かんよう》」するための「私立大学」を設立しよう、というのである（『国学院大学八十五年史』一〇二―一〇三ページ）。

この構想は「国文大学」から「国文学校」へとトーンダウンしたものの、明治二三年には皇典講究所の拡張案の形で別途、国学院を設立する計画へと発展した。同年の学則によれば、国学院は「専《もつぱら》国史・国文・国法ヲ教授シ、併セテ広ク、之ガ研究及応用ニ須要ナル諸学科ヲ、修メシムル所トス」とされ、そのうち「国法科課程ハ、別ニ之ヲ定ム」として、法律学校を別置することになっていた（同書、一一六―一一七ページ）。この構想の具体化したものが、あとでふれる日本法律学校（現・日本大学）である。国学院と日本法律学校は、したがって皇典講究所から生まれた同根の学校ということになる。その国学院もまた、国文学を中心に教員養成を重視したことは、先の拡張案に「本校卒業生ハ、中学・師範学校教員タルノ資格ヲ得シムベシ」とあるとおりである。

いずれにせよ、「洋語大学校」か「邦語大学校」かが議論された明治一〇年代を経て、明治二〇年代に入ると、近代西洋の学問中心の諸学校に対して、日本の伝統的な学問を重視する「日本大学」の設立構想が、相次いで現われたことに注目すべきだろう。

理系の教員養成

これら文学系の二校に対して、物理学校（現・東京理科大学）は旧東京大学仏語物理学科の卒業生集団によって設立された、理科系の専門教育機関である。

仏語物理学科が大学南校の開成学校への移行時に、フランス語履修生の救済措置として臨時的に設けられ、在学者の卒業と同時に廃止されることの決まった特異な学科であったことは、すでに見たとおりである。

それだけに、のちに帝国大学理科大学の教授に就任する寺尾寿《ひさし》を中心とした、三期二〇人の卒業生に中退者を加えた関係者の結束は固く、「学窓に在りしときより、夙《つと》に報効を以て志を尚《たこ》うし、卒業の後には協同一致、以て国家に竭《つく》さんことを相約せり」と、同校の校史は書いている（『東京物理学校五十年小史』二ページ）。彼らが共同で東京物理学講習所を設立したのは明治一四年、「中学以下ノ学校教師タル者、又ハ中学以上ノ学術ヲ修メント欲スル者ニ適スル、物理学科及数理学科ヲ授」けることが、その目的であった。

明治一六年に校名を変更し、明治一八年には慶應義塾と似た、しかし二一名の同志だけの維持組織「東京物理学校維持同盟」を結成し、その規則に、同盟者は維持資金を寄付すると同時に、在京者の場合には「毎週二回ッッ講義ヲ行フノ義務ヲ負フ」ことを定めた。東京大学の総理加藤弘之や初代の東京大学物理学教授山川健次郎らが明治一五年、理学部の実験用具を「理学普及」を名目に夜間だけ貸し出す、「器械貸付規則」を作って物理学校を応援したことも、知られている（『東京理科大学百年史』一八―一九ページ）。

入学後の厳しい学力試験による選抜を経て送り出される卒業生は、理科・数学等の教員として引く手あまたであり、明治二〇年から三七年までの卒業生三六九名の七割強が、中学校等の教員になっている（同書、七九ページ）。

九、法学系私学と国家試験

国家試験と法学系私学の発展

私立専門学校のうち校数からいっても、また在学者数（明治三五年時点のものだが）を見ても、際立っているのは法学系私学の存在である（表2－4参照）。

その法学系私学の設立の動きが、明治九年の「代言人規則」の公布を契機に始まったことは、すでに見たとおりである。その後明治一三年に、最初の近代法である刑法・治罪法が公布されたのを機に、この「規則」が改正され、それまで地方官任せだった代言人試験が司法省の手に移り、国家試験として免許基準の厳格化がはかられると、私塾的な学校に代わって本格的な法律学校が次々に姿を現わした。表中の専修、明治法律、和仏法律、東京法学院、それに早稲田（旧・東京専門学校）の五校は、そうした代言人試験の時代に登場したものである（なお、他に明治一七年創設の独逸学協会学校専修科があるが、明治二八年に最後の卒業生を出して廃止されたため表中にはない）。

代言人規則に基づく試験制度は、明治二六年に「弁護士法」と「弁護士試験規則」によるそれにとって代わられることになるが、在野法曹について一貫してとられたのは、受験資格を問わない開放的な試験制度であった。ただしその開放性は重要な例外を含むもの、つまり帝国大学法科大学卒業者については、代言人・弁護士資格の無試験付与の特権を認めるものであったことは、先に見たとおりである。

法曹については、さらに明治一七年に「判事登用規則」が定められ、「法学士、代言人、及ヒ試験ヲ行ヒ及第シタル者」がその有資格者とされたことから、私学出身者にも試験による任用の道が開かれていた。ただ翌年の第一回試験では、受験者一四九人に対して合格者はわずか三名に過ぎず、私立法律学校の教育がまだ高い水準にはなかったことがわかる（奥平、五七九―五八三ページ）。その後、明治二四年に新しく「判事検事登用試験規則」が定められ、「文部大臣ノ認可ヲ経タル学則ニ依リ、法律学ヲ教授スル私立学校」の卒業者に、その受験資格が認められることになった。この場合にも、法科大学卒業者が無試験任用の特権にあずかっていたことは、あらためていうまでもないだろう。

高等文官試験と私学

しかし、私立法律学校にとってこの時期、法曹関係のそれ以上に重要だったのは、行政官僚の任用試験である。「文官試験試補及見習規則」が法学系私学に、高等試験の受験資格と普通試験の無試験特権を認めたことは、先に見たとおりだが、それは前者については「文部大臣ノ認可」、後者は「帝国大学ノ監督」という条件付きの特典であった。

私立法律学校に行政官僚の養成機能を持たせようという考えは、たびたびふれた「文官候生規則案」にすでに見られる（『秘書類纂・官制関係資料』一九三五年）。そこでは「府県官郡区吏等」、中級官僚の候補者である「三等候生」については、「文部卿ノ特許ヲ得タル公私立専門学校」の卒業者に受験資格を与える構想が示されている。「徒《いたず》ラニ一知半解ノ卒業生」が増えたのでは困るので、「校則教科教員等ノ事ニ干渉」するのだというのが「文部卿ノ特許」を必要とする理由であった。これまで、いわば「自由放任」にされてきた私学の世界に、国家が特権の付与と引き換えに「干渉」する意図を示した最初の構想として、きわめて重要である。そして、この構想の具体化もまた帝国大学の成立と深くかかわっていた。

私立専門学校群の主流を占める法学系私学に対する国家統制の試みは、帝国大学令の公布から半年後の明治一九年八月、森文相が発した文部省達、「私立法律学校特別監督条規」から始まった（以下、官僚任用試験と法学系私学の関係については、天野、二〇〇七年を参照）。「東京府下ニ設置ノ私立法律学校ニシテ、適当ト認ムルモノ」を選んで、法科大学長を兼ねる帝国大学総長にその監督を委ねるとした、この達に基づいて選定されたのは、表2－4に登載されている在京の五校、すなわち専修学校（現・専修大学）・明治法律学校（現・明治大学）・東京専門学校（現・早稲田大学）・東京法学校（和仏法律学校を経て、現・法政大学）・英吉利法律学校（東京法学院を経て、現・中央大学）である。廃止された東京大学法学部の別課法学に代わって法学系私学に、法科大学だけでは充足できない官僚養成の補助的な機能が、求められることになったのである。

治外法権の時代状況を反映して、中学校卒業程度の学力のものを入学させ三年以上、日本法のほかに英・仏・独のいずれかの外国法を教授することが、特典にあずかるための要件であり、帝国大学総長はこれら監督校の卒業生のなかから優等生を選んで、「司法官立合《たちあい》ノ上更ニ試問」をし、合格者に及第証書を与えることになっていた。第一回の試験は明治二〇年に行なわれ、六七名が受験して一八名が及第とされた。明治六、東京法四、専修二、英吉利四、東京専門一、その他一名という及第者の学校別は、この時期の五校の法律学校間の相対的な位置関係を表わすものと見ることができる。これら及第者は、のちに判事試補に任命されている（天野、一九八九年、一三二ページ、『東京大学百年史』通史一、一〇〇二ページ）。

特別認可学校制度

この特別監督制度は、明治二〇年の「文官試験試補及見習規則」の公布とともに、翌二一年の文部省令「特別認可学校規則」による、認可制度へと発展的解消を遂げる。その「認可規則」が、文官試験規則にある高等試験の受験資格を、「文部大臣ノ認可ヲ経タル学則ニ依リ、法律学政治学又ハ理財学ヲ教授スル私立学校」の卒業証書を持つものに認めるという規定に対応するものであることは、言うまでもない。これによって法学系私学に対する特権付与は司法官僚だけでなく、行政官僚の国家試験の受験資格にまで拡大されることになった。「認可規則」により認可を得たのは、前記の五校に独逸学協会学校と東京仏学校（のちに東京法学校と合併して和仏法律学校）を加えた七校である。

若者たちの「天下熱」が「立身熱」に変わり、確立された官僚制機構のなかに「立身出世」の主要なルートが求められるような時代状況（升味、五〇ページ）のもとで、この特権にあずかることができるかどうかは、法学系私学にとって死活にかかわる重要な問題であった。

表2－4に、東京以外で唯一その名があげられている関西法律学校（現・関西大学）は明治一九年、大阪在住の司法省法学校関係者を中心に設立されたものだが、認可申請をしたものの入れられず、「中途道を転じて東都に上り、特別認可学校に移るもの相次」ぎ、校運の一時的な衰退をみたことが、学校史に記されている（『関西大学創立五十年史』三〇—三一ページ）。ただ同時に私学の側には、政府の干渉につながることを危惧して認可申請を法律科に限り、政治科については申請を見送った東京専門学校のような例もあったことを、指摘しておくべきだろう（『早稲田大学百年史』第一巻、五五二—五五三ページ）。

それは私立法律学校に対する、まさに「アメとムチ」的な政策だったのである。

最初の基準設定

アメかムチかは別として、「認可規則」について重要なのは、それが「監督条規」よりもさらに厳しく、高等教育機関としての基準設定を行なった点である。現代風にいえば、「認可規則」は国家による基準判定（アクレディテーション）的な役割を持っていたことになる。のちに専門学校令により法制化される、高等教育機関としての専門学校の基準の骨格は、この「規則」によって作られたといってよい。

その具体的な内容は、次のとおりである（『明治以降教育制度発達史』第三巻、三三二ページ）。

①入学資格　「入学スルコトヲ得ヘキ者ハ年齢一七年以上」で「尋常中学校卒業証書ヲ有スル者」、あるいは「国語漢文外国語地理歴史数学ノ各科ニ就キ、尋常中学校ノ程度ニ依リ試験ヲ経テ及第シタル者」に限る。

②修業年限　年限は三年以上とする。

③教育課程　「法理学・法学通論・憲法・行政法・民法・訴訟法・刑法・治罪法・商法・国際法・財政学・理財学・統計学・史学・論理学等」のうち七科目以上を学修させる課程を置く。法律学を主とする場合は「擬律擬判」の科目を置く。

④卒業証書　「最終ノ学年試験ニ及第シタル者ニハ（中略）卒業証書ヲ授与」する。

⑤文部省への報告　入学試験の日時・時間割、入学者の属性・試験の成績、毎学年末の試験科目・日時・成績、卒業者の氏名等について、文部省に「申報」しなくてはならない。

⑥文部大臣の監督　「文部大臣ハ特ニ委員ヲシテ、特別認可学校ノ試験ニ臨監セシメ、

及管理授業等ノ実況ヲ視察」させることがある。

これを見ると、認可の条件として重視されたのが施設設備等のハード面ではなく、何よりもソフト面、とりわけ学生の入学時や卒業時の学力であったことがわかる。

法学系私学の実態

法学系の私学群はそれまで準拠すべき法規もないまま、言ってみれば社会的なニーズを満たすものとして自生的に姿を現わし、学力を問わず希望者を自由に受け入れることで成長を遂げてきた。法律学・政治学・経済学など、欧米の学問を教えるこれらの学校は、いわば文明開化の象徴的な存在であり、自由民権運動の進展ともあいまって、「新知識」を求める多数の若者たちをひきつけるようになった。

ただ、初等・中等教育の未整備なこの時期、これら若者の学力は多様で入学後の流動性も高く、卒業に至らず中途退学していくものが多数を占めていた。たとえば明治二〇年当時の法学系私学全体の在学者約五五〇〇人に対して、卒業者わずか三七八人という数字は、このことを裏書きしている（天野、一九八九年、四五〇ページ）。

文明開化の中心である東京に出て西洋の学問の一端にふれること、「上京遊学」することそれ自体が目的であるような地方出身の若者が、「法律書生」の多数を占めていたと見てよいだろう。前記の「認可規則」には教員に関する規定が欠けているが、法律学校に専任の教員を持つところはほとんどなく、他に職業を持つ時間講師による細切れ的な講義が中心で、その水準も内容も著しく多様であった。国家試験の合格をめざして、有力講師の講義を聴くために、複数の学校に籍を置くものも少なくないというのが実情だったのである。

「認可規則」はそうした法学系の専門学校に対して、入学者には官公立学校の場合と同等の資格・学力を要求し、また一定の教科をそろえた教育課程の編成と教育、さらには卒業に至るまでの学力の試験による管理を求めるものであった。認可された学校は、これらすべてについて文部省に報告することを求められ、しかも文部大臣任命の委員が「試験ニ臨監」し、「管理授業等ノ実況ヲ視察」することもあるというのだから、全面的に国家の管理下に置かれるに等しかった。東京専門学校の政治科が、あえて認可を求めなかったというのも当然といえよう。

ただ、こうした厳しい条件付きの「認可」の対象は、法学系私学の提供するすべての教育プログラムに及ぶものではなかったことを、指摘しておくべきだろう。というより経営的な基盤の脆弱《ぜいじゃく》なこれら私学にとって、尋常中学校卒業ないしはこれに準ずる学力試験の合格者という厳しい条件を満たす入学者を、しかも官公立の諸学校と競合するなかで、多数集めることはきわめて困難であった。

たとえば明治二一年時点での英吉利法律学校の在学者構成を見ると、「特別認可生」二五七人に対して、入学資格を問わない「普通法学科」の在学者数が一四〇六人にのぼっていた

（『中央大学七十年史』四六〇ページ）。また明治二三年の数字によると、七校の特別認可学校は一五八一人の卒業生を送り出しているが、そのうち「特別認可生」はほぼ三分の一の五三一人を占めたに過ぎない（天野、一九八九年、四六一ページ）。

入学資格を問わない教育課程を経営の中心にすえて財政的基盤を確保しながら、「特別認可生」という質の高い、いわば「正規」の学生数を徐々に増やしていく。法学系の専門学校は国家の統制、というより「強制」のもとに、高等教育機関としての整備の過程を歩み始めたのである。

一〇、大学を志向する私学

慶應義塾の大学部

表2－4には、慶應義塾と同志社の名前もあげられている。表中に慶應義塾の創設年が明治二三年とあるのは、それまで高等普通教育を行なう「各種学校」であったものが、この年「大学部」を開設して専門教育を開始し、「専門学校」に分類されるようになったからである。

社頭である福沢諭吉は明治一〇年代の末ごろから、専門教育の開始と義塾の「大学」化を構想していたらしい。「金さへあれば、ユニヴハシチに致度《いたしたく》」と書かれた、明治二〇年の手紙も残されている（『慶應義塾百年史』中巻〔前〕、一六ページ）。そして明治二二年に、福沢はついに大学設立のための募金に踏み切った。その募金の趣意書には次のように書かれている。

「義塾の地位は一個の私立普通中学校として視る者なく、世人の意中これを大学校視する者往々少なからず、今これを名実相適の地位に進《すすめ》るには其方法多端なる可きも、畢竟《ひっきょう》学校の地位は教師の技倆《ぎりょう》に従て高低あるものなれば、今般外国より有名の教師両三名を聘《へい》し、文学、法学、商学の三科を設けて大学校の地位を定め（中略）従来の学科には多少の修正を施して其予備と為《な》［す］」（同書、一二三ページ）

このときの募金の応募額は、明治二三年末で一三万円弱にのぼった。学生数三〇〇人を予定し、年間授業料収入以外に二万五〇〇〇円程度の別途資金が必要と計算された大学部の維持費用として、十分とは言いがたかったが、同年、義塾は念願の大学部の開設に踏み切った。わが国最初の「私立大学」の出現である。ただ、あくまでも「大学部」の開設で校名に大学を謳わず、法規上はその後も長く「専門学校」にとどめられるのだが。

文学科・理財科・法律科の三学科からなる大学部の開設にあたって、義塾は各科の主任教師として二五〇〇円前後という高給で、三人のアメリカ人を招聘することになった。当時のハーヴァード大学総長チャールズ・エリオットの推薦によるとされるが、同大学の卒業者が二人（法律学、理財学担当）、もう一人（文学担当）はブラウン大学の出身であった（同書、四四ページ）。

義塾の利点は、独自の中等教育の課程を置いて、というより英語教育重視の高等普通教育を行なう従来の義塾を基礎に、専門教育を開始した点にある。その義塾出身者に入学試験によって選抜された外部生をあわせて、初年度には五九名が入学した。「大学部」は発足時から、英語による専門教育を受けるに十分な、学力の高い学生を持つことができたのである。

ただし、中等教育に相当する義塾の高等普通教育の課程である「正科」の卒業者が、入学者の半数近くを占めたのは最初の年だけで、その後は外部からの入学者を大きく下回り、二〇名に満たない年もあった。しかも学生数が当初予定した三〇〇人はおろか、一〇〇人にも満たない時期がその後も長く続いた。とくに文部省の「特別認可」を受けなかった法律科は不振を極め、在学者数は一〇人前後で推移しており、募金によって作られた折角の基金も、次第に取り崩しをせざるを得ない状況に追い込まれていく。

この時期すでに私学の雄とみなされていた慶應義塾ですらこのような困難な状況にあったのだから、他は推して知るべしである。わが国の私学にとって、「大学」への道は遠かった。

同志社の大学構想

「大学」の創設を夢見た私学は、すでに見た東京専門学校、哲学館、国学院のほかにもあった。それはキリスト教系の私学である。そのなかでもとくに有名なのは、新島襄《にいじまじょう》の同志社(現・同志社大学)の場合であろう。

幕末に留学し明治七年、三一歳のときに帰国した新島は、福沢や大隈と違って年齢も若く、アマースト大学で理学士号を取得したのちアンドーヴァー神学校を卒業した、アメリカの大学の正規の卒業者である。岩倉使節団のアメリカにおける調査を手伝ったことから、田中不二麻呂や木戸孝允《たかよし》とも親しく、『理事功程』の一部は、新島が執筆したものとされている。その新島は、在米中から「何《い》ツカ帰朝セハ、一ノ大学ヲ設立シ、万一ヲ我邦家ニ竭《つく》サン事ヲ望」んでおり（『同志社百年史』通史編一、一三ページ）、アメリカのキリスト教関係者や支援者の寄付を得て明治八年、京都に学校の設立母体となる結社、同志社を設立してまず英学校を設立した。

大学設立の構想は、明治一五年ごろから具体的に検討され始めたとされるが、アマースト大学を卒業した新島らしく、構想したのはアメリカ的なリベラルアーツ・カレッジの上に専門学部を置く、キリスト教主義の総合大学であった。ただ、その構想がどこまで具体的に練り上げられたものであったかについては、疑問が残る。新島の描いた壮大な夢であったのかも知れない。

明治一七年に印刷・頒布された大学の「創立規則」では、まず文学部を設立し、そのなかで「文学、歴史、哲学、政事、経済、等」を教え、次第に法・理・医などの学部を創設することになっていた。新島は明治二一年、そのための基金として「同志社大学義捐《ぎえん》金」への寄付を、新聞や雑誌を通じて全国的に呼びかけた。同志社の設置する大学であるが、名称は「明治専門学校」とすることが予定されており、目標は一〇万円程度ということで、新島自身が募金のため全国行脚をするなど懸命の努力をしている。しかし十分な成果を得られぬまま、また大学の実現を見ることなく、新島は明治二三年に世を去った（同書、二二七―二三九ページ）。

この間、アメリカ人ジョナサン・ハリスから、理化学の教育研究のためという名目で、一〇万ドルという多額の寄付が寄せられ、それを基金に明治二四年には、「波理須理科学校」が開校され、明治二五年にはそこに「大学部」が開設されるなどのことがあったが振るわず、程なく閉校に追い込まれている。また、明治二四年には当初の構想の一部と思われる、政治学科・理財学科の二科を置く同志社政法学校が設立されているが、これも十分な数の学生を集めることができず、名ばかりの存在になり姿を消していく（同書、三六九―四二九ページ）。表2―4にあげられた学生数わずか数名という同志社の二校は、思いを残しながら早世した新島の、見果てぬ夢の名残りと見るべきものであろう。同志社が高等教育機関として安定的な成長期を迎えるのは大正期になってからである。

ミッション系私学のカレッジ構想

「私立大学」、といってもアメリカ的なリベラルアーツ型の「カレッジ」の設立は、維新後に布教のため日本にやってきた、プロテスタント系の宣教師たちによっても試みられた。

彼らにとって最重要の課題は神学校の設立であったが、同時に重視されたのは「文明開化」とともに生じた英語熱に応え、布教をはかる手段としての学校設立である。在京の立教学院・明治学院・青山学院などのミッション系・学院系の学校がそれであり、やがて私立大学の主要な淵源《えんげん》のひとつになっていく。

明治七年にアメリカ聖公会系の立教学校として創設され、明治一三年に立教大学校として再発足し、明治二三年にもとの校名に戻った立教学校（現・立教大学）は、その代表的なひとつであり、「其模型を全く米国のカーレージ組織に取り、予備科二年、本科四年の高等普通学科を教へ」（『立教学院百年史』一八七ページ）、英語名称も「セントポールズ・カレッジ」と呼ばれていた。

すでに見たように、ヨーロッパ的な伝統から自由な新大陸の国アメリカでは、学校の設置についても名称についても規制はなく、プロテスタント系の各教派は競って私立カレッジの設置を進めてきた。そのアメリカから布教のため来日した宣教師たちにとって、若者を対象にした英語による高等普通教育のための学校をカレッジ、日本語で「大学」や「大学校」と呼ぶことにためらいはまったくなかったといってよい。

明治学院（現・明治学院大学）の源流のひとつ、アメリカ長老派教会が明治一〇年に築地に設立した英学校は、築地大学校と呼ばれていたし、青山学院（現・青山学院大学）の前身である東京英和学校も、英語名は「トウキョウ・アングロ・ジャパニーズ・カレッジ」であり、優等卒業生はアメリカのアルビオン大学の学士号を授与されることになっていた（『青山学院九十年史』一七六ページ）。

しかし、その実態は、日本が「範型」とし始めていたヨーロッパ的な大学（ユニヴァーシティ）はいうまでもなく、アメリカのカレッジにも遠く及ばなかったと見てよい。

これらの学校はカレッジと称してはいても、実際には英語教育を重視した尋常中学校水準の教育課程を主体とし、その上に二年程度の高等教育レベルの課程を積み上げたに過ぎなかったからである。立教大学校が明治二三年に校名を立教学校に変更したのは、「学則ノ余リニ外国的」であることに不満を抱いた学生の改革要求を入れ、「アメリカのカレッジ模倣から脱して、日本の高等中学校としての実を備えるように改組」（『立教学院百年史』一八八ページ）したためである。

他の学校の場合にも、高等普通部・専門学部など、さまざまな名称で高等教育レベルの課程を置いたものの、その学生数は少なく、卒業生も数えるほどしかいなかった。「外国人教師が多く、英語教育が充実しているだけに、一般の尋常中学校よりも、学院普通部が、尋常《ママ》高等中学校への予備的学校として、遥かにすぐれていると社会的に評価され」ていたという、『明治学院百年史』の記述（二五一ページ）は、この時期のミッション系私学の基本的な性格を、的確に表現したものといってよいだろう。

明治一〇年代の前半期、大学・高等教育システムのモデルをヨーロッパにとるか、アメリカにとるかで、政府関係者の間に大きな論争があったことはすでに見たとおりである。ほぼ同時期に進展し始めた、同志社や立教などミッション系私学のカレッジ化の動きは、アメリカ・モデルを支持する一定の基盤が作られつつあったことを示唆している。官立中心の、国家による「上から」のシステム構築に対置される、「私立」中心の、民による「下から」の自生的なシステムの形成という、異なる選択肢の併存した時代が、短期間ではあるが存在したことを忘れてはならない。

ドイツをモデルとした、国家の大学としての帝国大学の出現は、その点でも計り知れない大きな力を、わが国の私立高等教育の発展に及ぼすものであった。

第三章　帝国大学の整備

一、諸学校令案と高等教育

教育システムと帝国大学

「帝国大学令」の公布とそれに基づく帝国大学の創設は、大学とは何か、どのようなものでなければならないのかについて、国家によって明確なモデル、わが国の大学の「範型」が初めて明示されたという点で重要である。

しかしそれだけではない。重要なのはその帝国大学が同時に、混沌《こんとん》とした星雲状態にあった高等教育の世界を、秩序化し構造化する役割を果たしたという点である。近代化に伴って一時に生じた大量の人材養成需要や、西欧近代の学術に対する爆発的な学習要求の高まりに応えるべく、次々に設立された多様な官公私立の高等教育機関は否応なく、その強大な帝国大学との距離をはかり位置を確かめながら、高等教育システム内でのそれぞれの地位と、高等教育機関としての実質に自覚的にならざるを得なくなっていった。

ただそのことは帝国大学の創設後、それを中心に高等教育システムが安定的な構造を持ち、順調な発展の道を歩み始めたことを意味したわけではない。星雲状態のシステムのなかに、他の諸学校から隔絶した位置を占める強大な帝国大学が出現したことは、逆にシステムの不安定性を高めるものでもあったからである。「理念においてきわめて厳格（リジッド）であった帝国大学も、制度（システム）としては多くの動揺をはらんで」いたと、寺崎昌男は指摘しているが（『学校観の史的研究』二〇五ページ）、帝国大学の組織と制度自体が、けっして安定的で確立されたものではなかったのが現実であり、しかもその理由は何よりも、帝国大学に与えられた高等教育、ひいては教育システム全体のなかでの隔絶した位置そのものに根ざしていた。

前章で見たように帝国大学は、明治政府が東京大学を核に、これに事実上すべての「グランド・ゼコール」型の官立学校を吸収・統合し、欧米諸国の大学に肩を並べる水準の、「帝国」を代表する大学として設立したものである。文部省の直轄学校予算の四割前後を投入して整備をはかったその帝国大学が、唯一の大学として高等教育システムの頂点に君臨し、他と隔絶した位置を占めるに至ったことが、さまざまな新しい問題を提起し始めるのである。

それらは帝国大学と専門学校・高等中学校という、高等教育機関相互の関係に限られず、尋常中学校や小学校との関係まで、つまり学校教育システムの全体にまでかかわる、大きな広がりを持つものであった。帝国大学の出現は、その後長く続く「学制改革」論議の幕開けを意味するものでもあったのである。

それはともかく、高等教育システムについていえば、問題の中心は何よりも帝国大学と高等中学校専門学部、それに「専門学校」という曖昧なラベルのもとに括られた官公私立の、水準も性格も多様な学校群との関係にあった。研究と専門教育の二つの機能を持つ帝国大学、予備教育だけでなく専門教育の役割も背負わされた高等中学校、準拠すべき法律もなく残された専門学校群という、それぞれに専門教育の機能を持ったこれら三者の関係を、制度的にどう整理し、ひとつのシステムのなかに相互にどう位置づけていくのか。それは帝国大学の発足と同時に生まれた、最重要の政策課題であったといってよい。

「大学令案」と「高等中学校令案」

帝国大学の創設者である森有礼が、文相としてこの政策課題に手をつけていなかったわけではない。森の在任中に起草が始まり、芳川顕正文相時の明治二三年に印刷されたと見られる「大学令案」「専門学校令案」「中学校令案」、それに「師範学校令案」「小学校令案」という、五つの学校令案（野間教育研究所蔵）が残されているからである。それらを見ていくと、高等教育のシステムをどう構築していくのかについて、この時期すでにひとつの、大きな見取り図が描かれていたことがわかる。

その見取り図はどのようなものであったのか。まず「大学令案」から見ることにしよう。帝国大学という特定の大学だけに関する勅令であった「帝国大学令」と違って、用意された「大学令案」は、帝国大学をその一部に含む大学一般に関する規定になっている。それによれば、大学は国立に限り、法・医・文・理の四学部制（つまりヨーロッパ的な総合大学）を原則とし、必要に応じて農学部・工学部等を加えることができるとされている。帝国大学（この場合の帝国大学は普通名詞ではなく、現存の〈東京〉帝国大学をさす固有名詞と見るべきだろう）以外の「国立大学」の設置も認めるが、その名称には天皇の諱《いみな》や年号等を加えて、帝国大学と区別する。法令の施行後、五年以内に帝国大学以外の大学を一校新設するとも書かれている。

学部を卒業し試験に及第したものには、学位として学士号が授与される。大学は博士号の授与権も持つが、大学院の制度は置かず、学部卒業後許可を得てさらに研究に専念する「研《けん》窮《きゅう》学生」の制度を設ける。この法令に準拠する「大学ノ外、他ノ学校ハ、大学ノ字ヲ校名ニ附シ、又ハ学部其他学科等ノ名ニ附スル」ことができない。ただし、「大学ノ学部ニ準スヘキ高等専門学校ニ於テ卒業シ、高等中学校ノ卒業証書ヲ有シ、若《も》クハ之《これ》ニ等シキ認定証書ヲ有スル者ハ、学士ノ試験ヲ受クルコト」ができる。つまり、学位授与権を持った大学は帝国大学をはじめとする国立大学、しかも総合大学にしか認めないが、大学進学者と同等の資格要件を備え、大学の学部と同等の「高等専門学校」を卒業したものには、試験による学士号取得の道を開くというのである。「高等専門学校」については、「専門学校令案」のところでふれることにする。

次に「中学校令案」中の「高等中学校」に関する諸規定である。

現行の制度と同じく、高等中学校は「高等ナル普通教育ヲ授ケ、及《およ》ビ大学科並《ならびに》高等ナル専門科ノ学習ニ必要ナル、予備ヲ為《な》サシムルヲ以《もっ》テ本旨」とするが、官立のほか、公・私立の設立も認めるとしているところが異なっている。また、官立については現在の五校のほかに、この法律の施行後五年以内に二校、一〇年後までにさらに三校を増設することも書かれている。専門学部については、官立の場合は「法科、医科、工科、文科、理科、農業、商業等」、公・私立の場合は「農業、商業、工業等」の「専門学部ヲ加設スルコト」ができるとしている。公・私立の高等中学校の設置を認めるが、官立以外の場合には設置可能な専門学部の種別について、実業教育関係に限定する考えがとられていたことがわかる。

「専門学校令案」の内容

最後に「専門学校令案」である。

この専門学校に関する最初の法令案は多様な現実を反映してか、かなり複雑な構造を持っている。まず「専門学校ハ専門ノ業務、又ハ職業ニ須要ナル学術技芸ヲ、教授スル所トス」と定義される。同時に、「専門学校ニシテ、大学ノ学部ニ準スヘキモノ」を「高等専門学校」とすることが示されている。この「高等専門学校」への入学者は、高等中学校の卒業証書を有するか、それに準ずる資格を持っていなければならない。卒業者に大学の実施する試験を経て、学士の学位を授与する道を開くとされていることは、「大学令案」に見たとおりである。つまり、「高等専門学校」は「大学」と同水準だが学位授与権を持たない、単科の高等教育機関ということになる。

高等専門学校が、具体的に既存のどのような高等教育機関を想定したものであったのかは、明らかではない。かつての「グランド・ゼコール」と同様の「高等専門学校」を想定していたのだとすれば、残っていたのは、まもなく帝国大学農科大学になる東京農林学校と、札幌農学校だけである。この二校とも卒業生に学士号を授与していたことは、第一章で見たとおりである。大学を原則として、法・医・文・理の四学部を持つ「総合大学」としたことから、「単科大学」の出現を想定しての規定であったのかも知れない。なお、高等専門学校・専門学校の卒業生には「文部大臣ノ許可ヲ得テ、得業士《とくぎょうし》ノ称号」を授けることができるとしている。

次に、一般の専門学校だが、国立のほか私立専門学校の設置も認める。「国立専門学校」には、文部省に限らず諸官庁が設置している専門教育機関も含まれる。高等中学校の専門学部も国立専門学校の種類だし、これまで見てきた文部省所管の東京農林学校・高等商業学校・東京工業学校・東京美術学校・東京音楽学校のほか、陸・海軍の兵学校から逓信省の東京・函館の両商船学校・東京郵便電信学校まで、すべてが国立専門学校のカテゴリーに括られている。このうち法学・医学等の国立専門学校（高等中学校専門学部）については、大学設立の際にその学部として移設することもありうる。なお、法令の施行から七年以内に、「農商工実業ニ関スル国立専門学校ヲ、各一校」設立する。

私立専門学校の設立には、「府県知事ノ許可」が必要であり、知事は「文部大臣ノ指揮ヲ受ケ」て許否をきめる。ただし宗教専門学校については、「各宗派ノ管長」に設置認可の権限を委ねる。とくに、私立専門学校（宗教系を除く）の教員の任用規則については、文部大臣が定めるものとする。

「農商工実業ニ関スル専門学校」は、一般の専門学校とは別の扱いになっており、「高等ニシテ、大学ノ学部ニ準スヘキモノ」（第一種）、「尋常中学校卒業ノ者、若クハ之ニ準スヘキ者ヲ入学セシムルモノ」（第二種）、「小学校卒業ノ者（中略）ヲ入学セシムルモノ」（第三種）に分けられている。「第一種」が高等専門学校、「第二種」が専門学校に相当するが、このうち「第一種」については、公立は認めないこととしている。

二、学制改革論議の出発

改革論議の出発点

このようにそれぞれの案を見てくると、一〇年以内に大学一校、高等中学校五校、実業系の専門学校三校を設置するとあるように、それが法令案であると同時に諸学校の設置計画案でもあったこと、前章で見たような高等教育の実態を包括的にとらえ、それを法規面からひとつのシステムに組み上げていこうとする明確な意図を持った、その意味で現実的な「プラン」であったことがわかる。

同時にそれは、とくに「大学」について、誕生したばかりの帝国大学の性格を変更するような、いくつかの重要な修正を伴うものになっている。第一に大学院は置かない、第二に分科大学制に代えて学部制を導入する、第三に学士を学位とする、第四に帝国大学以外の「国立大学」の設置を認める、第五に大学に準ずる高等専門学校の設置を認める、第六に高等専門学校の卒業者にも、学士の学位取得の道を開く、などがそれである。つまり、「大学令案」は帝国大学以外の大学や、それに準ずる高等専門学校の設立を認め、学士を学位にすることにより、帝国大学による「大学」の独占体制を打破する方向を示したのである。

ただ、大学を「国立」の、しかも原則として法・医・文・理の四学部を持つ総合大学に限るとしたことからもわかるように、それは次第に数を増し、大学への志向を強め始めた私学の存在を、事実上視野の外に置いた「プラン」であった。「専門学校令案」が、国立専門学校と実業系専門学校に関する規定を中心に書かれ、私立専門学校にふれるところがきわめて少ないのも、その表われといってよい。国立大学以外には、校名や学部・学科名に「大学」を称してはならないという規定は、立教大学校や慶應義塾大学部の例を想定してのものと見ることができるかもしれない。

これらの案のもうひとつの重要な問題点は、高等中学校の専門学部の存在にある。この時点では、医学部五、法学部一の六学部が開設されていたが、それをどのように増やしていくのか。また「専門学校令案」には、「法学医学等ノ国立専門学校ハ、其地方ニ国立大学ノ設立アルトキハ、之ヲ其大学ノ学部トナシ、又ハ他ニ移設スルコトアルヘシ」と書かれているが、大学の専門学部と高等中学校のそれとの違いはどこにあるのか。さらに、高等中学校には農・商・工の実業系学部も置くことができるとされているが、それと実業系専門学校との関係はどうなのかなど、はっきりしない点が少なくない。

明治二三年のこの「諸学校令案」は、結局日の目を見ずに終わる。その理由ははっきりしないが、そのなかで提起された課題の多くが、その後も繰り返し学制改革論議の焦点になっていることを考えれば、論議の出発点としてこれらの「案」の持つ重要性に変わりはない。とくに帝国大学と高等中学校専門学部との関係は、わずか数年後に文相に就任した井上毅の

「高等学校」構想という形で、再び大きく浮上してくる。明治二三年の諸案で提起された問題は、先送りされたに過ぎなかったのである。

学校間の接続関係

帝国大学の教育システム上の隔絶した地位について、もうひとつの重要な問題は、中等段階以下の学校との関係にあった。

近代化・産業化の開始とともに生じた、差し迫った人材需要に応えるための高等教育の場が、それに先立つ初等・中等教育の整備を待つことなく次々に開設されたことは、すでに見たとおりである。それは学校間の接続関係（アーティキュレーション）が確立されていなかった、というより未形成であったことを意味している。中学校以下の教育の未整備なままに、東京大学もグランド・ゼコール型の官立専門学校も、その下に外国語主体の予備教育を行なう、中等教育相当の課程を置くことによってはじめて、高度の専門教育機関たり得たのだが、それは帝国大学が発足後も基本的に変わりはなかった。

第二章で見たように、森文相は中学校を高等・尋常の二段階に分け、高等中学校は官立のみ、尋常中学校は公立中心として一県一校を原則とするなど、中等教育制度の整備をはかってこの問題に対処しようとした。しかし、実際には公立尋常中学校の水準が依然として低く、高等中学校は本来の課程の下に自ら、尋常中学校に相当する予備教育の課程（予科・補充科）

を置かざるを得なかったことは、すでに見たとおりである。

それだけではない。尋常中学校が卒業生を送り出すようになり、その予備教育の課程が短縮され、さらには廃止されるようになっても、接続の問題が解決されたわけではなかった。高等中学校が入学者に期待する学力水準と現実の尋常中学校卒業者のそれとの間に、依然として大きな開きが存在したからである。そのギャップを埋め合わす役割を果たしていたのは、高等中学校の入学試験であり、それに対応するための予備校の存在と、合格するまで受験を繰り返す浪人の出現であった。

年限短縮問題

さらにいえば、ギャップは小学校卒業者の学力と、尋常中学校が入学者に期待するそれとの間にもあった。

「小学校令」によれば、小学校も尋常・高等各四年の二段階に分かれており、尋常中学校とは、高等小学校二年修了のところで接続することになっていた。しかし、明治二五年に行なわれた全国的な調査の結果によると、尋常中学校入学者のうち、高等小学校二年修了で入学したものはわずかに四％、三年修了が一七％、四年修了五九％、その他二〇％となっている（天野、二〇〇七年、二四七ページ）。実質的には二年間余分に勉強しなければ中学校の期待する、つまり入学試験合格に必要な学力に達しなかったことになる。

それだけでなく、首尾よく中学校に入学できても、そのあとには、これも厳しい学力による選抜が待っていた。明治二三年の千葉県尋常中学校入学者の一人が回顧しているところによると、「入学した当時に百名もあった同年の生徒が、卒業の頃にはナント十六名にひどく減」り、しかもこの一六人のうち最初からの学友は「ほんの九名にすぎな」かったという（『千葉県教育百年史』第一巻、七三四ページ）。

高等中学校への門戸がさらに狭かったことは、先にもふれたとおりである。入学資格年齢一四歳以上と定められていた高等中学校の予科三年級、すなわち尋常中学校相当の課程の第三学年の入学者は、第一高等中学校の場合、実際には一六歳が最低年齢で、大部分が一八歳から二〇歳を超えていた。尋常中学校卒業と高等中学校入学の学力差は、三年程度あったことになる（天野、二〇〇七年、二六一ページ）。

この時期の『帝国大学年報』には、各分科大学学生の平均年齢が載せられているが、それによると明治二三年度で法科二三年一〇月、医科二三年八月、工科二三年九月、文科二四年八月、理科二三年九月と、いずれも二四歳前後になっている。制度上の想定卒業年齢は、高等小学校一二歳、尋常中学校一七歳、高等中学校二〇歳、帝国大学二三～二四歳であるから、いかに帝国大学卒業までの道が、苦難に満ちた、遠いものであったかがわかる。

人生五〇年といわれた時代に、制度上の想定年齢でも二三～二四歳にならないと帝国大学を卒業できない。それがさらに三、四年ものびたのでは三〇歳近くになってしまう。学制改革論議は高等教育システムに限らず、延長された現実の教育年限の短縮論の形で、学校教育制度全体を巻き込むものとして登場してきたのである。

伊沢修二と学制改革論

この時期に始まり、戦前期を通じて途絶えることのなかったその学制改革論議の、最初の火付け役は伊沢修二である。アメリカに留学し、師範学校のほかハーヴァード大学でも学んで帰国した伊沢は、東京音楽学校の初代校長に任命されたが、明治二四年に解任されている。その前年、伊沢は国家教育社というわが国最初の民間教育運動団体を結成したが、彼が問題を提起したのはその第一回「大集会」(明治二四年)での、「国家教育ノ形体」という講演のなかにおいてである。それは当時のわが国の教育の実態を踏まえた学校体系論として、いま読んでも興味深いものがある(『伊沢修二選集』四七―七三ページ)。

伊沢がまず提起したのは、二つの学校教育系統の接続(アーティキュレーション)問題である。

わが国の学校教育システムを見ると、近代化の開始とともに開設された大学では「学科ハ、全ク西洋ノ学術ヲ主トシ、其他凡《す》ベテ西洋ニ則《のっと》リテ拵《こしら》ヘ、専ラ外国語ヲ以テ教ヘ」てきた。これに対して小学校のほうは「仕組ハ西洋ニ取ツタニセヨ、先ヅ日本ノ学問ヲ本《もと》トシ」日本語で読書算を教えている。この二つの学校系統が次第に発達して、いまや「頭ノ方ノ中心

「大学」カラ発達シテ来タ所ノモノト、尾ノ方ノ中心「小学校」カラ発達シテ来タモノガ、ドコカデ接続セネバナラヌ事」になってきている。ところが、この二つの学校系統が「未ダ十分ニ連続シテ居《お》ラヌ」ところに問題がある、というのである。

大学で高度の学問をするには、依然として「外国ノ語学文学ニ依」らざるを得ず、そのしわ寄せが中等教育に及んでいる。「上ノ方ニハ、非常ニ高イ大学ガアリ、下ノ方ニハ、マダ幼稚ナ小学ガアル。此上下ノ接ギ合ハセヲ、中学ニ持込デ来テ、学校系統ノ不完全ヲ、自ラ証明シテ居ル」。具体的にいえば、先にふれたように尋常・高等中学校制度が発足したにもかかわらず、尋常中学校の卒業者は直ちに高等中学校に進学できず、本科の下に置かれた尋常中学校相当の予科・補充科のどこかの学年に、学力に応じて再度入学し、勉強し直さなければならない。

最大の問題は英語の学力である。尋常中学校の英語教育の現状では、時間数・内容とも高等中学校本科の期待する水準に到底及ばない。高等中学校の予科・補充科や私立の予備校は、その不足を補うために生まれたものであり、それが帝国大学卒業に至る年数・年齢を押し上げている。

その帝国大学について、「日本ノ大学ハ、実ニ英米ノ大学ノ如キハ、業《す》ニ已《ママで》ニ凌駕《りようが》シテ、独乙《ドイツ》ノ大学ト比シテ、同ジ丈《だけ》ノ地位ニ立ッテ居ル（中略）亜米利加《アメリカ》、英吉利等ノ大学ノ如キハ、殆ンド我大学ヨリ見ルトキハ、歯牙《しが》ニ懸クルニモ足ラヌト迄《まで》、云フテ誇ル人」がいる。

しかしそれは、本当に誇るべきことなのだろうか。大学の水準が高すぎることが、問題の根源ではないのか。「学校ノ系統ヲ改良セント欲セバ、宜《よろ》シク最下等ノ小学ニ於テ、之ヲ始メナケレバ」ならない。そのためにも「大学ノ程度」は、「今日ノ程度ヨリ少シク下ル」ことが必要であろう。

アメリカ・モデルとドイツ・モデル

ハーヴァード大学で学んだ経験のある伊沢は、ここで、「米国ニテ最モ著名ナル」この大学の「コレージ」、および理科大学・医科大学の入学試験の程度を、日本の尋常・高等中学校のそれと比較し、詳細に検討している。その結果を「概言スレバ、彼ノ試験科目ハ「コレージ」ノ方ノ低イノハ無論ノ事、理科トカ、医科トカ云フ分科大学ニ至ツテモ、決シテ今日、日本ノ帝国大学ニ行ハレテ居ル様ナ、高イ者デナイ事ハ、一目瞭然」である、日本のいまの「大学ノ程度ハ（中略）、高キニ過ギルト云フテ、差支《さしつかえ》ナカラウ」と、伊沢は言い切っている。

そのうえで伊沢が提唱するのは、程度の高すぎる（ドイツ的な）帝国大学に代わる、アメリカ的な大学の設置である。「小学校ヲ起点トシテ、序次《じよじ》ヲ逐《お》ヒ、中学ニ至リ、能《よ》ク中等教育ノ功ヲ全《まつた》カラシメテ、大学ニ接続スルノ仕組ニセバ、此大学ノ課程モ（中略）大概、米国ノ「ハーバルド」大学ニ、劣ラヌ位ノモノニナラウト思フ」。そうなれば「自然、官立ノ大学ノ数モ増加シ、私立ノ大学校モ、従ツテ興ルヤウニナラウ」というのが、伊沢の主張であった。

こうした伊沢の指摘は、明治一〇年代の初めにたたかわされた、洋語大学校と邦語大学校、アメリカ（アングロサクソン）型の大学とドイツ（ヨーロッパ大陸）型の大学の、いずれを選択するかをめぐる議論が、依然として決着をみることなく、形を変えて続いていたことを示唆している。洋語・邦語の問題には、洋語大学校を徐々に邦語大学校化する方向で、一応の解決がはかられたように見える。しかし、帝国大学における教授学習用語としての外国語の教育問題は、依然として残っており、それと絡んで英米型かドイツ型かという大学、ひいては学校教育システムのモデル問題が浮上してきたのである。

その焦点となったのは中等教育、とりわけ高等中学校の存在である。なぜなら高等中学校はまさに、帝国大学進学者に要求される外国語の能力形成を主目的に設置された、他の国には見られぬわが国に独自の学校類型であり、その存在が大学卒業に至る長年限化・高年齢化の、最大の要因になっていると考えられたからである。年限短縮のためには、尋常中学校から直接大学に進学できるようにすればよい。そのためには高等中学校を大学化するか、あるいは帝国大学の水準を引き下げて、高等中学校を廃止する必要がある。

ただ伊沢は、講演のなかでそのように主張したわけではない。彼が「私ノ考按《こうあん》ニ係ル」学校系統として示したのは、小学校を尋常・高等の各三年制とし、六年修了時点で五年制の中学校に進学、さらに高等中学校を改組した二年制の「文科予備校・理科予備校」を経て、大学に至るという、妥協的な案である。

しかし、それはあくまでも、いまの帝国大学の存在や水準の存続を前提にしての話である。伊沢の提言のように、高すぎる帝国大学の程度を下げれば、高等中学校に代わるものとしての文・理の予備校は不要になり、同時に高等中学校の専門学部をどうするのかが、問題として浮上してくる。それは事実上の高等中学校の不要論や、帝国大学ないしは高等中学校の「低度大学」化論である。

実際にこれ以後、学制改革問題は年限短縮論を中心に、より具体的には高等中学校の廃止論や、低度大学への転換論を中心に展開されることになる。

三、井上毅の「高等学校」構想

高等中学校から高等学校へ

高等中学校制度の改廃は実際に、明治二三年に開設されたばかりの帝国議会でも問題にされていた。

本科の定員がなかなか埋まらず、専門学部も不振を続けるなかで、「民力休養・政費節減」を掲げて、民党側が高等中学校予算の削減を強く求めたからである。高等中学校は五校もいらない、廃止して元の大学予備門に戻せばよいのではないか、というのである。明治二四年には、一高・三高以外の三高等中学校の予算がゼロ査定となり、政府をあわてさせる一幕もあった。政府は否応なく、帝国大学と高等中学校の関係を中心に、高等教育システムを再検討する必要に迫られていた。

そうしたなか、帝国憲法や教育勅語の起草に中心的な役割を果たした井上毅が、文部大臣に就任する。明治二六年、伊沢の講演から二年後のことである。

井上は短期間だが司法省からフランスに留学した経験を持つ敏腕の行政官僚であり、岩倉具視・伊藤博文らのブレーンとしても知られていた。その井上は病気のため退任するまでの一年半の間に、精力的に教育制度の整備・改革作業を進めることになるのだが、彼がとくに重視したのは中等実業教育の振興と、高等教育の改革であった。

高等教育の関連では帝国大学に関する改革も重要だが、ここでは彼の「高等学校」構想を中心に見ていくことにしよう。井上による明治二七年の「高等学校令」の制定は、帝国議会の開設と同時に激しくなった高等中学校の廃止要求を回避し、また森文政期からの遺産である高等中学校の専門学部問題に、決着をつけようとしたものに他ならないからである。

明治二七年の高等学校令の公布に至る過程については、井上毅の残した文書に基づく詳細な研究がある（海後編、一九六八年）。それによれば、井上は伊沢修二をはじめとする改革論者や、高等中学校関係者の意見を聞き、また欧米諸国の大学の現状調査の結果を読み、綿密な検討のうえで高等中学校の「高等学校」化を構想したことが知られる。

問題の焦点は、帝国大学の隔絶した制度上の地位と同時に、高等中学校の中途半端な性格にあった。

森有礼が高等中学校を、帝国大学進学者のための予備教育機関として創設し、これに専門学部を順次付設していく構想を抱いていたことは、すでに見たとおりである。しかし、高等中学校におけるその専門教育と、帝国大学の分科大学や実業系の専門学校におけるそれとはどのような関係に立つのか、ひいては専門学部を次々に増設して総合専門教育機関化したときの高等中学校の制度上の地位を、とくに帝国大学との関係においてどうするのかは、明確ではなかった。伊沢修二の学制改革論は何よりもその高等中学校の、高等教育機関としての性格の曖昧さを突くものだったのである。

帝国大学の再検討

井上は、問題の解決をまず、帝国大学の性格を明らかにすることから始めようとした。残された文書からは、彼が帝国大学令の第一条にある「学術技芸ヲ教授シ、及其蘊奥ヲ攻究スル」という、その「学術技芸」という言葉にこだわりを持っていたことが、うかがわれる。「大学ハ科学〔学術〕ヲ教授スル所ニシテ、技芸ヲ教授スル所ニアラス」というのである（前掲、三二六ページ）。この二つは分離して、一方では「大学院ヲ拡張シ、偏《ひとえ》ニ学問的専門教育ノ府トシ、世界各国ト、学術ノ光ヲ争フノ座ニ達」するようにする。それとは「別ニ単科大学（即専門学校）ヲ興シ、偏ニ応用的専門教育ノ所トシ、高等実業ニ就カント欲スル者ヲ、養成セシ」める。つまり、大学の持つ「科学・学術」研究と「技芸」教育の二つの機能を分け、前者はもっぱら大学院の役割とし、後者を「大学（即専門学校）」の役割にしようというのが、彼の最初の考えであった。

帝国大学の役割をこのように分けたとして、次の問題は、「大学（即専門学校）」の部分である。井上の考えは、この点について二転、三転している。それは帝国大学の分科大学と高等中学校の専門学部との関係をどうするかについて、彼の考えが揺れていたためと思われる。残された文書のなかで、高等中学校の専門学部は、高等専門学校、専門学校、専科大学、「将来ノ地方大学」など、さまざまな言葉で呼ばれているが、それと帝国大学の分科大学との関係は、いまひとつ明らかではない。

帝国大学を完全に大学院化し、分科大学を高等中学校の専門学部と同等化あるいは専科大学化すれば、関係は単純化されただろうし、実際にそのような改革構想もあった。しかし、井上はそこまで踏み切ることはできなかった。帝国大学の分科大学で教授するのは、科学（学術）と同時に「科学ノ基礎ヲ要スル技芸ノ、学理上ノ攻究及応用」であるとして、もっぱら「学術技芸ノ応用」を教授する高等専門学校・専科大学の教育との差異化をはかったらどうか、という構想も見られる。いずれにせよ帝国大学がそのまま存続する限り、そこに進学するもののための、外国語を中心とした予備教育の課程が必要になってくる。結局、井上が選択したのは、妥協的・折衷的な改革案としての「高等学校」構想であった。

「高等学校令」の公布

明治二七年に公布された「高等学校令」は、附則を含めてわずか五条からなる、ごく短い勅令である。第一条で各「高等中学校ヲ、高等学校ト改称ス」るとしたあと、第二条で「高等学校ハ、専門学科ヲ教授スル所トス、但帝国大学ニ入学スル者ノ為メ、予科ヲ設クルコトヲ得」ると、その目的を定めている。

つまりそれまで大学予備教育を主とし、これに専門学部を付設していた「高等中学校」を、専門学部・専門教育を主とし、大学予備教育を従とする「高等学校」へと転換をはかる、というのである。「修学年齢及入学程度」は専門学部四年、大学予科三年で、入学はどちらも「尋常中学校ノ程度」とされた。高等学校は、帝国大学分科大学より一段低い専門教育機関として、制度化されることになったのである。

なぜ「高等学校」という名称なのかについては、井上が「内心大学としたかったのであるが、帝国大学の反対を恐れ、大学の名を遠慮して、独逸のホホ・シューレーに倣って、高等学校という名称の下に、各種の専門部を置くことにした」（『教育五十年史』二〇九ページ）というう、当時文部官僚として井上を助けた岡田良平の指摘がある。しかし同時に井上が、イギリスの「大学（ユニワシチ）」と「コレージ（高等学校）」の関係に注目していた（海後編、一九六八年、四七四ページ）ことも、もうひとつの理由として考えられる。
この時期のイギリスでは、学位授与権を持つ正規の「大学」（ユニヴァーシティ）は、オックスフォード・ケンブリッジなど、ごく少数に限られていた。それ以外の高等教育機関は、カレッジまたはユニヴァーシティ・カレッジと呼ばれ、たとえばロンドン大学のような学位授与を目的に創られた「大学」と提携（アフィリエート）するか、あるいはその分校となり、学生は「大学」の試験を受けて学位を取得する仕組みになっていた。井上は、それにヒントを得て「高等学校」（カレッジ）の制度、およびそれと帝国大学（ユニヴァーシティ）との関係を構想したのかも知れない。

実際に、井上文書のなかには、高等学校卒業者に「高等学校学士」の称号を与え、さらに校長の指示のもとで卒業後二年間自修したものは、「分科大学卒業生名簿ニ登録シ、其卒業生ト同一ノ特権」を与えるという案があったことが知られる（海後編、一九六八年、四二六ページ）。文書を詳細に検討した寺崎昌男も、「東京に唯一の大学院を置いて学術研究に専念させ、東西両京には、専門教育機関としての諸分科大学がありそれは同時に大学区の本部もかねる。これに配するに官公私立の大学分校あるいは高等中学校群が、全国各地に設立されて、専門教育にあたる。これが井上の最終的な未来図であった」（同書、四七二ページ）のではないか、と指摘している。

いずれにせよ、欧米諸国の大学制度を知悉《ちしつ》していた井上が、日本的な高等教育システムを構想するにあたって、大学（ウニフェルジテート）と専門学校（ホッホシューレ）に二元化したドイツ的なシステムよりも、大学（ユニヴァーシティ）と「高等学校」（カレッジ、ユニヴァーシティ・カレッジ）に二層化され、またカレッジのユニヴァーシティへの昇格の道の開かれた、イギリス的なシステムに強い関心を示していたことは、注目されてよい。井上の「高等学校」構想は、ドイツ型とアングロサクソン型という、大学・高等教育システムのモデル選択の問題とも深くかかわっていたのである。

井上構想の挫折

その高等学校に関する具体的な政策的な措置だが、専門教育機関化をはかるためには、何よりも専門学部を増設しなければならない。五校の高等中学校に付設された専門学部は、五医学部と一法学部だけであったから、早急にその数と種類を増やす必要があった。井上は高等学校制度の発足に先立って、高等中学校長会議に、設置を希望する専門分野について意見を求めており、そこでは、文学、法学、理化、博物、応用化学、土木工学、機械工学などの名前があげられている（海後編、一九六八年、四五一―四五二ページ）。

ただ、それはあくまでも関係者の「願望」であり、高等中学校の廃止論まで飛び出す政府の財政状況や、そこで教員として教育を担う能力を持った、大学卒業者の限られたストックなどを考えれば、短期間に多数の専門学部を新設するのは望みがたいことであった。

井上が在任中になしえたのは、京都の第三高等学校の大学予科を廃止し、既設の医学部、法学部に加えて工学部を新設し、純然たる専門教育機関とすることだけであった。それも明治二五年、帝国議会に提出された「関西ニ帝国大学ヲ新設スル建議案」に応えて、京都に第二の帝国大学を創設するための一つの布石であった（『京都帝国大学史』一二ページ）とすれば、明治三〇年に第五高等学校（熊本）に置かれた工学部が、新設された唯一の専門学部ということになる。井上が苦心の末に法制化した、専門教育機関としての高等学校は、事実上絵に描いた餅《もち》に終わったといわねばなるまい。

井上の構想自体が誤っていたわけではない。「今日は地球上の形勢は至つて平和である。其平和は形であつて、其実は鉄火の争でなくして、実業技芸の競争と成つて居つて、すなはち地球上各国は、実業技芸製造貿易の上で闘ふて居る」というのが、日清戦争直前の世界についての井上の現状認識であった（『実業教育五十年史』二五六ページ）。これは、中等段階の実業教育振興を目的とした「実業教育国庫補助法案」を帝国議会に提出した際の、提案理由説明の一節だが、そこには実用重視・応用重視の教育にかけた井上の強い思いが、端的に示されている。それは高等教育の場合も同じであり、国際的な「実業技芸製造貿易」の戦いを勝ち抜くためには、実践的・応用的な専門教育の拡充、専門人材の養成が不可欠であると彼は考えていた。

ただ、意外なことに、そういいながら、井上は高等商業学校や東京工業学校の存在には、あまり関心をはらっていなかったように見える。「実業技芸製造貿易」の戦いを勝ち抜こうとするのであれば、当然、中等レベルだけでなく高等段階の実業教育が重要である。ところが、高等中学校に開設すべき専門学部として工科・農科・商科をあげた森有礼に対して、井上が具体的に新設を考えたのは工学部だけであり、農科・商科への言及はない。彼の念頭にはどうやら帝国大学と高等学校の関係、準帝国大学的な専門教育機関としての「高等学校」構想しかなかったのである。

準大学か、大学予科か

学理重視でコストの高い、しかも卒業までに長い年月の必要な帝国大学を、直ちに増設することが期待できないとなれば、当面、より安いコストと短い年数で人材の育成にあたる専門教育機関（「簡易速成」！「低度大学」！）を、積極的に増設していくほかはない。しかも、当時すでに大きな問題になり始めていた、高等教育機関の東京への一極集中を緩和し、「上京遊学」しなくても進学可能な専門教育の場を地方に分散的に配置するためには、大学予備教育の場から実用的な専門教育の場へと、高等中学校の一大転換をはからなければならない。まずは工学部をという新設専門学部の選択は、そうした井上の政策意図の表れと見るべきだろう。それにしても、彼の持ち時間は限られていた。

彼が描いた構想を実現するには、時間が必要であった。しかし、文部大臣を辞任して半年後の明治二八年春には、井上はすでにこの世の人ではなかった。しかもそのころには、もともと地域に根ざした県立医学校を移した医学部は別として、不振を続ける法・工の専門学部とは対照的に、生徒数から見ても、また教育課程としての充実の度合いからしても、進学希望者の動向という点でも、付属であるはずの大学予科のほうが高等学校の実質的な本体になりつつあった。

『文部省年報』によれば、井上の死去した明治二八年の生徒数は、大学予科二二七五人に対して医学部一三一七人、法学部一〇九人、工学部一四〇人となっている。尋常中学校相当の旧高等中学校予科・補充科も、この年で姿を消し、中学校は直接、高等学校と接続するようになった。専門教育機関として構想された高等学校は、現実には帝国大学進学者のための予備教育機関へと変身を遂げつつあったのである。

明治三〇年に京都に第二の帝国大学が創設されると、第三高等学校には大学予科が設置され、前年から入学者の募集を停止していた法学部・工学部は、卒業生が出るのを待って姿を消す。高等学校令自体は大正七（一九一八）年まで改正されることがなかったが、井上の構想は数年で実質的に放棄されたことになる。それに代わって始まったのは、帝国大学と官立実業専門学校の整備・拡充の時代であった。

四、学位制度と学術の貴族

学位制度の始まり

さて、帝国大学である。「国家ノ須要」に応えることを目的に掲げ、国家の絶大な庇護のもとに発足したこの大学は、着実に期待どおりの、いやそれ以上の成長を遂げつつあった。帝国大学については、それが国家の大学であると同時に、唯一の大学であった点が重要である。それは近代西欧の学問を主体とした学術の、いわば独占体であった。近代的な学問は言うまでもなく、その教育・研究組織としての講座制、教育・研究人材の孵卵器《ふらん》としての大学院、学位の制度、各種の学会と学術雑誌など、すべては帝国大学とその前身校である東京大学とともに誕生し、発展してきたものだからである。

まず、学位制度から見ることにしよう。

学位授与権はヨーロッパ中世から現代に至るまで、大学だけに許された、大学を他の高等教育機関から制度的に区別する、最も重要な特権である。その大学の制度を「輸入」したわが国でも、明治一〇年、東京大学が発足すると早速、文部省との交渉が始まり、翌年には東京大学に学士号の授与権が認められた。明治一二年に授与規則も定められ、同年の第一回卒業式で、前年度までの卒業者全員に学士号が授与されている（寺崎、一九九二年、七八―九五ページ)。

やがて東京大学・帝国大学の一部になる、他の「グランド・ゼコール」型の官立高等専門学校でも、それぞれに学士号が授与されていたことは、すでに見たとおりである。ただこの時期、外国人教師はともかく日本側の関係者が学位とは何かについて、どこまで正確に理解していたかは疑わしい。その証拠に欧米のバチェラー相当の学士号の授与を、大学ではない「日本型グランド・ゼコール」群がそれぞれ独自に行なっていたし、最重要の学位であるドクター(博士)学位の問題も、まだまったく議論されていなかった。そのうえ、東京大学の学士号授与についても、すぐさま批判の声があがっているからである。

学士の非学位化

その批判は、卒業証書を得たものが特別の学位試験もなしに、いわば自動的に学位を与えられることに向けられていた。「優等の成績を以て学部を卒業したる者と、辛うじて卒業試験に合格したる者」とを区別しないで、全員を学士にするのは「学位の名誉」を損なうものではないか、というのである(『東京帝国大学五十年史』上冊、四九五ページ)。

この批判には、それなりの理由があった。なぜならイギリス人教師による工部省の工部大学校では、卒業生は学業成績によって「第一等及第、第二等及第、第三等修業」に分けられ、工学士の学位は第一等の卒業生だけに授与されており(『旧工部大学校史料』一三三―一三四ページ)、また関係者のなかには当然、その背景にあるイギリスのオックスフォード大学やケンブリッジ大学の「トライポス(優等学位)」の制度について、知識を持った人たちがいたと思われるからである。

こうして明治一五年には、東京大学に新たに「学士試問規則」が定められ、「学部卒業者中志願の者に限り、其の学力を考試して学士の学位を授与し、其の他の学部卒業者には得業士の学位を授与する」ことになった(『東京帝国大学五十年史』上冊、四九六ページ)。ただしこの「規則」は一度も実施されぬまま東京大学は帝国大学になり、明治二〇年公布の「学位令」によって、学位の種類は博士と大博士の二つと定められた。このうち大博士は、実際には授与されたことがなかったから、以後、第二次大戦後の学制改革により修士学位の制度が設けられるまで、学位といえば博士号をさすことになった。学士は学位ではなくなり、大学卒業者に与えられる称号に過ぎないという時代が、ごく最近まで、一世紀余り続いたのである。学士が、正規の学位として認められるようになったのは、一九九一年になってのことである。

学位令と博士号

その博士学位だが、「学位令」の第三条には「博士ノ学位ハ文部大臣ニ於テ、大学院ニ入リ定規ノ試験ヲ経タル者ニ之ヲ授ケ、又ハ之ト同等以上ノ学力アル者ニ、帝国大学評議会ノ議ヲ経テ之ヲ授ク」と規定されている。

つまり博士の学位は、帝国大学の「大学院ニ入リ、定規ノ試験ヲ経タル者」について帝国大学総長が具申し、文部大臣が授与するのが原則であり、それ以外に「文部大臣ニ於テ」それと「同等以上ノ学力アリト思慮スル者」があるときには、「帝国大学評議会ノ議ニ付シ」て、三分の二以上の賛成が得られた場合に、文部大臣が授与するものとされていた。「学位令細則」を見ると、この文部大臣の推薦については、履歴書および「自著ノ論文一編」を添えて、文部大臣に自己申請する道も開かれていたことがわかる（『東京帝国大学五十年史』上冊、一〇四八―一〇五〇ページ）。

いずれにせよ、授与権者は形式上文部大臣だが、授与の是非については帝国大学側が決定権を握っていたのである。なお、学位の種類は分科大学の名称に対応する、法学、医学、工学、文学、理学の五種類と定められた。つまり欧米諸国と違って、各学問分野の名称を冠にした博士学位が授与されることになったのである。このため、明治三一年の第二次学位令まで農学系の博士号はなく、また大正九年の第三次学位令まで、経済学・商学・政治学分野の学位は、法学博士号として授与されるという奇妙な状態が続くことになる。

学位令が公布された明治二〇年、文部大臣森有礼は早速、大学院修了者以外の候補者について帝国大学評議会への推薦権を行使して、前記五領域ごとに各五名の博士候補者をあげ、帝国大学評議会に審議を求めた。明治二一年の春には審議の結果が明らかにされたが、それによれば三分の二以上の賛成が得られたのは二五名中一四名、否とされたもののなかには、箕作麟祥《みつくりりんしょう》・西周《あまね》・加藤弘之など著名な学者も含まれていた（『東京大学百年史』通史一、九六八ページ）。

森はこの結果に強い不満を持ち、評議会に直接出向いて否決された一一名の再審を求めたが、結局三名が復活しただけで、残る八名については別の候補者を推薦し、認められた。評議会の席上で森は、大学発足以前に研鑽を積んだ「古風ノ学者」と、「今日ノ正則学者」とを区別する帝国大学側に不満を表明し、自分が今回推薦したもののなかに「洋学ヲ修メサル人モアリト雖モ、学問ノ種類ヲ論セス、其学力ヲ取」ってそうしたのだと、述べたとされている。学位とは何かについて、帝国大学との間に大きな見解の違いがあったこと、また大学側が実質的な決定権限を譲らなかったことがうかがわれる。

推薦博士と名誉の称号

その学位令は明治三一年に大幅に改正されるが、それまでの一〇年間の学位授与総数は一三九、その内訳は表3-1のようになっている。

これを見ると、基本とされた大学院修了による学位取得者は、わずか四名の理学博士に過ぎず、また論文を提出し、各分科大学教授会の審査を経た博士号取得者も一九名で、全体の一四%程度に過ぎなかったことがわかる（天野、一九八〇年、一九六―一九七ページ）。多数を

表３－１　第一次学位令（明治20年）による学位授与数

	法	医	工	文	理	計	%
大学院卒業	—	—	—	—	4	4	2.9
論文提出	1	8	—	1	9	19	13.7
評議会推薦	16	30	31	14	23	114	82.0
総長推薦	2	—	—	—	—	2	1.4
合計	19	38	31	15	36	139	100.0
(%)	(13.7	27.3	22.3	10.8	25.9	100.0)	

（『博士名鑑　昭和十二年版』より作成）

占めたのは、文部大臣の指示を受けて評議会が審査し推薦した、いわば「推薦博士」だったのである。また文学博士の一部を除いて博士のすべてが海外留学経験者か、帝国大学ないしその前身校の出身者であった。文学博士が例外だったのは、そこに維新前に教育を受けた国学者や漢学者が含まれていたからである。

このように、大学院の制度が実質的に機能せず、また論文提出による学位取得者（「論文博士」！）も限られた現実のなかで、一〇年間で約一四〇名の博士たちの主流を占めたのは、審査を経ているとはいえ、いってみれば過去の業績に基づく学識の貴族、「学術貴族」たちであった。学位は大学院における研究成果の評価に基づく、業績本位の資格ではなく、功なり名遂げた学者に与えられる身分的なもの、「名誉の称号」とみなされることになったのである。

しかも、明治三一年の第二次学位令では、推薦権が文部大臣から博士会および帝国大学総長の手に移っただけで、推薦による学位授与の道が残された、というよりお手盛り的な授与の道が、さらに拡大されている（同書、一九七ページ）。

それだけでなく、明治三〇年に京都帝国大学が創設されるまで（東京）帝国大学だけが、その後も大正七年の大学令公布まで、各帝国大学のみが学位の授与権を独占する時代が続いた。その独占的な体制のもとで、ヨーロッパの大学における中世以来の学位制度も、アメリカのPh.Dに代表される業績主義的な近代的学位制度も、日本では一向に根付かなかった。制度の発足時に特徴づけられたこうした博士号の「名誉の称号」的な性格は、その後長くわが国の学位制度にひずみを残すことになる。

五、大学院・学会・学術雑誌

大学院の制度

学位令ともかかわりの深い大学院の制度は明治一九年、帝国大学の創設と同時に誕生した。「帝国大学令」によれば大学院は「学術技芸ノ蘊奥ヲ攻究」する場所であり、博士号取得のための学位試験を受けるまで、五年間の在学が必要とされていた。その大学院は、しかし、実際には専任の教員も独自の教育課程も持たない、言い換えれば規定上だけの、実体を欠いた組織に過ぎなかった。学生は最初の二年間は各分科大学に置かれた研究科に所属し、研究生として指導教授のもとで学び、そのあとで全学組織である大学院の学生として研鑽に励むことになっていた。つまり、「学術技芸ノ蘊奥」を「攻究」する場は、実質的に分科大学研究科にあり、しかもそこでの教育も研究指導も、学位取得に向けて組織化されたものではなかったのである（寺崎、一九九二年、五二―六七ページ）。

この時期、ヨーロッパ諸国の大学には、わが国の大学院に相当する組織はなかった。アメリカで整備され始めていた「グラデュエート・スクール」が、そのモデルとされた可能性もあるが、帝国大学の大学院の英語訳は「ユニヴァーシティ・ホール」となっている。

アメリカのグラデュエート・スクールは、学部（カレッジ）が市民的教養の形成を重視した、リベラルアーツ中心の高等普通教育の場であることから、より高度の専門教育を組織的に行ない専門的人材、とりわけ大学教員を養成することを目的に制度化されたものである。授与される博士号も専門領域を冠さないPh.D、強いて訳せば「哲学博士」のみであり、それが大学教員としての資格証明的な性格を持っていた。分科大学の段階ですでに高度の専門教育を行なっている、ヨーロッパ大陸型の帝国大学に置かれた大学院とは、役割がまったく異なっていたのである。

わが国の大学院も研究科も、実質は分科大学卒業者がそれぞれの学んできた専門学問のさらなる「攻究」を続ける、学者予備軍の溜まり場的なところであったと見るべきだろう。

教員任用の要件

それだけではない。欧米諸国と違ってわが国では、帝国大学以外の高等教育機関は言うまでもなく、唯一の大学である帝国大学においてすら、博士号は教員としての任用の基本的な要件とされることがなかった。

高等学校や専門学校の教員としては、学士の称号があれば十分とされ、帝国大学の場合にも、大学院や研究科に何年か在籍したあと（学位の有無と関係なく）助教授に任用され、さらに数年後に教授候補者として三年程度欧米諸国に留学、というより「遊学」し、帰国後は教授に昇任し、さらに何年かたてば「推薦」により博士号を授与されるというのが、一般的なキャリアであった。したがって初期の留学生と違って、彼らには欧米の大学で必死に学び、学位を取得して帰る必要もなかった。大学院で五年間学ぶことも博士号を取得することも、アカデミック・キャリアをたどるための必要不可欠の条件ではなかったのである。大学院という制度はその後も長く、日本の大学の風土にはなじまないままであった。

ただ、それでは大学院という制度が不要であったかといえば、そうではない。より深く高度の学術を学びたいと考える若い世代の学生たちがつねに一定数あり、しかも彼らが研鑽に励むための宿り場がなければ、大学と学問の安定的で持続的な発展は望みがたい。組織としては未整備であっても大学院という制度の存在が、とくに文学や理学のような基礎的な学問領域において、次世代の学者の孵卵器として重要な役割を果たしていたことは疑いない。

そこに欠けていたのは将来の大学・高等教育機関の教員や研究者を、自覚的かつ組織的に育成しようという明確な意図である。そしてそのことが大学内では徒弟制的な、大学間ではたこつぼ的で分断的な、学者の養成システムを生み出し、学閥をはびこらせる原因となり、その結果として横の連帯感に乏しい学者の世界、「学界」が作り上げられていくのである。

学会と学術雑誌の生成

学問をするものの宿り場といえば、大学院と並んで重要なのは学会と学術雑誌である。その学会も学術雑誌もまた、東京大学・帝国大学を中心に生成し、発展を遂げていった。

学会のなかには大学とかかわりなく、和算家と洋算家が集まって明治一〇年に結成した、わが国最初の学会とされる東京数学会社（明治一七年東京数学物理学会に改組、現在の日本数学会）のような例外もある。しかしほとんどすべての学会が、東京大学・帝国大学の教授、あるいはその卒業者集団を核に創設されたものであった。『東京大学百年史』には、その主要なものがあげられているが、それによれば学会の結成は東京大学の発足後、自然科学系から始まり、人文・社会系へと及んでいった（通史一、一〇二〇―一〇二五ページ）。

まず明治一一年、東京大学理学部化学科の卒業生・学生が集まって化学会（翌年東京化学会と改称）を組織し、一三年から『東京化学会誌』の刊行を開始した。会長の久原躬弦《くはらみつる》は第一回卒業生で、当時、理学部の助教の職にあった。同じ明治一一年、理学部教授の矢田部良吉《りょうきち》を会長に東京大学生物学会が発足した。一八年には東京動物学会と改称、二一年から『動物学雑誌』の発行を始めた。明治一七年には、理学部生物学科の学生たちが集まって人類学会を結成、一九年には『人類学会報告』を発刊している。

工学関係では、工部大学校の卒業生が集まって明治一二年に結成した工学会が最初の学会だが、その後、明治一九年に、工科大学教授辰野金吾《たつのきんご》を中心とした造家学会（のちの建築学会、二〇年より『建築雑誌』を発行）、明治二一年に同教授志田林三郎らによる電気学会（同年『電気学会雑誌』を発刊）などの専門学会も発足した。なお辰野と志田はともに、工部大学校の卒業生であった。

人文社会系では、明治一七年に東京大学文学部の学生井上円了らが、加藤弘之らの援助を受けて哲学会を創設、二〇年から『哲学会雑誌』の刊行を始めた。明治一八年には、文学部の政治学及理財学科が法学部に移されたが、それを機に政治学の関係者が集まり、二〇年に国家学会を設立し、『国家学会雑誌』を創刊している。加藤弘之、西周らの有力者も会員として名を連ねていた。法学系では明治一七年、それまでの東京大学法律研究会を母体に、法学部教授穂積陳重を会長とする法学協会が発足し、『法学協会雑誌』の刊行を始めた。さらに帝国大学の文科大学に国史学科が増設された明治二二年、同学科の教授重野安繹《しげのやすつぐ》を会長に史学会が結成されている。

学会と学術雑誌という学者・研究者のネットワーク作り、「学界」の形成は、こうして東京大学・帝国大学を核に進展していくのだが、第二、第三の帝国大学、さらにはそれ以外の官公私立大学の設立が進まず、（東京）帝国大学が唯一の大学である時代が長く続いたこともあって、帝国大学の「学術の独占体」化はこの面でも急速に進行していった。学界でも個々の学会でも、帝国大学教授や卒業生集団が主流を占め、(意図的かどうかは別として)他者を排除する学閥化の傾向を強めるようになり、新たに学術の世界に参入する大学はそれとの対抗上自前の学会を個別に立ち上げるという、縦割り的で横の連帯の弱いわが国独自の学界の構造が、こうして作り上げられていくことになる。

六、講座制と帝国大学

講座制の導入

帝国大学の「学術の独占体化」に何よりも重要な、決定的ともいうべき役割を果たしたのは、しかし、これから見る講座制の導入である(講座制については、天野、一九九七年、および寺崎、二〇〇〇年を参照)。

中世ヨーロッパ以来、学部(ファカルティ)と並んで大学の最も重要な、教育研究の組織単位とされてきた講座(チェア)制の導入の必要性が議論されたのは意外に遅く、明治二三年になってからである。『東京帝国大学五十年史』には、同年、「欧米諸大学に講座の制度あるに倣ひ、帝国大学にも講座を設けんとの議、文部省内に起こり」、帝国大学評議会に諮問があったことが記されている(同書、九七四ページ)。

「学術技芸ノ蘊奥ヲ攻究」する大学院を置き、教育だけでなく研究の機能を併せ持つ、西欧諸国と同型・同水準の大学をめざす帝国大学にとって、講座制は不可欠の装置であったといってよい。第二次大戦後も、ごく最近まで講座制が維持されてきたこと、また、講座制をとることを許されたのが、戦前期は帝国大学のみ、戦後は旧制官立大学・学部（それに新制大学の医学部）だけであったことは、わが国の、とくに伝統的な研究機能の強い大学における教育・研究組織として、講座制が持ってきた重要性を裏書きするものといえよう。

「講座（講坐）」の名称が、初めて登場するのは、先に見た、芳川文相時代の明治二三年に作成されたと見られる「大学令案」においてである。

それ以前の教育・研究組織は、東京大学時代には学部と学科、帝国大学になってからも分科大学と学科という、二層だけからなっていた。これに対して大学令案は、分科大学制をやめて学部制に戻すと同時に、学科の下に最も基本的な教育・研究の組織単位として、「講坐」を置くことを構想するものであった。「学部ニ諸学科ノ講坐ヲ置ク」、「学部ノ学科課程ハ、講坐ノ種類及数ニ依リ、各般ノ学術技芸ヲ、学修スルニ便ナラシメ、専門ノ業務ニ従事スルニ、適セシムルコトヲ要ス」とあるのがそれである。このほか「学科ノ種類ニ依リ、補助講坐ヲ置ク」ことができるという規定もあり、「教授ノ員数ハ、学科ノ講坐数」に、「助教授ノ員数ハ、学科ノ補助講坐数」に、それぞれ対応して定めるものとされていた。

前記の帝国大学への諮問は、おそらくはこうした大学令案の構想に対応するものであり、近代大学としての組織整備をさらに一歩進めるべく、曖昧なままになっていた教育・研究の組織を、学部・学科・講座という三層に明確に秩序化する狙いがあったとみてよい。実際に、帝国大学評議会はこの諮問を受けて同年、全体で一四五の講座と六九の補助講座からなる案を提出している。

しかし大学令案と同様、講座制の導入案もすぐには具体化されるに至らなかった。大幅な修正を経て、「帝国大学令改正」の形でようやく実施される運びになったのは、井上文相時代の明治二六年になってからである。講座制の導入は、井上が短い在任期間中に実施した、その後長くわが国の大学のあり方を規定し続けることになる、その意味で最大の改革であった。

講座と教員組織

その改正された帝国大学令には、「各分科大学ニ講座ヲ置キ、教授ヲシテ之ヲ担当セシム」とあり、助教授担当の「補助講坐」案が、姿を消しているところが大学令案との大きな違いである。また、講座数についても、明治二三年の帝国大学案の一四五講座案に対して、文部省の原案は一一三講座であり、大学側はこれに対して再度、一五二講座案を答申し、最終的に一二三講座で決定するというやり取りがあった。

改正された帝国大学令の「講座ヲ置キ、教授ヲシテ之ヲ担当セシム」という規定は、講座制が、教育・研究の基礎組織であると同時に、というよりそうであることから必然的に、教員組織と切り離せぬ関係にあったことを示唆している。教授・助教授・助手の職務内容と定員を定めた「帝国大学官制」が同時に公布されていることは、それを裏書きするものである。教授は「講座ヲ担当シ、学生ヲ教授シ、其研究ヲ指導ス」る、助教授は「教授ヲ助ケテ、授業及実験ニ従事ス」る、助手は「教官ノ指揮ヲ受ケ、学術技芸ニ服ス」るという、その後長く続く大学教員の職階の区分と、助教授・助手の教授に対する補助的な職務内容が、そこには明記されている。また定員は、職階ごとに別個に定められることになっていた。

講座と教員定数との関係については、教授・助教授各一、助手一〜三がセットになってひとつの講座を構成するというのが、少なくとも第二次大戦後の講座制についての関係者の「常識」的な理解である。しかしその常識と異なり、創設当初の講座制のもとでは、講座には教授一名だけというのが原則であった。実際に、（東京）帝国大学の各職階別の定員を見ると、助教授の教授に対する比率は、明治・大正期を通じて四割から五割程度にとどまり、その職務内容どおり助教授ポストの多くは、医・工・農の応用的な学問分野の講座を中心に配置されていた。

また、講座と教授を一対一に対応づけたといいながら、実際の講座数と教授数の関係を見ると、戦前期を通じて教授の定員数が講座数と肩を並べたことは一度もなく、実数を見ても、講座数に対して七割前後にとどまっていたことも、指摘しておくべきだろう（天野、一九九九

七年、三二六ページ)。フランスの大学がモデルとされる(寺崎、二〇〇〇年、三八七ページ)
講座制だが、その理由も、運用の実態についても、不明な点が多く残されている。

教授集団の流動性

講座制導入の理由については、専門とする各分野について教授の担当責任を明確にし、その教育・研究への専念を求めることに主要な狙いがあったとみてよい。井上の文相在任中に書かれた、『井上毅君教育事業小史』(木村匡、一八九五年)という小冊子は、この点について法科大学を例に、次のように述べている。

これまで法科大学の教授といえば「其法律ニ係ル学科ハ、何《いずれ》ニテモ担任セシメ、国法モ私法モ国際法モ、教員ノ配置ニ依リテ、互ニ受持ツコト」が、ごく普通に行なわれていた。誰もが「均《ひと》シク数科目ニ精通スルモノトシテ、之ヲ担任セシメ」てきたわけである。しかしそれは教員の数が不足していた時代の、「一時止《や》ムヲ得サルノ変通」に過ぎない。「然《しか》ルニ学者モ此《この》変通ニ慣レ、世人モ怪シマ」なくなってしまった。その結果「雑駁《ざっぱく》ニ流レ、一科専攻ニ心ヲ寄スルニ遑《いとま》」がなくなり、「講義モ、精到タルヲ得サルノ嫌《きらい》アリシハ、自然ノ勢」であった。井上はそれを憂えて「講座制ヲ定メ、其職務ニ対シテ専攻ノ責ヲ表明シ、以テ後進ヲ負ハシメ」ることにしたものである。

講座というのは「各教授ノ担任スヘキ専門学科ヲ示シテ、其責任ヲ指定」するものである。

講座についた教授は「其専門ノ学術ヲ講シ、指導ヲナシ、研究ヲ遂」げることを期待される。はじめは人材不足から、一人の教授が複数の講座を担当する場合もあるだろうが、あくまでも一教授一講座というのが、井上の本来の趣旨なのだ。

的確な指摘というべきだろう。しかし同時に、この時期に井上が講座制の導入に急いで踏み切った背景には、そうすることの必要な、より現実的な理由があったことが推測される。それは、帝国大学の教授集団の流動性、不安定性である。

この時期、帝国大学教授の社会的威信も経済的な報酬も、必ずしも高いものではなかった。そのためか、欧米留学からの帰国者が大学以外のキャリアを選ぶ例が少なくなく、いったんは教授に就任しても、その後政府の行政官僚や民間企業に転出するものが絶えなかった。井上は講座制を導入し、それぞれの学問分野の教育・研究責任を課すことによって、教授たちが学術の専門職（アカデミック・プロフェッション）として、専門職業集団としての責任感と倫理観を確立していくことを期待したのである。

「帝国大学令改正」のひとつとして、各分科大学に「教授会ヲ設ケ、教授ヲ以テ会員」とし、学科課程・学生試験にかかわる問題の審議、それに「学位授与資格ノ審査」の権限を認めたのも、そのことと深くかかわっていると見てよい。

「講座俸」制の導入

こうして責任と倫理を求めることだけでなく、これも「改正」の一環として井上が「講座俸」制度を導入し、大学教授という職業の、経済的な待遇改善をはかっていることも指摘しておくべきだろう。なぜ講座俸なのか。井上文書のひとつは、これについて次のように説明している（寺崎、二〇〇〇年、三八九ページ）。

「帝国大学ハ、学問ノ最高学府」である。その帝国大学の教授たるものは「一身ヲ学芸ニ委《まか》シ、其教授及攻究ニ専心従事」できるようにしなければならない。ところがこれまでは「大学ノ教科ト教官トノ関係ハ、講座制ノ設ナキガ為ニ、一定明確ナルコト能《あた》ハズ、従テ教官ノ責任重カラザルノ感」があったことは否めない。それだけでなく、教官は「一般行政官トハ、職務ノ性質ヲ異ニシ、専ラ学識ニ依リ、其職ヲ担フ者」であるにもかかわらず、給与体系は行政官と同じく年功序列制であり、学識の優劣や教育負担の軽重が俸給に反映されていない。これでは「学識ノ士」を遇する道として適切ではなく、「学識技芸ヲ修メタル有為ノ士ハ、多ク去テ他ノ官職ニ就ク者」もあり、「現ニ大学ノ衰退ヲ致スノ一原因」となっている。そこでこの際、年功制による給与のほかに職務俸（講座俸）の制度を設け、「講座又ハ講義ノ種類ニ応シ、均《ひとし》ク勤労ヲ償」うことにしたい。

この講座俸制度は実際に導入され、井上自身が起草した講座ごとの「職務俸給一覧」も残されているが、その内容を分析した寺崎昌男は、査定基準が（意外なことに）「「国家ノ須要」

に応ずる学問であるかどうかというものではなかった」として、それは「応用的・実用的諸分野の学問をむしろ軽視し、アカデミックで〝深遠〟な学術を大学では重視しようとする方針の表れ」であり、「実際、文科大学・理科大学への優遇は相当なもの」だと指摘している（寺崎、同書、四〇〇―四〇三ページ）。

この指摘は、学術（科学）と技芸を分け、帝国大学は学術の研究を中心とし、技芸にかかわる応用的・実用的な教育は「低度大学」としての「高等学校」や実業系の専門学校に委ねようとした、井上の構想とも符合している。講座制も講座俸の制度もまさに、帝国大学を「学問ノ最高学府」たらしめる装置として、導入されたのである。

講座と教官定数

その講座と教員との具体的な関係だが、先にふれたように明治二六年、制度が発足した際の講座数一二三に対して、教官の定数は教授が七五、助教授が三五に過ぎなかった。つまり井上が参考にしたとされるフランスの大学の例に見るように、「講座ト正教授トハ、相待チテ離ルヘカラ」ざるもので、「各講座ハ、一名ノ正教授ニ属ス」るのが原則だとしたら（寺崎、同書、三八七ページ）、定められた教授数は六割程度に過ぎず、助教授定員をあわせても、講座数には及ばなかったことがわかる。

それだけではない。講座制発足時の実際の教授数は、それをさらに下回る六六名しかいなかった。開設はされたものの、正教授のいない講座が半数近くを占めていたのである。もちろん、講座の担当については、改正された帝国大学令に、「教授ヲ欠ク場合ニ於テハ、助教授又ハ嘱託講師ヲシテ、講座ヲ担任セシムルコトアルヘシ」とあるように、正教授のほかに外国人教師や助教授の存在、さらには教授の兼担や外部講師の招聘なども考慮に入れる必要がある。しかしそれにしても、ギャップは大きかった。

帝国大学をヨーロッパ、とくにドイツの大学に比肩しうる研究中心の大学として育成し、確立をはかろうとすれば、教育・研究上の必要性からするとき、どう削っても一二三の講座を開設する必要がある。しかし、それを満たすだけの学術の専門家はまだ育成されていない。名前は壮大でいかめしいが、典型的な後発国型の大学である帝国大学の教育・研究の現実は、まだその程度の水準にとどまっていた。とすれば置かれた講座の数と種類は、近代大学としての帝国大学の理想を、将来にわたって達成されるべき目標を、掲げたものに過ぎない。

井上の講座制導入の狙いは、帝国大学の理想像を開設されるべき講座の種類と数という形で明示し、講座の担当責任の明確化と講座俸の制度化という「アメとムチ」を用意して、大学側・教授集団の側の、その達成に向けた奮起と努力を求めることにあった、と見るべきだろう。

七、教授集団の形成――理系

変動する教授集団

話が先に行きすぎたかも知れない。講座制の導入以前に戻ろう。

『東京帝国大学五十年史』によれば、創設当初の東京大学の教員は、「雇又は嘱託の如きものにして、国家の官吏」ではなかった（上冊、五〇五―五〇六ページ）。法理文三学部と医学部が統合された明治一四年になって、ようやく「国家の官吏」としての身分が確定したが、その地位も俸給も高いものではなかった。

そのうえ、東京開成学校時代から派遣が始まった数少ない留学生についても、帰国後の活躍の場は、大学以外にいくらでも開かれていた時代である。明治八年から一二年の間の文部省派遣留学生二八名についてみれば、帰国後、東京大学・帝国大学の教授ポストについたものは九名（三二％）に過ぎない。留学生のほぼ全員が帰国後、短期間ではあれ大学教授の職につくようになるのは、明治一三年以降の留学生からである（天野、一九九七年、二七四ページ）。それでも、中途で他に転出する教授は少なくなかった。もちろん、学術の世界から行政や実業の世界への転出の機会は、専門分野によって違っている。それが応用的・実用的な分野で大きいことは当然予想される。しばらく分科大学別に、講座制の発足時に至る教授集団の形成過程を見ていくことにしよう。

まず全体の状況を、表3-2(二一四―二一五ページ)に見ておこう。明治一〇年から二六年まで、つまり講座制導入直前までの一六年間に、東京大学・帝国大学の教授ポストについた一三四名の内訳である(同書、二七八―二七九ページ)。退任した後、再度任用されたものが四名いるから、それを除いた実数は一三〇名ということになる。このうち明治二六年時点で教授職にあったのは、ほぼ半数の六九名(講座の担当者になったのは六六名)だけであった。

明治一九年の時点で区切って見ると、帝国大学の発足がやはり大きな分水嶺《ぶんすいれい》であったことがわかる。明治一〇年から一八年の東京大学時代は、教授職についたものは全体で四三名、退任したものは七名だけだから、教授集団は数が少ないなりに比較的、安定していたといえるだろう。しかし帝国大学発足の一九年から二六年の期間を見ると、新任が九一名、退任が五八名と変動が著しい。とくに、明治一九年と翌二〇年には新任四〇名、退任二六名と、世代交替を中心とした大きな変動があったことがわかる。

退任者はその後も続くが、まだ定年退職制のない時代の、まだごく短い期間に生じた、しかも一〇〇名にも満たない小さな教授集団のなかでの激しい入れ替わりである。井上の危機感をかきたてるに十分なものがあった、といってよいだろう。

各分科大学のなかで、教授集団の安定的な形成が最も早く進んだのは医科大学である。帝国大学発足直後の明治二〇年にすでに、八名の教授がいたことが表3-2からわかる。ただ、医学部教授とはいっても、彼らが担当していたのはすでにふれたように、医師の「簡易速成」のために設けられた、日本語で教授する「別課医学」の教育だけであり、本科の教育は全面的にドイツ人教師に依存していた。本科の日本人教授は、ドイツ留学を経て明治一五年に着任した大沢謙二（生理学）だけであった。

大きな変化は、帝国大学医科大学の発足と同時にやってきた。明治一九年には従来からの教授九名のうち五名が退職し、代わって明治一九、二〇の両年に一〇名の、留学帰りの新進気鋭の教授たちが任命されたからである。彼らは医学部の卒業席次四番以内のもののなかから選ばれ、帰国後に担当予定の専門領域の指定を受けて、ドイツの大学に送られた俊秀たちである。講座制発足時には二三の開設講座に対して、以後の留学帰国者もあわせて一九名の正教授がいた。なおこの時点でのドイツ人担当講座は、内科・外科の各一名だけになっていた。

医学は、教授の権威が最も早く確立した学問領域である。彼らは、高等中学校医学部等の医育機関と官公立病院の人事権を握り、社会的威信も高く、学外での診療活動による収入も多額にのぼっていた。教授集団の安定性はそうした医師にして教授という、職業的な好条件に支えられていたといってよい。青山胤通《たねみち》（内科）、佐藤三吉（外科）、緒方正規《まさのり》（衛生学）、

年)[1]

文		理			農			計		
退任	26年	就任	退任	26年	就任	退任	26年	就任	退任	26年
	1	3		1				8		3
								4	2	
		1		1				2		1
		1						3	1	
	1	2						4		1
		3	1	2				7	1	4
								2		
		4		1				9		2
1		3						4	3	1
1	2	17	1	5				43	7	12
5	1	4	9[2]	2				30	23[2]	15
		1		1				10	3	7
	1							9		4
		1		1				7	2	6
	2	1	1	1	5	1	3	14	6	9
3	1	1	3	1	4		3	13	8	9
1	2	1		1		1		4	4	3
4	2				1	1	1	4	12	4
13	9	9	13	7	10	3	7	91	58	57
14	11	26	14	12	10	3	7	134[3]	65	69

表3－2　東京大学―帝国大学教授の年度別就任・退任数（明治10―26

年度	法			医			工			
	就任	退任	26年	就任	退任	26年	就任	退任	26年	就任
10				4		1				1
11				4	2					
12										1
13	1	1								1
14										2
15	2		1	2		1				
16	1									1
17				3		1				2
18	1		1		2					
小計	5	1	2	13	4	3				8
19	4	2	2	5	5	5	13	2	5	4
20				5		5	4	3	1	
21	2		1	2		2	2			3
22	1	1	1	2		2	3	1	2	
23	2	1	2				3	3	1	3
24	2		2	2		1	2	2	1	2
25					1			1		3
26		1		1	1	1		5		2
小計	11	5	8	17	7	16	27	17	10	17
合計	16	6	10	30	11	19	27	17	10	25

（天野『教育と近代化』278-279ページ）

注(1)　明治26年の数字は講座制導入時の教授数。
(2)　工科大学への転任者４名を含む。
(3)　期間中の退任―再任者４名を含む。

浜田玄達《げんたつ》（産婦人科）、三浦守治《もりはる》（病理学）、小金井良精《よしきよ》（解剖学）など、明治一九～二〇年に教授に任命された人たちが、講座制の導入後も、長くわが国の医学界に支配的な地位を占めることになる。

理科大学の場合

理科大学もまた、早期に教授陣の整備を見た分科大学のひとつである。

理学系の特徴は、この時期すでに見られた高度の専門分化にある。東京大学時代から、化学、数学、物理学、星学、生物学、地質学、採鉱学、工学の八学科、海軍省の要請で付設された造船学科を加えれば九学科編成になっており、理科大学の発足直前の時点で一六名の教授を擁していた。基礎的で専門性の高い学問の性格が、早くに研究中心の体制の確立をもたらしたと見てよい。

明治一〇年の理学部発足時は、日本人教授四名、外国人教師一二名であったが、年々日本人教授の数が増え、明治一九年時点での外国人教師は二名にまで減少している。理科大学の発足時に九名が退任しているが、そのなかには工学科から工科大学に移った四名も含まれている。世代交替は医科大学に比べて、緩やかに進行したといえるだろう。

明治二六年の開設講座数は一七であるが、担当者は教授一三、同兼担一、助教授一、外国人教師一、未定一となっている。教授のなかに、菊池大麓《だいろく》（数学）、山川健次郎（物理学）、箕作佳吉《かきち》（動物学）、松村任三《じんぞう》（植物学）など、東京大学発足以前に留学し帰国したものが多く含まれているのが、この分野の特徴である。また農商務省の局長を兼ねた和田維四郎《つなしろう》（鉱物学）、同じく局次長を兼ねた原田豊吉《とよきち》（地質学）のような例外もあるが、教育機関以外への転出者が少ないのも重要な特徴のひとつとなっている。

工科大学の流動性

教授集団の流動性が最も大きかったのは、工科大学である。

東京大学時代の工学は、理学部の一学科に過ぎなかったが、工部大学校と合併して一挙に規模が拡大した。表3－2には、工科大学発足後の数字だけを掲げたが、発足時の開設学科には、土木・機械・造船・電気・造家・応用化学・採鉱冶金の七学科に一三名の教授がいた。工部大学校から四名、東京大学理学部から三名の教授が移り、ほかに理学部講師から昇格したもの二名、新規採用四名というのが、その構成である。工部大学校卒業者は五名で、他は東京開成学校と東京大学出身者、全員が海外留学経験者であり、うち英・米両国留学者が一〇名となっている。

この一三名から出発して、明治二六年までの八年間の教授任用数が二七名、退任が一七名だから、ほぼ三分の二が辞めていったことになる。このなかには一九年当時、工科大学付属だった東京職工学校の教授で、二〇年に同校の独立と同時に移った三名のほか、明治二〇年に開設された造兵学科・火薬学科に兼任教授として就任した、砲兵大尉・海軍技師の四名、造船学科の海軍少技監からの兼任教授二名なども含まれている。工学の持つ実践的な性格から、つねに現業の技術者を講師に招くなど、現場との交流が必要とされたことも考えられる。また病死した教授が三名を数えるという、不幸な事態もあった。

しかしそれにしても、早い時期からの留学生派遣や人材養成の努力を考えれば、明治二六年の開設講座二一に対して、教授数八というのは、惨憺《さんたん》たる状況というほかはない。産業化の担い手である工業技術者に対する官庁・民間企業の人材需要は、全体としてきわめて高い水準にあり、大学は工学系の卒業者にとってけっして魅力的な職場ではなかったのであろう。

講座制の発足時の教授八名は、田辺朔郎《さくろう》（土木）、真野文二《ぶんじ》（機械）、中野初子《はつね》（電気）、辰野金吾（造家）、高松豊吉《とよきち》（応用化学）、中沢岩太《いわた》（応用化学）、野呂景義《のろかげよし》（採鉱冶金）、三好晋六郎（造船）であり、主要講座の教授ポストを占めていたが、このほかの講座担当は助教授一、講師四、複数講師五、外国人教師二、未定一となっている。工科大学の教授集団が安定化するには、さらにあとの時期を待たねばならなかった。

農科大学の遅れ

農科大学は明治二三年発足の、最後発の分科大学である。東京農林学校からの移行にあたって、教育・研究水準の低さを理由に異論が出されたことからもうかがわれるように、明治二二年末で二五名の教授の質は高いとは言いがたく、そのなかから農科大学教授に任命されたのは三名だけ、外部から二名が新たに採用された。ほかに五名の外国人教師というのが、発足時の体制であった。

松野礀（林学）、北尾次郎（物理学）、石川千代松《ちよまつ》（動物学）、志賀泰山《たいざん》（林学）、松井直吉《なおきち》（化学）の五名の教授は全員が留学経験者だが、駒場農学校・東京農林学校の卒業生はゼロ、東京大学の前身校出身者が三名を占めた。酒匂常明《さこうつねあき》（農学）、玉利喜造（農学）ら、駒場農学校出身の助教授が教授に昇進したのは、二四年になってからである。しかし、それから明治二六年までに松野が退職したほか、志賀は農商務省技師に戻り、酒匂は北海道庁に転出したため、講座制発足時の教授数は七名で、開設講座数二〇の半数にも満たなかった。講座担当を見ると、助教授四、講師五、複数講師一、外国人教師二、未定一と、工科大学に近い状況であった。ただ農科大学の場合には、他のポストとの競合というより、人材養成の遅れが主要な理由であったと思われる。

八、教授集団の形成――文系

外国人依存の文科大学

人材養成が遅れていたのは、文科大学も同様である。それは東京大学時代の文学部が、性格の曖昧な学部だったこととと関係している。

文学部の編成は、史学、哲学及政治学科と和漢文学科の二科で発足したが、前者は「史学科は、教授にその人を得る能は」ないという理由で、明治一二年哲学政治学及理財学科と名称変更された。明治一四年に哲学科が独立して三科編成となり、さらに一八年には和文学科と漢文学科が分かれ、また政治学科と理財学科が法学部に移された。この間の卒業生三五名の専攻を見ると、哲学一名、和漢文学三名を除いて、他はすべて政治学ないし理財学専攻であった。

これに対して文学部時代に任命された教授八名のうち、外山正一を除く七名はすべて、和漢文学の担当者で占められており、政治学・理財学関係は、全面的に外国人教師に依存していたことがわかる。その外山が、留学帰りとはいうもののミシガン大学で何年か勉強しただけで、哲学、心理学、史学、社会学と何でも教えている。外国人教師もまた、政治学・理財学のほか哲学・倫理学まで担当した、ハーヴァード大学出身のアーネスト・フェノロサの例に見るように、特定の専門分野の研究者というにはほど遠く、リベラルアーツ・カレッジの教師に近かった。

なお和漢文学の教授たちは何よりも、明治一五年に和漢文学衰退の救済策として文学部に付設された、古典講習科のために採用されたものと見てよい。木村正辞《まさこと》（和）、中村正直（漢）、島田重礼《しげのり》（漢）、南摩《なんま》綱紀《つなのり》（漢）、川田剛《たけし》（漢）、重野安繹（史学）ら、これら旧世代の学者は島田を除いて、いずれも文科大学の発足前に退職している。つまり、東京大学時代の文学部の実質は、哲学・史学・文学を三つの柱に据え、近代西欧の人文学中心に編成された帝国大学文科大学とは違って、東京大学のなかでも最も非西欧的な学部だったのである。

文科大学の発足以降に任命された教授集団は、再任された木村と重野を含めて一七名だが、こうした東京大学時代の整備の遅れを反映して、量・質ともに貧弱であることを免れなかった。一七名のうち、東京大学卒業・文部省留学生というコースをたどって、文科大学に着任したのは、田中稲城《いなぎ》（図書館学）、井上哲次郎（哲学）、坪井九馬三《くめぞう》（史学）、日高真実（教育学）の四名だけ、しかも田中と日高は、明治二六年以前に他に転出している。それ以外の留学経験を持つ教授としては、神田乃武《ないぶ》（英文学）、元良勇次郎《もとらゆうじろう》（心理学）、中島力造《りきぞう》（倫理学）がいるが、いずれも東京大学とは関係のない、私費留学による外国大学の学位取得者であった。

このように教授集団が未整備なまま、文科大学の学科編成のほうは急速に膨らんでいった。明治一九年、哲学、和文学、漢文学の三学科に博言学科をくわえて発足し、翌二〇年に史学科、英文学科、独逸文学科、二二年には国史学科と仏蘭西《フランス》文学科が、それぞれ新設され、短期間に九科編成となったからである。哲・史・文という、わが国の文学系学部の基本構造が、これによって作られたことになる。

しかし、それらの学科を担当する教授陣の育成は著しく遅れていた。その空席を埋めていたのは、外国人教師である。他の分科大学で、外国人教師が次々に留学帰りの日本人教授に代替されていくなか、文科大学では逆に外国人教師の雇用を増やさなければならなかったのである。チェンバレン（博言学）、ハウスクネヒト（独文学・教育学）、ブッセ（哲学・心理学・倫理学等）、リース（史学）、ケーベル（哲学）などが、この時期雇用された外国人であり、また英・独・仏の各文学科も、外国人教師によって担当されていた。

講座制導入により開設された二〇講座の担当状況を見ると、教授一一、講師二、外国人教師五、未定二となっており、しかも一一名の教授のうち六名は、国文学・国史・漢文学担当の、平均年齢が六〇歳に近い旧世代の学者たちであった。その彼らと、西欧近代の学問を学び帰国した若い世代の教授たち、それに外国人教師に三分されていたというのが、明治二六年時点での、文科大学の教授集団の姿であった。

不安定な法科大学

最後に法科大学である。

「国家の大学」としての帝国大学を象徴する、明治二六年までは帝国大学総長がその長を兼ねていた法科大学であるが、その教授集団の整備も、文科大学に劣らず遅れていた。井上が最も危惧していたのは、その法科大学の問題であったのかも知れない。

東京大学法学部が、英米法の教育中心に出発したことは、先に見たとおりである。わが国の近代法はまだ立法作業が始まったばかりということもあって、明治一八年までに就任した日本人教授はわずか五人、うち木村正辞と小中村清矩《こなかむらきよのり》の二人は国学者で「古代日本法律」の担当者、近代法の教授はイギリス留学後ドイツでも学んで帰国した、東京開成学校出身の文部省留学生穂積陳重、それに司法省法学校留学生の木下広次と私費留学した富井政章《とみいまさあきら》の、フランス法担当の二人であった。英米法の授業はもっぱらH・テリーら外国人教師に依存し、明治一五年からは、ドイツ法のK・ラートゲンとO・ルドルフが招聘された。法科大学の発足時にはこれに井上操《みさお》（仏法）、鳩山和夫（英米法）、末岡精一《すえおかせいいち》（独法）、それに経済学の和田垣謙三《わだがきけんぞう》が加わったが、外務省の局長と兼任の鳩山は数年で退任、井上は一年で判事に転出した。二一年に着任した斯波淳六郎《しばじゅんろくろう》も、一年で法制局に転出している。

　教授集団が安定し始めるのはそれ以後、宮崎道三郎《みちさぶろう》（独・法制史）、穂積八束《やつか》（独・憲法）、梅謙次郎（仏・民法）、土方寧（英・民法）、寺尾亨《とおる》（仏・国際法）、それに経済学の金井延《のぶる》ら、（司法省法学校留学生の梅をのぞいて）東京大学法学部・文部省留学生という、正統的なキャリア・パターンをたどった、気鋭の若手教授が就任するようになってからである（カッコ内の国名は留学先）。彼らのほとんどが卒業席次首席か、少なくとも三番以内であった。

　ただ、講座制発足時の状況を見ると開設講座数二二に対して、一〇名という教授数は過少というべきだろう。このうち英・独・仏の外国法三講座と、経済学財政学の一講座は、その後も長く外国人教師をあてる慣行が続いたから別として、残る一八講座の担当は、教授九、教授兼担二、講師二、講師分担三、未定二という構成になっていた。一講座一教授という井上が描いた理想の形の実現は、まだはるか先の話だったのである。

表3－3　講座担当教授の教育経歴

	法	医	工	文	理	農	合計
海外留学	1	—	—	3	1	—	5
中退＋留学(1)	1	2	—	—	3	2	8
卒業＋留学(2)	7	15	8	4	7	4	45
大学卒業	—	—	—	—	—	1	1
その他	—	2	—	4	1	—	7
合計	9	19	8	11	12	7	66

（天野『教育と近代化』312ページ）

注(1)　前身校の中退留学者。
(2)　大学ないしは包摂校の卒業留学者。

「学術貴族」の出現

このように開設講座数の半数強であったとはいえ、最初の講座担当となった六分科大学の六六名の教授が、選りすぐりの学術エリートたちであったことに変わりはない。表3－3はその六六名の教育的キャリアを見たものだが、海外留学者が五九名（八九％）と圧倒的に多数を占め、しかもそのうち四五名（六八％）は、前身校を含む東京大学・帝国大学の卒業者であった。彼らは、欧米諸国の最先端の学問を学んで帰国し、初代の講座担当者となった、言ってみればそれぞれの学問領域の、わが国における事実上の創始者であり、次の世代の学術エリートたちの「ゴッドファーザー」的な、またそれぞれの学問領域のしばしば専制君主的な役割を果たすことになっていく。

講座制の導入から七年経ち、第二の帝国大学が京都に開設されたものの、まだ卒業生を出すに至っていなかった明治三三年の時点で、東京帝国大学の教授数はさらに増えてはいたが、それでも九二名と、一〇〇名に満たなかった。明治中期までのわが国の学問の世界、学界は、その限られた数の学術エリート、「学術の貴族」たちによって、独占的に支配されていたのである。

九、学術と教育の独占体

学術の独占体

こうして、わが国の教育システムの頂点に君臨することになった帝国大学の存在の巨大さを、あらためて確認しておこう。

第一にそれは、教育だけでなく研究機能を持つ唯一の高等教育機関、名実ともに「最高学府」であった。それ以外の高等教育機関は、官公私立を問わず研究機能を制度上期待されず、また実際にも持つに至っていなかった。海外留学からの帰国者を中心に、近代西欧の最先端の学問を学んだ「学術貴族」たちは帝国大学に集積し、事実上のアカデミーを構成していた。大学院を置き学位の授与権を独占した帝国大学は、さまざまな学会や学術雑誌の母体でもあった。伊沢修二の言うように「英米ノ大学ノ如キハ、業ニ已ニ凌駕シテ、独乙ノ大学ト比シテ、同ジ丈ノ地位ニ立ツテ居」たかどうかはともかくとして、それは国際的な評価の対象になりうるただひとつの大学であり、アカデミーであった。

第二に、帝国大学は唯一の総合専門教育機関であり、それ以外はすべて、単科ないし単機能の高等教育機関であったことを指摘しておくべきだろう。複合的な機能を期待された井上の高等学校構想は挫折し、慶應義塾、早稲田、同志社などの私学は総合大学化を志向しても、それを実現するのに必要な資源を欠いていた。分科大学・学科・講座の三層構造のなかに、整然と配置された諸科学や専門学問の体系は、帝国大学だけが持つことを許された、というより国家の巨額の投資によって保障されたものであった。そしてそれは、講座と一対一対応の形で配置された、それぞれの専門学問の教育・研究責任を背負った正教授の集団によって維持され、拡大再生産され始めていた。

第三に、帝国大学は、他の高等教育機関に対する教員、教育人材の独占的な供給源であった。帝国大学の多くの教授たちが、他の高等教育機関に講師として出講しただけではない。他の高等教育機関の専任の教員たちも、また帝国大学以外の官庁や官立学校からやってくる多数の非常勤の講師たちも、近代西欧の学問の教授能力を持った教育人材の大部分が、東京大学・帝国大学卒業の「学士」たちで占められていた。帝国大学はその意味でも、学術の独占体であった。

私立専門学校のほとんどが東京に、しかも帝国大学の所在する本郷と霞ヶ関の官庁街とのほぼ中間に位置する、神田界隈《かいわい》に集中していたひとつの理由はそこに、つまり非常勤講師たちが出講可能な時間距離のなかにあったためといってよい。例外的に専任の教員を持った慶應義塾が三田、東京専門学校が早稲田と、都心を離れた場所にキャンパスを持つことが可能であったのも、京都の同志社が出発点で躓《つまず》いたのも、そうした教育人材の供給源としての帝国大学や諸官庁との距離と、無関係ではないだろう。

学歴特権の独占体

第四に、帝国大学は、国家資格や国家試験を必要とする各種職業にかかわる諸特権の、独占体でもあった。

最大のものは、法科大学とその前身学部の卒業者に認められた、高等文官試補への無試験任用の特権である。天皇との距離の大小が、社会的威信の高低をはかる最重要の指標とされた国家体制のもとで、帝国大学、とくに法科大学はその距離が最も近い、勅任官・奏任官のポストに直接つながる、立身出世の「捷径《しょうけい》」に他ならなかった。

それ以外の司法官、弁護士、医師、中等学校教員など、国家試験が制度化された専門的職業のすべてについても、帝国大学卒業者には、無試験で職業資格を取得する「学歴特権」が用意されていた。こうした職業関連の諸特権のなかには、官立を中心に他の高等教育機関の卒業者に開かれているものもあったが、それはほとんどの場合、部分的ないし一定の条件付きであり、全面的・無条件の特権は、帝国大学の卒業者だけに認められたものであった。高等中学校の法学部が不振を極めた最大の理由は、それがこうした特権と無縁なままであったためと見てよい。

第五に、こうしたさまざまな特権を付与された帝国大学は、上昇移動欲求を持った若者たちを全国から引き寄せる、強大な磁石のような存在であった。各ブロックに配置された五校の高等中学校本科・高等学校大学予科は、いわば帝国大学が各地に伸ばした学力エリート吸収のための触手であり、その卒業者には帝国大学への無試験入学の特権が保障されていた。その意味で、高等中学校・高等学校は帝国大学と一体的な関係にあり、尋常中学校以下の諸学校とは、切り離された教育の世界を構成していた。

伊沢修二の言葉を借りれば、「頭ノ方」と「尾ノ方」からそれぞれ別個に発展してきたこの二つの学校系統を、辛うじてつなげていたのは入学試験（とそれに付随する予備校や浪人）という学力による選抜装置である。高等中学校・高等学校（さらにいえば帝国大学）が入学者に期待し、要求する学力水準というゴールをめざして、学力と意欲や野心、それに経済力による厳しい淘汰《とうた》・選抜を潜り抜けてきた一握りの英才を、全国から独占的に吸収するシステム。帝国大学は、そのシステムの頂点に君臨していたのである。

第六に、これが社会的に見て最も重要な点だが、帝国大学は高学歴人材の総合的な供給源であった。帝国大学を社会的に可視化していたのは、アカデミーとしての学術水準の高さや、その独占体制ではなく、何よりも卒業者に約束された社会的な威信や経済的な報酬、その象徴としての職業上の地位である。帝国大学は学歴エリート、「学歴貴族」の独占的な育成と供給の場であった。
これについてはさらに詳しく見ておくことにしよう。

一〇、「学歴貴族」の育成と供給

帝国大学と前身校の卒業者数

明治二四・二五年度の『帝国大学一覧』には、前身校を含む帝国大学の、明治二四年時点までの卒業生の総数と、その職業構成が掲載されている。それを整理したものが表3－4と表3－5である。教授集団の形成を中心にした教育・研究システムの構築を、インプットの側面とすれば、卒業者の数やその就業状況は、アウトプットの側面を表わしているといってよい。この二つの表をじっくり眺めていると、生成期の東京大学・帝国大学が「学歴貴族」の育成・供給面で果たしていた役割が浮かび上がってくる。

はじめに表3－4だが、各年度の卒業者数を、東京大学と帝国大学の発足時点を境に、三期に区分して示したものである。表の読み方について若干のコメントをつけておこう。

まず、数字には前身校の卒業者も含まれているから、「工科」欄の明治一八年までは東京大学ではなく工部大学校の、「農科」欄の二三年までは農科大学ではなく駒場農学校・東京農林学校の、卒業者数ということになる。なお司法省法学校からは明治九年に二五名、明治

表3－4　東京大学・帝国大学卒業者数（明治9―24年）

	法	医	工	理・工	文	理	農	計
明治9年	—	31	—	—	—	—	—	31
10	—	—	—	—	—	3	—	3
11	6	9	—	3	—	12	—	30
12	9	30	23	8	—	14	—	84
13	6	17	40	7	8	17	43	138
(小計)	21	87	63	18	8	46	43	286
14	9	39	39	9	6	8	—	110
15	8	32	35	9	4	11	20	119
16	8	27	35	11	10	11	5	107
17	6	13	21	6	13	5	—	64
18	10	17	18	5	6	10	32	98
(小計)	41	128	148	40	39	45	57	498
19	11	24	26		4	6	37	108
20	11	30	19		3	4	23	90
21	59	29	35		2	7	25	157
22	39	43	20		6	10	6	124
23	83	49	28		5	10	25	200
24	42	40	19		8	4	12	125
(小計)	245	215	147		28	41	128	804
(合計)	307	430	358	58	75	132	228	1588
(参考)	150	60	70		60	60		400

(『帝国大学一覧』明治24・25年度より作成)

注(1)　司法省法学校以外の前身校を含む。
(2)　「理・工」の欄は理学部の工学系学科（土木・機械・採鉱冶金・応用化学の卒業生数)。「理」の欄には、それを引いた理学系の卒業生数のみ。
(3)　「参考」欄は、明治19年度の入学定員。

表3－5　東京大学・帝国大学卒業者の職業別構成（明治9―24年）

	法	医	工	文	理	農	計
行政官僚	106	1	1	25	10	53	196
司法官僚	114	—	—	—	—	—	114
技術官僚	—	10	129	—	55	40	234
官庁医員	—	117	—	—	—	—	117
官庁薬剤員	—	10	—	—	—	—	10
官庁獣医	—	—	—	—	—	12	12
(官庁計)	220	138	130	25	65	105	683
学校教員	11	117	37	28	73	72	338
銀行会社員	8	—	—	—	—	1	9
会社技師	—	—	107	—	13	—	120
弁護士	18	—	—	—	—	—	18
私立病院医	—	6	—	—	—	—	6
開業医	—	113	—	—	—	—	113
自営業	1	—	21	—	3	4	29
(民間計)	27	119	128	—	16	5	295
大学院生等	3	6	3	5	12	—	29
海外留学	12	17	14	3	7	4	57
不明・無職	21	6	22	12	5	23	89
死亡	13	27	23	2	12	14	91
合計	307	430	357	75	190	223	1,582

（『帝国大学一覧』明治24・25年度より作成）

注(1)　卒業者数より8名少なくなっている。

　(2)　司法省法学校以外の前身校を含む。

一七年に三三名、計五八名の法律学士と四名の「成業《せいぎょう》学生」が送り出されているが、その数は（理由は明らかではないが）この表には含まれていない。

「理・工」欄は、東京大学理学部時代の工学系諸学科の卒業者数を取り出して示したものである。したがって「理科」欄にあるのは、理学系学科のみの卒業者数ということになる。

「医科」欄には、東京大学医学部時代の「製薬学士」三四名と、医科大学になってからの薬学士六名も含まれているから、医学士だけの数は三九〇名である。もうひとつ付け加えておけば、「文科」欄の明治一八年までの卒業者四七名のうち、「文学」プロパーと呼びうるのは和漢文学科の卒業者二名のみ、他はすべて「哲学政治学及理財学科」、つまり実質的には法科大学政治学科につながる学科の卒業者であったから、本来なら法科系の数字に加えるべきものだろう。

限られた卒業者数

さて、この表から何が読み取れるだろうか。

まず第一に、卒業者の数の変動である。明治九年から明治二四年まで、最初の数年を除いて、卒業者数は年間一〇〇名前後で推移してきた。例外的に多い明治二一年の一五七名と、二三年の二〇〇名は、前者は旧工部大学校と旧司法省法学校、後者は旧司法省法学校という統合校の学生がそれぞれ卒業年次に達したために生じた、一時的な増加である。旧「グランド・ゼコール」群と東京大学をあわせて、帝国大学と比べてみると、年間の人材供給量が意外なほど安定というより横ばいになり、低迷していたことがわかる。帝国大学発足時に設定された入学定員四〇〇名と比べてみれば、その低迷ぶりがよくわかる。

自省の官僚養成が目的だった「グランド・ゼコール」群は別として、それ以前の東京大学の入学者に定員制があったのか、どうかはわからない（なかった可能性が強い）。大学予備門の実情等を考えれば、あったとしてもそれが満たされることはなかったはずである。入学者の供給源である「尾ノ方」の学校系統の未発達が、低い学力水準という形で、卒業生増加の強い制約条件として働いていたことが推測される。

そうした状況は、帝国大学の発足後もすぐには変わらなかった。何よりも、入学者の直接の供給源である高等中学校自体、まだ卒業者、言い換えれば帝国大学への入学者を、安定的に送り出すに至っていなかった。すでに見たように、五校の高等中学校のすべてが本科卒業生を出すのは、明治二五年になってからである。それにしても、年間一〇〇名強という卒業者数は少ない。それが彼らを「学歴貴族」たらしめたのだが、同時にその少なさゆえに、帝国大学は高学歴人材の独占的な供給主体にはなりえなかったことも、あわせて指摘しておくべきだろう。

専攻分野別の動向

第二は、一六年間で約一六〇〇名の卒業者の専攻分野別である。多い順にあげると、医科（二七％）、工科（二三％）、法科（一九％）、農科（一四％）、理科（八％）、文科（五％）となっており、応用的・実用的な専門分野への偏りが著しいことがわかる。

個別に見ると、最も早く卒業生を出した医科系は、波はあるものの、ほぼ着実に卒業生の数を増やしているのに対して、工科系・理科系は、帝国大学以前の時期に比べ、帝国大学時代に入ってむしろ減少傾向を示している。文科系は先に指摘したように、東京大学文学部時代には、実質的にはわずか二名の、しかも和漢文学の卒業生を出しただけであった。文科大学になってからも一〇名を超えたことがないのだから、一貫して不振状態を続けていたことになる。教授集団の未整備もさることながら、学問的にも、また卒業者に開かれた雇用機会という点でも、まだ学生をひきつける魅力に欠けていたのである。

劇的に変化したのは法科系である。それまで一〇名を超えたことのない卒業生数が、法科大学になって三年目の二一年からは、（文学部の政治学理財学系と旧司法省法学校の学生を引き継いだとはいえ）四〇名前後に急増している。入学定員自体、帝国大学全体で四〇〇名のなかで一五〇名と、四割近くが配分されている。「国家の大学」、官僚養成のための大学という帝国大学設立の目的を、露骨に示した変化といってよいだろう。東京大学法学部の時代には、行政官僚への道はまだ確立されていなかった。それが法科大学の発足と同時に、高級官僚への無試験任用の大道が開かれた。若者たちはその社会的な上昇移動、立身出世の最高の道をめざし始めたのである。

その法科大学を含めて帝国大学の教育の重点が、基礎的なそれよりも応用的・実用的な学問分野に大きく傾いていたことは明らかである。法・医・工・文・理という、帝国大学の発足時に定められた分科大学の序列自体が、応用的な学問の優位を物語っている。応用的・実用的な学問といえば、ヨーロッパの大学からは締め出されていた工科大学が、はじめから帝国大学の編成の一画を占め、数年後にはこれにさらに農科大学が加わり、卒業生数の大きな部分を占めていたことも指摘しておくべきだろう。

時代と社会の帝国大学観

そのことともかかわって第三に、表のなかの数字には国家だけでなく、時代と社会の帝国大学観も、鮮やかに映し出されていると見てよい。

帝国大学に設定された定員と実際の入学者数のギャップに見られるように、この時期にはまだどの分科大学についても、進学希望者の数が大学の設定した入学定員を大きく下回っていた。帝国大学進学者の予備教育機関としての高等中学校本科は、一部（法科・文科）、二部（工科・理科）、三部（医科）の三部制をとっていたから、ドイツ語を第一外国語とする（一高だけに置かれていた）三部は別として、生徒たちは卒業時にどの分科大学を入学先として選ぶのかについて、それぞれ二つの選択肢を持っていたことになる。したがってどちらの分科大学を選択するかは、彼らが帝国大学での教育に何を期待していたかを表わす、重要な指標となる。

その選択の結果としての、各分科大学への実際の進学者数を見ると、法科と文科では法科大学に、工科と理科では工科大学に、大きく偏っていたことがわかる。明治二三年時点での、一高の本科二年生徒の志望別を見ると、法科七三人・文科一一人、工科三七人・理科一三人となっている。若者たちもまた基礎的な学問よりも、応用的で実用的な学問分野を志向していたのである。

「学問の府」としてのドイツの大学を範としたといいながら、帝国大学は、そこでは蔑視《べっし》されていた「パンのための学問」を志向する、その若者たちを入学させ、この時期最も高い社会的地位を与えられていた、官僚の世界へと送り出す役割を果たしていた。立身出世のための大学――それがこの時代の、そしてその後も長く社会に支配的な、帝国大学観に他ならなかった。

卒業者の就業状況

それを裏づけるデータとして第四に、就業状況を示した表3-5（二三一ページ）を見ることにしよう。

約一六〇〇名の卒業者のうち、官庁関係四三％、民間関係一九％、学校関係二一％、その他（留学・不明・死亡等）一七％というのがその構成である。「その他」を除いた一三一六名を母数に計算し直してみると、官庁関係五二％、民間関係二二％、学校関係二六％となり、学校関係のほとんどが官公立学校の教員であることからすれば、帝国大学と前身校の卒業者は圧倒的に、「官」セクターに吸収されていたことがわかる。

もちろん、その官僚養成機関としての帝国大学も、専門分野別に見ると、そこにかなりの違いがあることが見てとれる。「その他」を除いた就業者数を母数に、「官」「民」「学」の三セクター別を見てみよう。

まず法科系だが二五八名中、実に八五％が「官」セクターで行政・司法官僚になっている。当然といえばそれまでだが、法科系には「民」、つまり在野法曹としての弁護士の養成責任もある。わずか七％（一八名）という弁護士の数は、帝国大学がその役割をほとんど果たしていなかったことを意味している。

医科系の場合、三七四名の卒業者のうち「官」三七％、「民」三二％、「学」三一％という構成は、他の分野と異なり、バランスがとれているように見える。しかし「学」の大部分が、五校の高等中学校医学部と三校の公立医学校の教員であったこと、また医師の主流が開業医であることからすれば、ここでも「官」への偏りは大きいといわねばなるまい。

例外的なのは工科系である。二九五名の卒業生のうち、「官」（四四％）と「民」（四三％）

がほぼ同数、「民」のなかには自営業も含まれている。工部大学校が「工業士官」の養成機関から出発しながら、官営工場の払下げ政策や工部省自体の廃止により、卒業生の多くが「民」に流出ないし移動せざるを得なかったことも、あずかっていると見てよい。わが国でも工業化は早くから、「民」主導で進行し始めていたのである。工科大学時代になっても、そうした「民」志向に大きな変化はなかった。技術官僚の道を選ぶものの多くは、土木および鉱山関係の卒業者で占められていた。

卒業者数の少ない文科系・理科系の二分野も「官」の比率が、それぞれ四七%、四二%と高い。ただそのなかに、文科系では東京大学文学部の政治学・理財学関係の、理科系では同じく理学部の工学関係の卒業者が含まれていることは、先に指摘したとおりである。文科系・理科系で注目すべきはむしろ、それぞれ五三%、四七%を占める「学」セクターであろう。帝国大学は、高等中学校を含む高等教育機関の事実上唯一の供給源であり、中等諸学校の教員の需要も大きかった。にもかかわらず、この二つの専門分野の卒業者数が限られ、また、「学」以外の職業を選択するものが多かったことは、若者たちにとってそれがまだ魅力的な、確立された職業機会になりえていなかったことを物語っている。

最後に農科系である。前身校が農商務省の管轄下にあったことからも知られるように、ここでもまた、「官」セクター(五八%)の行政・技術官僚の養成が主流であった。「学」セクター(四〇%)が大きいことも目をひく。この時期、農学系の高等教育機関は札幌農学校を除いて存在しなかったから、大部分は中等段階の農学校の教員であったと見てよい。最大の産業部門とはいえ、地主と小農中心の農業部門には、「民」の人材需要がほとんどなかったことがわかる。

一、人材養成と帝国大学の役割

限られた役割

このように、人材の育成と配分において帝国大学は、前身校も含めて、文字どおり「国家ノ須要」に応ずる国家の大学・帝国の大学であったといってよい。

しかし、国家の大学であることに忠実であればあるほど、帝国大学は近代化・産業化過程で生じた総体的な人材需要については、応える能力にもまた意欲にも乏しい大学であらざるを得なかった。わずか一校だけの帝国大学では、近代化・産業化の開始とともに生じた、各種の専門職業人を中心とする高度人材の育成・供給は不可能であり、それが高等中学校の専門学部構想や、「低度大学」としての「高等学校」構想を生んだことは、すでに見てきたとおりである。

それだけでなく、唯一の総合高等教育機関とはいえ「国家ノ須要」重視の帝国大学は、学生の専攻分野にも、また卒業者の職業分野にも偏りがあり、高級行政官僚と高等教員、それに工業技術者以外の職業については、人材供給の独占体というにはほど遠かった。帝国大学はこの時期、社会・経済的な需要に対応するための専門人材の育成・供給面で、量的にも質的にもごく限られた役割を果たしていたに過ぎない。

この時期の人材養成の全体像をとらえ、そこでの帝国大学の地位を相対化する手がかりとして、もうひとつの表をあげておこう（天野、一九八九年、一九四ページ）。

表３－６は、帝国大学を含む文部省所管の専門高等教育機関が、明治一九年から三三年の間に送り出した卒業者を、専門分野別に見たものである。まだ専門学校の範囲が、法規上も統計上も確定していない時期の数字だから、いくつかの工夫がしてある。詳しくは、表の注記を見てほしいが、高等中学校・高等学校の大学予備課程は除いて専門学部の卒業者数を加え、また、帝国大学付設の専門学校レベルの課程を卒業したものの数も含めた数字になっている（高等師範学校の卒業者は加えていない）。

専門学校関係の法規が未整備であり、設置認可の基準も不明確だった時代の数字である。入学—卒業の要件も学校によってまちまちであったから、とくに私立専門学校の卒業者には、受けた専門教育の水準（年限や教育課程）からいって、質が高いとはいいがたいものも含まれている。また、卒業よりも国家試験に合格するほうが重要だった時代であり、卒業者のほかに多数の中途退学者が存在したことも、考慮に入れる必要がある。そうした専門学校の実態は次の章で見ることにするが、表に集約された卒業者の数と構成は、この時期の学習要求

表3－6　高等教育機関卒業者数（明治19—33年）

	帝国大学(1)	専門諸学校				合計	帝大比(%)	私立比(%)
		官立	公立	私立(6)	計			
明治19—23年								
文・芸	20	117(3)	—	69	186	206	9.7	33.5
法・政・経	203	360(4)	—	3,067	2,427	3,630	5.6	84.5
理・工・農	283(2)	264	—	44	308	591	47.9	7.5
医・歯・薬	175	745(5)	1,037	1,427	3,209	3,384	5.2	30.7
計	681	1,486	1,037	4,607	7,130	7,811	8.8	59.0
明治24—28年								
文・芸	74	145	—	357	502	576	12.9	62.0
法・政・経	352	427	—	5,624	6,051	6,403	5.5	87.9
理・工・農	363	680	—	267	947	1,310	27.7	20.4
医・歯・薬	146	1,062	531	1,432	3,025	3,171	4.6	45.2
計	935	2,314	531	7,680	10,525	11,460	8.2	67.1
明治29—33年								
文・芸	330	255	—	497	752	1,082	30.5	46.0
法・政・経	555	400	—	3,809	4,209	4,764	11.7	80.0
理・工・農	743	781	—	813	1,594	2,337	31.8	34.8
医・歯・薬	145	1,385	821	2,350	4,556	4,701	3.1	50.0
計	1,773	2,821	821	7,469	11,111	12,884	13.8	58.0
合計								
文・芸	424	517	—	923	1,440	1,864	22.8	49.6
法・政・経	1,110	1,187	—	12,500	13,687	14,797	7.5	83.4
理・工・農	1,389	1,725	—	1,124	2,849	4,238	32.8	26.6
医・歯・薬	466	3,192	2,389	5,209	10,790	11,256	4.2	46.3
計	3,389	6,621	2,389	19,756	28,766	32,155	10.6	61.5

（『文部省年報』および『日本帝国統計年鑑』より作成）

注(1)　学部学制のみ、外国人を除く。
(2)　東京農林学校本科卒を含む。
(3)　文科大学古典講習科卒88人を含む。
(4)　司法省邦語法律卒175人を含む。
(5)　医科大学別課医学・旧製薬学卒436人を含む。
(6)　「その他」を除く。

と人材需要の全体的な状況をとらえ、そのなかでの帝国大学の相対的な位置を見るために、十分に役に立つものといってよいだろう。

高学歴人材の多様な供給源

まず、指摘しておかなければならないのは、この時期の「高学歴人材」全体に占める帝国大学卒業者の占める比重の小ささである。三四〇〇人、一一%という数字は、彼らがその受けた教育の水準だけでなく、数の上での希少性のゆえに、まさに「学歴貴族」というべき存在であったことを示している。逆にいえば、帝国大学はそれゆえに、高学歴人材養成において、量的な主流ではありえなかった。帝国大学卒業者が大きな比重を占めたのは、「理・工・農」系（三三%）および「文・芸」系（二三%）の二分野だけであり、「法・政・経」系（八%）や「医・歯・薬」系（四%）では、一割にも満たなかった。量的に見ればこの時期すでに、高等教育の主流は専門学校にあったといってよい。

専門学校群のなかでは、官立の諸学校（高等〔中〕学校専門学部を含む）が、帝国大学の二倍に近い六六〇〇人（二一%）の卒業者を出している。「低度大学」化論が繰り返し提起されたゆえんである。ただこの時期、官立専門諸学校の卒業者数が帝国大学を上回っていたのは医学系だけである。「法・政・経」の社会科学系ではほぼ同数、「理・工・農」系、「文・芸」系でも一・二倍程度の卒業者を出しているに過ぎない。

帝国大学か高等（中）学校専門学部か、それとも実業専門学校か、という政策的な選択が未決着だった時代の現実が、こうした数字にも表われている。公立専門学校も医学系の二四〇〇人だけで、その全体に占める比率も七％程度に過ぎない。

全体の六二％と卒業者の多数を占めたのは、全体で約二万人、帝国大学の六倍に近い私立専門学校の卒業者である。その数はとりわけ「法・政・経」系に多く、この分野の八割強、また私立専門学校卒業者全体の三分の二近くを占めていた。「質」はともかく、この時期の学習需要の「量」の面での受け皿となり、卒業者の多数を出していたのは私立専門学校、なかんずく「法・政・経」系の私学であったことがわかる。やがて「帝国」のつかない「大学」誕生の主要な母体となったのもまた、これら社会科学系の私学であった。

文部大臣としての森と井上は、財政的な負担という点からも、また教育・研究人材の不足という点からも、その数や規模を拡大することとの困難な帝国大学に代えて、高等中学校の専門学部や「高等学校」という形で「準大学」的な官立の専門教育機関を増設し、それによって、近代化・産業化の人材需要に応えようとしたが、その試みはいずれも失敗に終わった。その一方で社会的な要請や、それに応えようとする啓蒙主義的な情熱に基づいて、彼らの目から見れば「低度」の多様な私立高等教育機関が出現し、それが人材養成面で無視することのできない役割を果たし始めていた。

曖昧に「専門学校」と呼ばれた多様な、というより雑多な、それら帝国大学と高等中学校群・高等学校以外の高等教育機関を、システムのなかにどう位置づけていくのか。それが井上文政期以後の高等教育にとって最重要の政策課題になっていくのだが、章を改めて、その専門学校群の実態を見ることにしよう。

第四章　専門学校群像

一、不振の高等学校専門学部

多様な高等教育需要

前章で見たように、帝国大学は学術の世界の独占体ではあっても、人材養成や教育機会の独占体ではなかった。近代化・産業化の開始とともに急速に膨らんだ近代西欧の学術技芸に対する学習要求、さらには専門人材の育成要求に対応するには、一校だけの帝国大学は小規模にすぎ、また学術志向・国家志向の強い、きわめて高コストの教育機関だったからである。帝国大学は西欧近代の学術に対する学習要求にも、近代化・産業化の進展とともに急速に肥大していく「民」の人材需要にも、十分に応えることができなかった。そしてそれは準大学

(「低度大学」)的な役割を期待された、高等(中)学校専門学部の場合にもほぼ同様であった。たとえば、開業医、弁護士、企業経営者、銀行・会社員、中等教員などの専門人材の養成、さらには社会の中・上層を占める人たちの求める新しい、近代西欧的な教養の形成は、帝国大学や高等(中)学校の教育目的の外にあったといってよい。それらの役割を担っていたのが、便宜的に「専門学校」という名称に括られた雑多な、国家の意図とかかわりなく(私立・公立)、あるいは帝国大学に比べて国家の手厚い庇護なしに(官立)、成立し発展を遂げてきた学校群であったことは、これまでの諸章で見てきたとおりである。

その専門学校群は、制度上の位置づけについてさまざまな問題をはらみながらも、日清戦争後の本格的な産業化の開始を契機に大きく成長し始め、それを基盤に明治三六(一九〇三)年の「専門学校令」の公布に向けた政策の流れが形作られていく。帝国大学をはるかに上回る数の若者たちに学習の場を提供し、質にばらつきがあるとはいえ多数の高学歴人材を社会に送り出した、それら発展途上の専門諸学校の現実はどのようなものであったのか、多様性をはらんだ専門学校群像を、官立セクターから見ていくことにしよう(表4-1)。

高等学校医学部の成功

まず、制度上は専門学校と対抗的な位置にあり、専門教育機関として井上毅文相が多大の期待をかけた高等学校専門学部の、その後についてふれておこう。

表４－１　官立専門高等教育機関一覧（明治34年現在）

	創設年	変遷
高等学校医学部（５学部）	明治19年	県立医学校を継承。34年分離独立。千葉・仙台・岡山・金沢・長崎の各医学専門学校。
法学部（三高）	明治23年	29年募集中止。32年廃止。
工学部（三高）	明治27年	29年募集中止。33年廃止。
工学部（五高）	明治30年	39年分離独立。熊本高等工業学校。
東京工業学校	明治14年	東京職工学校。19年帝国大学付属。20年独立。23年東京工業学校。34年東京高等工業学校。
大阪工業学校	明治29年	34年大阪高等工業学校。
高等商業学校	明治８年	商法講習所（東京府）。17年東京商業学校（農商務省）。18年文部省移管。東京外国語学校・同付属高等商業学校と合併。20年高等商業学校。35年東京高等商業学校。
東京外国語学校	明治30年	高等商業学校付属外国語学校。32年独立。
札幌農学校	明治９年	明治15年開拓使から農商務省に移管。19年北海道庁所管。28年文部省移管。
農科大学実科	明治19年	駒場農学校（農商務省）別科。東京山林学校と合併し東京農林学校速成科。23年東京農林学校乙科。23年文部省移管。帝国大学農科大学乙科。31年農科大学実科。
東京音楽学校	明治20年	（明治12年音楽取調掛）。26年高等師範学校付属。32年独立。
東京美術学校	明治22年	（明治18年図画取調掛）
高等師範学校	明治５年	師範学校。６年東京師範学校。19年高等師範学校。
女子高等師範学校	明治７年	東京女子師範学校。18年東京師範学校女子部。23年分離独立。

すでに見たとおり森文政期から井上文政期まで、準大学的な専門教育機関として大きな期待をかけられてきた高等学校専門学部であったが、順調な成長を遂げたのは五校のすべてに置かれた医学部だけであった。

これらの医学部は、もともと地域医療との強い結びつきのもとに設立された県立医学校を継承して、発足したものである。それら医学校はいずれも明治一五年の「医学校通則」に定められた、教員三人以上が医学士という要件を早期に満たした「甲種医学校」であり、卒業者には無試験で開業免許が付与されていた。その教育水準は高く、東京大学医学部との結びつきも強かった。高等中学校医学部になってからも、こうした性格は基本的に維持され、発足当初こそは入学定員を満たすことができなかったものの、着実な発展を遂げ始めたことは、明治一九年から三三年の一五年間に三二〇〇人という、帝国大学医科大学の四七〇人の七倍近い卒業生（前章、表3-6）を出したことからもわかる。

ドイツ語による教育を重視した医科大学に対して、外国語は第一学年に週三時間の英語だけ、解剖学等の基礎教科の比重も減らして、臨床実習に授業時間の四割強をあてるという実践重視の医育の目的は、何よりも開業医（と軍医）の育成にあった。第二高等学校医学部（仙台）の、明治二四年から二八年の卒業者一一三人を例にとれば、明治三三年時点で開業医六八人、軍医二二人、病院医一六人となっている（『第二高等学校一覧』明治三三年度）。高等学校医学部が、地域に根をおろした専門教育機関になっていたことがわかる。

法学部の挫折

これに対して、高等学校の法学部・工学部は振るわなかった。

明治二三年に第三高等中学校に置かれた法学部については、明治二四年末、「法律学志願者ハ、多クハ東京ニ集リ、該法学部ノ生徒定員百五十人ナルモ、実員ハ未タ、其三分一ニモ足ラサルナリ」（内田、二三四ページ）という報告がなされており、実際に明治二七年になっても、実人員は四七人にとどまっていた。同じ明治二七年、新しい高等学校制度のいわば目玉として第三高等学校に設置された工学部、また明治三〇年に増設された第五高等学校工学部も、十分な数の入学者を集められないという点では同様であった。

最大の理由は、その中途半端な性格にあったと見てよい。東京大学法学部に置かれた別課法学科の後身ともいうべき三高法学部は、官立でありながら、帝国大学法科大学卒業者と違って高級官僚への任用や、判事の任用、弁護士資格の取得などにかかわる無試験特権にあずかることはなく、特別認可を受けた私立法律学校の卒業者と扱いは実質的に同じであった。無試験の道を選ぶのなら、同じ高等学校でも大学予科に入り法科大学をめざすほうがよい、国家試験を受けるのであれば首都東京に集中し、お互いにしのぎを削って競争している私立法律学校のほうが有利だ、という判断が働いたとしても不思議はない状況に置かれていたのである。

工学部の不振

工学部の場合には、実業系の東京工業学校がすでにあり、またあとで見るように明治二九年には、大阪に第二の工業学校まで新設されていたから、その位置づけはさらに複雑であった。日清戦争を経て工業化が本格的に進行し始めるとともに、工業技術者に対する需要は急増しつつあり、雇用機会に問題があったわけではない。問題はそこでの教育の目的・内容にあった。

三高工学部は、京都帝国大学の創設を理由に、設置から二年後にはすでに入学者の新規募集を停止している。その身代わり的に、明治三〇年に新設された五高工学部（現・熊本大学工学部）は明治三四年、文部省にあてて分離独立を求める具申書を提出している。当事者の認識によれば「工学部ハ、一ノ簡易ナル工科大学ノ如キモノ」であり、その「程度ハ、我ガ帝国大学工科大学ト、高等工業学校トノ中間ニ位置シ、生徒教養ノ方針ヨリイヘバ、寧《むし》ロ工科大学ノ方ニ近」かった（『熊本高等工業学校沿革史』九一ページ）。置かれていたのが工科大学と同一名称の、土木と機械の「工学科」だったことは、それを裏書きするものといってよい。

実践よりも学理を重んずるという点では工科大学に近いが、工科大学より一段低い学校である。といって、実践重視に徹した高等工業学校ではない。しかも、高等学校工学部は一校だけで、設置学科も土木と機械のみ。「学生社会ニ知ラレ」ておらず、熊本という立地は「実地ノ研修ニ重キヲ置ク、工学ノ専門学校ニハ、修学上不便」が少なくない。このままでは、発展の余地がないというのである。井上の「高等学校」構想がはらんでいた問題性を、端的に表明した一文といってよい。技術者をめざすのであれば、工科大学か東京工業学校のいずれかを選ぶほうが、はるかに筋が通っていたのである。

高等学校専門学部については明治三〇年当時、さらに二高に農学部、四高に工学部、五高に法学部を、それぞれ新設する構想もあったことが知られている（『教育時論』明治三〇年九月一五日号）。財政的な理由から実現されなかったが、それが計画どおりになっていれば、専門学部の仲間が増え「低度大学」化構想も進展して、事態の変化が期待できたという見方もできるかも知れない。しかし、一方で第三高等学校の専門学部を廃止して京都帝国大学が創設され、またこれから見るように実業系の専門学校の拡充・増設の動きが始まるなかで、井上の「高等学校」構想は、明治三〇年代初めの時点ですでに実質的に破綻していたと見るべきだろう。

二、工業化と技術者需要

大阪工業学校の新設

明治二四年には廃止論まで出たものの、なんとか成長の軌道に乗り始めた東京音楽学校、それに明治二八年には帝国議会で拡張案まで決議された東京美術学校の特殊な専門学校二校は別として、官立の実業系専門学校、とくに工業系の学校は、日清戦争後の工業化の進展がもたらした技術者需要の増大を追い風に、急成長を遂げ始めていた。

明治二八年の帝国議会には、東京工業学校の拡張建議案が提出されているが、その理由説明のなかで、高田早苗議員は「卒業後ノ結果ハ、ドウデアルカト云フト、イロイロニナッテ居リマスケレドモ、今日遊ンデ居ルモノト云フノハ、殆ンドナク（中略）今日ノ如キ卒業生ノ数デハ、各工場ヨリシテノ需要ニ応ジ切レナイ」とその理由を説明している（『帝国議会教育議事総覧』I、一六四ページ）。また同時期に、大阪に新たな工業学校の設置を求める建議案が出され、これも可決されている。

大阪市はこれより先の明治二五年に、設置費用一〇万円の半額負担を条件に工業学校の設置を文部省に求め、二七年には実際に予算まで組まれていたが、財政難を理由に帝国議会で否決され、前記の建議を経て二九年になってようやく設置が実現することになった。大阪工業学校（現・大阪大学工学部）の学科ははじめ、東京工業学校と同じく機械工芸と化学工芸の二科であったが、明治三〇年に科を部に改編した際、化学工芸部を応用化学・染色・窯業・醸造・冶金の五科編成とし、また明治三二年には船体・機関の二科を持つ造船部を開設するなど、伝統産業や地場産業に配慮した実践的な技術者養成をめざした。

こうした高等学校工学部とは異なる実用性重視の教育課程の編成は東京工業学校の場合も同様であり、同校の明治三三年時点での開設学科（カッコ内は分科）は、染織（染色・機《き》織《しょく》）・窯業・応用化学・機械・電気（電気機械・電気化学）・工業図案の六科となっている。土木・機械工学中心の高等学校工学部とも、また工科大学とも異なる、学理よりも実用重視の教育目的を見ることができる。

技術者需要の高まり

日清戦争を機に、工業技術者に対する社会的需要がいかに急激に高まったかは、明治二七年度の『文部省年報』中の東京工業学校に関する記述に端的に見ることができる。

それによれば「卒業生ハ大ニ需要ヲ増シ、大抵皆、直《すぐ》ニ就職シタルノミナラス、前年以前ノ卒業生ニシテ未就職ノ者ハ、本年ニ在リテ工業ノ諸会社ニ紹介、就職セシメタル者少ナカラスト雖《いえども》、尚之《なおこれ》カ不足ヲ告ケ、在学生徒ノ卒業ヲ待チテ、採用センコトヲ照会シ来ル者、往々之レアリ。是《こ》レ蓋《けだし》、我邦諸工芸ノ程度、漸次《ぜんじ》昂進シ、学理ト実地トヲ兼修シタル技術者ノ、必要ナル時機ニ際会シタル結果ニ、外ナラサルヘシ」。次の年には、さらに「本年ノ如キハ、在学生徒ノ未タ卒業セサルニ、先ニ予《あらかじ》メ其採用方ヲ約スルモノ、現ニ三分ノ二以上ニ達シ、機械科生ノ如《ごとき》ハ、一人モ就職ノ予約ナキ者ナキニ至レリ」という好況ぶりだった。

こうした好況は、卒業者の社会的地位の上昇をもたらした。それは、東京工業学校の教育目的の度重なる変更に映し出されている（『東京工業大学六十年史』二一〇―二二二ページ）。すなわち明治二一年の東京職工学校時代には、「将来工芸教員、又ハ工芸技師、職工場長タルヘキ者ニ須要タル、諸般ノ工芸ヲ教授ス」とあったものが、二年後、東京工業学校に改称した際には、「工芸技師云々《うんぬん》の文字ありしを以《もっ》て、生徒中、徒《いたずら》に志望を高遠に馳《は》せ、目前の実技を、忽諸《こっしょ》に附するが如き弊」があるというので、「職工長、又ハ工業教員タルヘキ者ヲ養成」することに改め、さらに六年後の明治二九年には再び、卒業生の大部分が職工長どころか、「諸官衙《かんが》、若《も》しくは官私諸工場等の技術者たる者きはめて多く、実際名実相副《あいそな》はざる」の嫌いがあるというので、「工業ニ従事スヘキ者ノタメニ、必要ナル学科ヲ教授スル所」と校則を改めている。

こうした工業技術者の社会的な地位の上昇は、生徒募集の面にも反映される。日清戦争前までは尋常中学校卒業者の入学は少なく、またせっかく入学してきても「実習を嫌ひ、勤労を厭《いと》ふの弊」があるので、各県に入学試験を依頼して「地方工業者の子弟」の入学を勧誘する努力をするとか、尋常中学校の優秀な卒業者を無試験で入学させるとか、数はともかく質の上での生徒集めに苦労が絶えなかった。それが戦後は一転して、中学校卒業の志願者が多数を占めるようになり、校則を再度改めた明治二九年には、中学校卒業を入学資格とすることを明記するところまできた。黙っていても、正規の中学卒業者が大量に押しかける時代がやってきたのである。

校名が東京「高等」工業学校に代わるのは、明治三四年のことだが、こうした中等教育との接続関係の確立は、それ以前にすでにこの学校が「専門学校」として、つまり高等教育機関として十分な実質を獲得していたことを物語っている。

東京工業学校が、工科大学や高等学校工学部以上に、民間企業への人材供給源であったことはあらためて言うまでもあるまい。それまで、ほぼ官公庁と民間企業が同数だった同校卒業者の雇用機会は、日清戦争を機に大きく「民」セクターに傾き、明治三三年までの同校の卒業者八一二人の就職状況を見ても、民間企業五五％、官公庁二三％、学校一三％等となっており、東京工業学校が伝統産業を含む民間主導の産業化の要請に、また実践的な技術者の需要に、積極的に対応しつつあったことを教えている（『東京工業学校一覧』明治三三年度）。

三、高等商業と「民」の需要

準大学的な高等商業

産業化の進展とともに発展の軌道に乗り始めたのは、商業系の専門学校である（東京）高等商業学校も同様であった。

工学分野と違って、帝国大学にも高等学校専門学部にも競合する学科や学部を持たない、商学分野の唯一の専門教育機関として、文部省は農商務省から移管されたあとの同校について、「商業社会ノ進歩」に応じ、また各地に設置され始めた中等段階の商業学校の「模範」たらしめるべく（『文部省年報』明治二〇年度）、その整備に力を注ぎ始めた。

明治二〇年には「高等」商業の名称にふさわしく、予科一年・本科四年の五年制とし、翌年には「毎年優等ノ卒業生一名ヲ、官費留学生トシテ、海外ニ発遣スルコト」を定めて教員の養成に着手し、二二年には予科の下に一年制の補充科を置いて生徒の学力向上をはかり、二四年には予科二年・本科三年に改めると同時に、予科の入学資格を尋常中学校卒業以上とした。

明治二六年になると、予科は一年に短縮されたが、教育目的を「内外商業ニ関スル、高等ノ教育ヲ施シ、将来公私ノ商務及会計ヲ処理スヘキ者、並ニ商業学校ノ主幹、又ハ教員タルヘキ者等ヲ養成スル所」と改め、明治二九年には本科卒業者を入れる「研究科」の開設を認め、翌年にはそれを「専攻部」と改称して、「本科ノ課程ヲ修了シタル後、尚商業各般ノ専門ニ関シ、之ヲ攻究セントスル者、及領事ノ職務ニ従事セントスル者」を教育することを目的に定めた（『文部省年報』明治三一年度）。その専攻部の年限は明治三二年に二年に延長され、明治三四年には二年制の専攻部卒業者に「商業学士」の称号が認められている。

このように、短期間に展開されためまぐるしいばかりの制度改革をあとづけると、文部省がこの唯一の高等商業教育機関のレベルアップのために、いかに積極策をとったかがわかる。とくに留学生の定期的な派遣と専攻部の開設は、他の専門教育機関には見られぬ高等商業学校だけの特徴である。商業学士の称号授与とあわせて、この学校が帝国大学に準ずる、芳川文政期や井上文政期に見られた、他の専門学校よりも一段高い「高等専門学校」構想に、最も近い位置づけを得ていたことが知られる。

学歴以前の就職状況

その高等商業学校の明治二三年度の『一覧』には、同校出身者の就職状況について、次のような一文が載っている。「本校創立以来、今日ニ至ル迄《まで》、籍ヲ本校ニ掲ケタルモノハ、実ニ二千有余名、蓋《けだ》シ皆其学フ所ヲ以テ、各応分ノ業務ニ従事シツツアルナルベシト雖モ、現ニ本校ニ通知ヲ得タルモノハ、僅《わず》カニ三百七十九名ニ過キス」。さらにいえば、同校が初めて卒業式を執り行なったのは明治二二年のことであり、創設以来の正規の卒業者として卒業証書を授与されたものは、わずかに一一八名に過ぎなかった。

このことは、この時期に必要とされていたのは欧米諸国の商業実務に関する知識と技術、すなわち「商法」であり、就職の際に卒業証書、つまり「学歴」が重要性を持つ時代はまだ始まっていなかったことを示唆している。経済学・法学など他の社会科学系の私立専門学校の場合も同様だが、国家試験と関係のない職業分野では、卒業・学歴という制度が社会的に定着するに至っていなかったことがわかる。

その卒業者・中退者を取り混ぜた、就職先のわかっている三七九名についてみれば、「商工業会社商店および銀行」六一％、諸官庁二〇％、学校一一％というのが、その内訳であった。創設以来の卒業者だけを対象にした明治三二年現在の就職状況を見ると、自営を含む民間企業就業者の比率が八〇％とさらに高くなっており、同校がこの時期の「官立」学校としては例外的に、「民」セクターへの人材供給の役割を担う学校であったことが知られる。

私立商法講習所としての発足と、その後の変遷ともかかわって、同校には財界の支持・支援を象徴する独自の「商議委員」制度が設けられており、明治二三年度について見れば、渋沢栄一（第一国立銀行頭取）、富田鉄之助（前日本銀行総裁）、益田孝《ますだたかし》（三井物産会社社長）の三名がその職についていた。やがて帝国大学との関係で発揮されることになる高等商業学校の「野党」的な性格は、そうした「官立」にして「民」のための学校という、その制度上の特異な位置づけと無関係ではないだろう。

四、農業系の人材養成

札幌農学校の苦難

特異な位置づけといえば、明治二七年までは文部省の所管外にあった札幌農学校の場合も同様である。明治一五年、開拓使が廃止されたあとの同校がたどったのは、廃校の危機をはらんだ苦難の道であった。開拓使の廃止後の所管の変遷は、一五年農商務省、一六年同省北海道事業管理局、一九年新設の北海道庁、そして二七年文部省への移管決定、二八年移管となるのだが、その間、この一校だけ残された日本型グランド・ゼコールは、激しい浮沈を経験せざるを得なかった。

『北海道帝国大学沿革史』によって年表風に経過を追えば、明治一五年には開拓使廃止による前途の不安から入学者はゼロ、一六年は募集中止。一九年には新設の北海道庁所管となったが、その際最初の存廃問題が起こっている。ただこの時は欧米留学から帰った、第一期卒業生で初めて教授に就任した佐藤昌介《しょうすけ》らの努力により存続が決まっただけでなく、アメリカのランドグラント・カレッジ（国有地交付大学）にならって農学科のほかに工学科を開設し、また基本財産として大面積の土地の交付を受けるなど、いったんは隆盛に向かうかに見えた。

ところが森文政期の明治二一年になると、唯一残った日本型グランド・ゼコールである札幌農学校の位置づけが、再び問題にされた。存続の必要性を訴える佐藤の「意見書」提出などがあって命がつながり、明治二二年には、一九年以来認められていなかった卒業者に対する学士称号の授与が復活し、受験者も増え始める。ところが明治二六年、今度は帝国議会開設後の財政整理のあおりを受けて、「北海道庁の経費に一大斧鉞《ふえつ》を加へんとし、随《したが》つて本校の運命亦、頗《すこぶ》る危ぶまれ」る事態になった。この時もなんとか難を逃れ、明治二七年になってようやく文部省の直轄学校となることが決まったものの、帝国議会が解散されたため移管が一年遅れるという一幕もあった。

これで財政難の問題からひとまず免れることができたわけだが、明治二九年には工学科と尋常中学校相当の五年制の予科は廃止され、尋常中学校卒業者を入れる四年制の農学科だけが残されることになった。その後、明治三一年になって二年制の予科の復活が認められ、予科を含む教育年限からいっても高等商業学校と同等の、大学に準ずる「高等専門学校」としての地位が確定した。ただ明治三一年ごろには、学士称号の授与権剝奪《はくだつ》の動きもあったらしく、『沿革史』にはそれに対する反対の意見書が収録されている。

いずれにせよ札幌農学校は農学という、官僚や学校教員以外には就職先に乏しい専門分野としての特性に加えて、北海道という立地の悪さも手伝って、明治三〇年代初めになっても卒業者数は年間わずかに一〇名前後、第一回の卒業生を出した明治一三年から三二年までの二〇年間の総数二五〇名という、きわめて非効率な学校経営を続けていた。度重なる存廃の危機は、そのことと無縁ではなかったといってよい。

農科大学の実科

農業関係の専門教育についてはこのほかに、帝国大学農科大学に付設されていた「実科」の存在にふれておかなくてはならない。

尋常中学校卒業程度という入学資格から知られるように、この「専門学校」レベルの教育課程の前身は、駒場農学校時代の明治一五年に獣医の速成をめざして開設された、年限三年の獣医学別科にさかのぼる。明治一九年には同趣旨の農学別科も開設された。さらに明治一九年、東京山林学校にも速成科が置かれ、同校と駒場農学校とが合併して東京農林学校が発足したあとも、これら農学・獣医学・林学の速成教育課程は、速成科・簡易科と名称を変えながら継承されていった。東京農林学校時代（明治一九～二二年）の卒業者数を見ると、これら速成科は八四名で、本科の六七名を上回っていたことが知られる（『東京大学百年史』通史一、七七七ページ）。それ以前の時期には、速成科は数の上でさらに優位にあったことがわかっている。

この簡易速成の課程は農科大学発足後、「実業家養成を目的」とする「乙科」として存続するが、明治三一年いったん廃止され、新たに「実科」として発足することになった。その狙いは「従来の乙科よりも高度の教育を施し、官庁、公共団体等の需要を充たそうとする意図に出たもの」とされているが、その背景には尋常中学校との接続関係の確立、実習中心の教育に対する不満、卒業者に対する社会的要請の変化といった、他の実業専門学校にも共通した時代状況の変化があった。

「正科卒業生は明治三〇年代末になって急速に増加するが、それ以前は実科卒業生が圧倒的に多く、たとえば明治四〇年以前について比較しても、総数で正科卒業生の二・三倍に達して」おり、その多くが「諸学校、大小林区署、官庁、あるいは地方庁等に就職」したとされている（『東京大学百年史』通史二、一四〇―一四一ページ）。

その「実科」が、なぜその後も長く分離独立することがなかったのか、また明治三五年の盛岡高等農林学校まで、なぜ単独の農業系実業専門学校が設立されなかったのかは明らかではない。ちなみに農科大学実科が、大正九（一九二〇）年から始まる同窓生たちの粘り強い運動の結果、東京高等農林学校（現・東京農工大学）として分離独立したのは、昭和七（一九三二）年になってからであった。

五、中等教員と高等師範

制度的には「専門学校」とは別系統になっていたが、「教育系の専門学校」というべき高等師範学校についても、ここで見ておこう。

大学をはじめとする高等教育機関の主要な機能のひとつは、いつの時代にも中等学校の教員養成にある。尋常中学校・高等女学校・実業学校、それに師範学校に分かれたこれら多様な学校の教員養成需要にどう対応していくのか。音楽・美術という特殊教科については東京音楽学校・東京美術学校が設置され、工・農・商の実業教育については東京工業学校・東京高等商業学校・農科大学実科等の実業専門学校が、中等教員養成の役割を期待されて設立されたことは、これまで見てきたとおりである。高等師範学校自体、明治一九年の師範学校令の第一〇条に「卒業生ハ、尋常師範学校長及教員ニ任スヘキモノトス、但時宜ニ依リ、各種ノ学校長及教員ニ任スルコトヲ得」とあるように、何よりも師範学校の教員養成を主目的に設置された学校であった。

問題は、多数を占める中学校・高等女学校の普通教科の教員養成である。その役割を期待されたのは、制度的には大学であったが、唯一の大学である帝国大学の文科大学・理科大学が小規模であっただけでなく、高等学校からの進学者に人気があったとは言いがたく、中等教育の発展とともに年々増大していく教員需要をまかなうだけの卒業生を出すに至らなかったことも、すでに見たとおりである。その結果、高等師範学校は、第一〇条の但し書きの部分についても、その役割を果たさなければならなかった。明治三〇年に改正された師範教育令で、「高等師範学校ハ、師範学校、尋常中学校、及高等女学校ノ教員タルヘキ者ヲ、養成スル所トス」と、目的規定に中学校と高等女学校が加えられたのは、そうした実態を踏まえてのことであろう。

帝国大学との関係では、明治二〇年代の初めに高等師範学校の帝国大学への統合案があり、その後も高等師範学校の廃止案が取りざたされたことがある（船寄、一九九八年）。しかし、中等教員養成の主導権が帝国大学に移ることはなく、高等師範学校は着実に「教育」専門学校としての地歩を築いていった。

明治二三年に女子部を女子高等師範学校として分離独立させたあと、明治二六年から三二年の間は東京音楽学校が、同校の付属になっていた。教育課程の編成はたびたび変更されたが、基本は文科・理科制をとり、文系では国語、漢文、理系では数学、物理、化学、それに動物学、植物学の教員養成にあたり、これに地理、歴史、英語、手工、農業などが加えられた。明治三三年には「高等師範学校規程」の改正によって、予科一年・本科三年・研究科一年という、高等商業学校や札幌農学校のような「高等」専門学校と同様の編成に変わり、文科・理科制も廃止されて、第一（国語漢文）・第二（地理歴史）・第三（数学物理化学）・第四（博物学農学）という四学部編成となり、組織的にほぼ安定するに至った。

このように、中等教員養成の主流となった高等師範学校だが、その卒業生数は意外なほど少なかった。東京師範学校中学師範学科時代（明治一二～二二年）の一一年間の一七二名はともかく、高等師範学校時代（明治二三～三三年）になっても二九〇名、つまり年間三〇名たらずという卒業生数は、帝国大学の同時期（明治二三～三三年）の五一七名（文科大学三三二名、理科大学一八五名）にも、はるかに及ばなかった。

もちろん文科・理科両大学の卒業者には、大学・高等学校教員その他、教育エリートとしてのキャリアが大きく開かれていたから、多数が中等教員になったわけではない。しかし、中等・高等教員の市場が確立し発展し始めるとともに次第に増え始めた、とくに文科大学の入学・卒業生数は、（あとで見る私立専門学校の発展とあいまって）中等教員の専門養成機関としての高等師範学校の正統性を脅かすに十分なものがあったといってよい（なお、女子高等師範学校の場合にも卒業生数は一向に増えず、本科卒業生数は年間二〇名にも満たなかった）。

その高等師範学校には明治二七年、差し迫った教員需要に対応するため「専修科」の制度が設けられ、二八年以降、不足の著しい教科の教員養成を本来の教育課程とは別に、短期集中的に行なうようになった。その修了者数のほうが本科卒業生数をはるかに上回っており、明治二九～三三年の五年間だけで二二二名に達している。明治二八年（国語漢文、英語）、二九年（地理歴史）、三〇年（国語漢文、数学、英語、国語、漢文）、三二年（手工、体操、物理学化学、動物学植物学、農学地学）、三三年（国語漢文、英語、数学）という、それぞれ、入学者が卒業するまでの時限つきで開設された専修科の学科名を見ていくと、この時期の不足する中等教員の実情がうかがわれる（『創立六十年』四九ページ）。

不足の実情はこの時期、中等諸学校が抱えていた多数の「無資格教員」の存在に端的に示されており、その比率は明治三三年の時点で、師範学校二一％、尋常中学校四三％、高等女学校六〇％に及んでいた。こうした実情が一方では私立専門学校の、他方では文部省による検定試験制度（「文検」）の発展を促すことになるのだが、それはあとに譲ることにしよう。

六、医・歯・薬系の専門学校

公私立専門学校の全体像

さて、公私立専門学校である。

官立専門学校群の卒業者数が、総計で約六六〇〇名と、帝国大学卒業者数約三四〇〇名の二倍にのぼることは、前章の表3－6で見たとおりだが（高等師範学校を除く。明治一九～三三年）、これら官立セクターの外側にはさらに、質の面はともかく数の上で二万名に近い卒業者を出し、より大きな人材養成機能を担う公私立の、とくに私立の専門学校の世界が広がっており、しかもそのおよそ三分の二（六三％）を、法・政・経系の卒業者が占めていた。わが国の私立セクターは、これら社会科学系の私立専門学校・大学に先導される形で発展を遂げていくのだが、その成長・発展の過程を見る前に、ようやくその輪郭が明らかになり始めた公私立セクターの全体像を、数量的にとらえておこう。

公私立専門学校数の推移は、第二章の表2－3で見たとおりである。具体的な校名については、専門学校令施行直前の明治三五年度の『文部省年報』巻末に掲げられている「専門学校一覧」を整理して表4－2に示しておいた。

第二章でも見たように、明治三六年の専門学校令公布以前は、専門学校に関する法的規定がなかったこともあって、専門学校のラベルで括られた諸学校の範囲はたびたび変更されている。とくに重要な変更は、「各種学校」の一部が「専門学校」のカテゴリーに移された明治二七〜二八年度と、専門学校令の公布により専門学校の制度上の位置が確定した明治三五〜三六年度の二時点で生じた。前者では学校数が急増し、後者では急減しており、泡沫的な学校も少なくなかったことを教えている。それを考慮しながら学校数の推移を見ていくと、この時期の専門学校の「真実」の一端が明らかになってくる。

医学系の専門学校

「専門学校令」公布以前の専門学校のなかで、学校数で多数を占め、その数も安定的に推移していたのは法・政・経系と、医・歯・薬系の諸学校である。法・政・経系についてはあとで詳しくふれることとして、まず医・歯・薬系から見ていくことにしよう。

○東京慈恵医院医学校	東京	医学	4	210	7,915	
済生学舎	〃	医学	4	620	21,327	
京都医学校	京都	医学	3	23	543	
大阪慈恵病院医学校	大阪	医学	3	141	1,106	
関西医学院	〃	医学	3	156	3,441	
○熊本医学校	熊本	医学	3	356	7,106	
東京歯科医学院	東京	歯科医学	2	92	2,504	
愛知歯科医学校	愛知	歯科医学	2.5	11	220	
東京薬学校	東京	薬学	2	348	6,715	
大阪薬学校	大阪	薬学	3	170	4,209	
愛知薬学校	愛知	薬学	2.5	103	1,478	
京都薬学校	京都	薬学	2	82	1,639	

（『文部省第三十年報』明治35年。巻末の「公私立専門学校一覧」より作成。徴兵令による認定年度は『法令全書』による）
○印は明治36—37年度中に専門学校令による認可を受けたもの。

医・歯・薬系のうち、医学系では京都・大阪・愛知の府県立医学校三校が、官立五校に準ずる数の卒業者を送り出していた。高等中学校医学部が発足したころは、「前代の遺物」視され、「一種の変態学校」扱いされた三校だが（『佐多愛彦先生伝』一九〇ページ）、その後も中央集権的な国家体制のもと、厳しい地方財政の状況から、病院収入でなんとか経費をまかなう経営状態が続き、順調な発展を約束されていたわけではなかった。

財政難だけではない。明治二〇年代の末、京都帝国大学の創設が決まった際には、大阪あるいは京都の「既設の府立学校の移管」を基礎に、医科大学を創設する構想が浮上している。移管は免れたものの京都府立医学校（現・京都府立医科大学）は教授陣の大半を引き抜かれ、存続を危ぶまれる一幕もあった（『京都帝国大学史』一七八ページ）。その後、大阪府立医学校は大阪医科大学（府立）を経て大阪帝国大学医学部に、愛知県立医学校は、愛知医科大学（県立）、名古屋医科大学（官立）を経て名

表4－2　公私立専門学校一覧表（明治35年）

学校名	所在地	開設学科名	年限	在学者数	年間経常費	徴兵令認定年
○京都府立医学校	京都	医学	4年	340人	36,847円	明治22年
○大阪府立医学校	大阪	医学	4	409	117,424	22
○愛知県立医学校	愛知	医学	4	678	36,985	22
富山市立薬学校	富山	薬学	3	140	1,874	
○大阪市立高等商業学校	大阪	商業	3	382	32,779	
○慶應義塾大学	東京	政治・理財・法律	3	320	35,000	29
○早稲田大学	〃	政治・法律・文学	3	2,364	78,078	22
○明治法律学校	東京	法律・経済	3	1,784	14,648	22
○東京法学院	〃	法律・経済	3	1,260	18,530	22
○和仏法律学校	〃	法律・経済	3	1,124	12,092	22
○日本法律学校	〃	法律・経済	3	1,533	29,970	32
○専修学校	〃	理財	3	700	7,040	22
○関西法律学校	大阪	法律・経済	3	684	14,908	35
○京都法政学校	京都	法律・政治	3	488	5,601	35
○台湾協会学校	東京	法律	3	238	21,779	34
東京政治学校	東京	政治・法律・経済	3	135	6,630	
北海道法学校	北海道	政治・法律・経済	3	63	1,684	
東北法律学校	宮崎	法律・経済	3	177	1,650	
会津法律学校	福島	政治・法律	0.5	13	150	
同志社政法学校	京都	政治・法律	3	8	100	31
○国学院	東京	文学	3	180	11,117	34
○哲学館	〃	文学	3	288	7,504	33
○同志社文科学校	京都	文学	3	3	—	31
聖安得烈学院	東京	英文学	3	20	240	
神宮皇學館	三重	皇学	4	108	9,286	31
○浄土宗専門学院	京都	仏教学	3	4	4,707	33
真宗学院	京都	仏教学	4	13	1,843	33
○仏教専門大学	〃	仏教学	4	63	7,435	
新義真言宗智山派大学林	〃	仏教学	3	10	1,833	
浄土宗西山派専門寮	〃	仏教学	4	36	1,980	
○真宗勧学院	三重	仏教学	3	112	5,200	35
○同志社神学校	京都	神学	3	16	2,104	
大阪外国語学校	大阪	英・独語学	3	212	2,724	
明星外国語学校	〃	英・仏語学	3	120	1,700	
○日本女子大学校	東京	家政・文学	3	384	25,452	
物理学校	東京	理学	3	421	5,605	
順天求合社	〃	理学	3	200	1,800	
同志社波理須理科学校	京都	理学	3	2	—	

古屋帝国大学医学部になっている。

私立医学校としては、東京のほか京都、大阪、熊本にも国家試験の受験予備校的な医学校が開設されている。その中から、東京慈恵医院医学校と熊本医学校の二校だけが正規の専門学校への移行を果たし、最大規模で多数の医術開業試験合格者を出してきた長谷川泰の済生学舎は、専門学校に移行することができず、明治三六年をもって廃校となった。

熊本に開設された医学校は、明治九年設立の県立甲種医学校が、二一年にいったん廃校になった後、二九年に私立医学校として再興されたものである。私立とはいえ、人的にも施設面でも県立病院と密接な関係にあり、地元の医療関係者の強い支援のもと、東京慈恵医院医学校（現・東京慈恵会医科大学）に次いで二番目の私立医学専門学校となった。その後、大正一〇年に県立に移管され、翌一一年には官立医科大学となっている（現・熊本大学医学部）。

歯学と薬学の専門学校

医学系とは対照的に、国家試験制度自体が未整備であった歯学系の専門教育は、依然として未整備の状態を続けており、東京のほか大阪に一校が増えたがその規模は小さく、医育機関としての水準は低いままであった。東京歯科医学院が、東京歯科医学専門学校（現・東京歯科大学）として最初に認可を受けるのは明治四〇年になってからである。

医学教育と切り離せぬ関係にあり、資格試験制度も（歯学系に比べて）整備された薬学系

表4－3　医療系専門職の教育経歴（明治36年）

	大学	専門学校	外国学校	試験及第	その他	合計
医　　師	1,505	5,540	83	10,942	16,541	34,611
歯科医師	—	—	9	682	9	700
薬 剤 師	123	227	14	2,560	—	2,924

（『医制八十年史』より作成）

では、二〇年代の中ごろまでに東京・大阪・京都・愛知の各府県に私立薬学校が設置され、高校医学部の薬学科とともに薬剤師の養成に一定の役割を果たしていた。しかし専門教育機関としての水準は高いとはいいがたく、東京薬学校が、東京薬学専門学校（現・東京薬科大学）として認可されるのは、歯学系よりもさらに遅く大正六（一九一七）年のことであった。

薬学系ではこのほか、富山市に市立薬学校が設置されている。古くから製薬業で知られる富山だが明治二六年、市内の薬業家が集まって創設した共立富山薬学校がその前身であり、三〇年に市立となった。県立の薬学専門学校になったのが明治四三年、大正九年にはさらに官立に移管されている（現・富山大学薬学部）。

医・歯・薬系の分野ではこのように、地域に根ざして生まれてきた高等教育機関の設置と維持のエネルギーが、学校移管の形で国家によって吸い上げられ、官立セクターの規模拡大がはかられるという中央・地方の関係が、その後も繰り返されることになる。

専門学校令以前の公私立専門学校が医療系の専門職養成に果たしたこうした役割は、医療系専門職の教育経歴を見た表4－3に、端的に映し出されている。

歯科医師の養成に、帝国大学をはじめとする諸学校がほとんど何の役割も果たしていなかったことは、表中の数字に明らかである。資格を持った歯科医師は事実上すべて開業試験の合格者であり、歯科系の医学校はその受験予備校的な役割を果たすにとどまっていた。薬剤師の場合には、大学・専門学校の卒業者が一定数を占めていたとはいえ、全体に占める比率は大学卒四%、専門学校卒八%と微々たるものであり、ここでも試験及第のものが主流（八八%）であったことがわかる。

「従来開業」という形で、明治維新以前からの漢方医たちにも限定的に開業資格が認められた医師の場合には、学歴とも資格試験とも無縁な「その他」の医師がまだ、ほぼ半数の四八%を占めていた。「試験及第」の三二%がこれに次ぎ、大学卒は四%、専門学校卒一六%と、明治三〇年代の後半になっても、「学校出」の医師はまだ全体の二割程度を占めたに過ぎず、それをはるかに上回る数の「試験及第」の医師がいたのである。医療系の専門職養成の世界で、正規の専門教育機関の果たした役割がいかに限定的であり、逆に済生学舎をはじめとする試験準備のための予備校的専門学校が、ひいては国家の資格試験制度が、いかに重要な役割を果たしていたかがわかる。

七、中等教員養成と私学

中等教員と検定制度

文学系・理学系の私立専門学校が、中等教員の国家試験と深いかかわりを持っていたことは、第二章でも見たとおりである。明治一八年に始まった文部省の実施する中等教員のための検定試験、いわゆる「文検」がそれである。

先に見たように、中等教員の正統的な養成機関は高等師範学校であったが、男女各一校の高等師範学校、それに帝国大学の文科・理科両大学だけでは、年々急増する需要を満たすことは到底不可能であり、医療系の専門職と同じく中等教員についても、その不足を補うには国家による資格試験制度に依存するほかはなかった。明治一〇年代末に始まったこの、教科別の試験による教員養成制度である「文検」が、文系・理系を中心にさまざまな受験準備学校の出現を促したことは、これまでの諸章でふれたとおりである。

その試験制度の前提には、中等教員の免許制度があった。この時期、中等教員にまだ多数の無資格者がいたことは先にもふれたが、中学校・高等女学校・師範学校とも、教員としての任用の原則はあくまでも免許状取得である。その免許状は、「検定」によって付与されることになっており、検定は「試験検定」と「無試験検定」に分かれていた。文検がこのうちの「試験検定」にかかわるものであったことは、いうまでもないだろう。教科別の学力試験を課す、中等教員への登竜門としてのこの文部省による検定試験制度は、正規の学校系統を通らず独学で、あるいは受験準備教育を通して学力を身につけた、多数の若者たちをひきつけた。たとえば明治三二年についていえば、受験者数は三二五八名にのぼっており、うち四一一名が合格、合格率わずか一三％という難関であった。

もうひとつの「無試験検定」は、特定学校の卒業資格、すなわち「学歴」ないし「学校歴」の取得者に、あらためて学力試験を課すことなく、「検定」のうえ中等教員の免許を付与するというものである。

その発足以来、この特権的な制度の対象とされていたのは、「高等ノ官立学校」（前身校を含む）の卒業者だけであった。対象となる官立学校の種類は、「免許規則」に列記されており、文部省の指定を受けた学校という意味で「指定学校」と呼ばれていた。その指定学校の卒業生であれば学力試験なしで、「品行」と「身体」の検定を受けるだけで教員資格を得ることができる。明治三二年の出願者は一四三九名、合格者一三六〇名、合格率は九五％であったから、試験検定とは対照的に、ほとんどフリーパスに近い状態だったことがわかる（寺崎、一九九七年）。

こうした、試験検定と無試験検定の大きな落差はやがて、受験予備校としての地位に飽きたらず、教育課程の整備に努力し教育水準を高め始めた私立専門学校の間に、官立学校との同格化運動、つまり「無試験検定」の特典にあずかろうとする運動を生むことになった。

その先頭に立っていたのは井上円了の哲学館（現・東洋大学）であるが、これに国学院（現・國學院大学）が続き、明治三一年には東京専門学校（現・早稲田大学）を加えた三校が、この問題について協議を始めるに至った。あとでもふれるが、この時期になると在京の私立学校の間には、官立学校との処遇の同等化を求める動きが高まり始めていた。当時の有力教育情報誌『教育時論』（明治三一年七月二五日号）は、「府下の私立学校中、専門学校、国学院、哲学館、物理学校」等が神田で会合を開き、「官立学校に準じ」て「徴兵猶予、官吏任用等、すべて同一の処遇を与へられんことを、文部大臣に建議することに決議」したことを報じている。

記事のなかの「専門学校」、すなわち東京専門学校の学校史によれば、同年六月「中等教員検定資格につき（中略）官公立並みに取り扱われるようにとの要望が、哲学館と国学院から提起され、本校もこれに同調して、三十一年六月十七日、中等学校教員検定資格を私立学校出身者に付与するよう働きかけることを協議した。越えて七月一日には、さらに攻玉社、明治法律学校、済生学舎、物理学校も参加し、その方法等を相談した結果、八日には右決議の代表者を哲学館井上円了と定め、十五日に文部省に出頭して陳情せしめることにした（中略）なおこの会合には新たに高山歯科医学校も加わり、前記の各校と合わせて八校となった」（『早稲田大学百年史』第一巻、九一五ページ）とある。

先の『教育時論』の記事は、こうした中等教員の検定資格にかかわる要望がさらに広がり、他の有力専門学校も加わって、学校卒業者に対する特典全般の同等化要求へと発展していったことを報じたものと見てよい。私立専門学校卒業者に対する特典全般の問題については、あとに譲るとして、この運動の結果、明治三二年から三四年にかけて、東京専門学校（文学部）、哲学館（教育部）、国学院（師範部）、慶應義塾（大学部文学科・理財科）、青山学院（高等科）、日本法律学校（高等師範科）が、それぞれ「無試験検定」の対象として、文部省の「認可学校」となっている（船寄、二〇〇五年、三九ページ）。

「認可学校」と統制強化

その「認可学校」関連の規定を定めた明治三二年の文部省令によれば、「師範学校中学校高等女学校ノ卒業証書ヲ有」し、文部省の「許可ヲ受ケタル公私立学校ニ入リ、三年以上在学シテ卒業シタルモノ」が、官立の「指定学校」卒業者と同じく、「無試験検定」の特権にあずかることができるとされている。

また「許可」を受ける条件は、①無試験で教員免許を受けようとする学科目については、高等師範学校と「同等以上ノ程度」であること、②教育をするのに十分な「教員其他ノ設備」を備えていること、③学校の「維持ノ方法確実ナル」ことのほか、④入学者には出身校での学業成績・品行について学校長の証明書を提出させる、⑤卒業試験の際には文部省の「検定委員」や「吏員」を立ち会わせる、⑥試験問題や試験方法が不適当であれば変更を求める、⑦卒業試験合格者の姓名・成績は直ちに文部大臣に報告する、⑧規則違反があれば直ちに許可を取り消す、という厳しいものであった（『明治以降教育制度発達史』第四巻、八三二―八三五ページ）。

実際に明治三五年には、哲学館での倫理科の試験をめぐって臨席した視学官から、試験の問題が不適当であるとの上申がなされ、無試験検定の「許可」が取り消されるという、「哲学館事件」が起こっている（『東洋大学創立五十年史』六七―六九ページ）。官立学校と同等の扱いを受けるということは、文部省の直接的な統制と監督のもとに置かれることを意味していたのである。それでもなお私学が「許可」を求めたのは、文系・理系とも「無試験検定」の対象となるか否かが、学校としての発展を左右する重要な条件となりつつあったからに他ならない。

こうして、無試験検定の「認可学校」が増え始めるのだが、厳しい認可基準を満たすことができた学校は、先に見たように限られていた。「指定学校」「認可学校」をあわせて、無試験検定による教員免許取得者の数が、年間四〇〇人前後という試験検定の合格者数を、安定的に上回り始めるのは大正期になってからである。

八、宗教系の私学群

仏教系の専門学校

明治三五年の専門学校一覧には、仏教、それに皇学・神学の宗教系の私立学校の名前も掲載されている。

このうち多数を占めたのは仏教系の六校である。浄土宗専門学院（宗教大学を経て、現・大正大学の一部）、真宗学院（真宗大谷派、現・大谷大学）、仏教専門大学（真宗本願寺派、仏教大学を経て、現・龍谷大学）、新義真言宗智山派大学林（のちに智山専門学校、現・大正大学の一部）、真宗勧学院（真宗高田派、のちに高田専門学校）、浄土宗西山派《せいざんは》専門寮（のちに西山専門学校）という校名からわかるように、いずれも特定宗派の設立になる、自宗の僧侶養成を目的とした学校であり、その多くが明治三二年以降に文部省所管の専門学校となっている。

明治三二年というのは、私立学校を対象とした最初の包括的な勅令「私立学校令」が公布された年である。この勅令は、それまで内務省の管轄下に置かれ、独自の発展を遂げてきた「神仏道教派内ニ於テ、教規宗制寺法ノ規定ニ依」る諸学校にも適用されるものであり、「従来仏教各宗ニ於テ、何々学林《がくりん》ト称」されてきた諸学校が、その「私立学校令」の施行を機に、文部省の管轄下に入ることになり、正規の学校体系の一部に組み込まれ始めたのである（天野、一九八九年、一四六―一四九ページ）。

わが国最大の宗教である仏教は、それぞれの宗派の僧侶を養成するために、江戸時代の初めから「学林・檀林《だんりん》・学寮」などと呼ばれる教育機関を開設してきた。しかし、そうした伝統的な教育システムは、幕末期に向けて仏教自体の沈滞とともに次第に形骸化《けいがい》し、維新の変動期を迎えるころには抜本的な改革の必要に迫られていた。とくに維新後は、廃仏毀釈《はいぶつきしゃく》運動が展開され、キリスト教の布教活動が本格化するなか、関係者の間で危機感が一気に高まる。

旧幕時代以来の仏教教育の一般的な形態は、自宗の教義・経典である「宗乗《しゅうじょう》」と、他宗のそれにあたる「余乗《よじょう》」を主体に、「外学《げがく》」として若干の和漢学を加えて教授し、もっぱら自宗の僧侶の養成にあたるというものであった。改革はその伝統的なシステムを、①学校制度を「学制」の大学・中学・小学の制度に倣って、大教校・中教校・小教校あるいは大学林・中学林・小学林等に体系化する、②教育課程の編成に等級制や学年制を導入する、③内容面では宗乗・余乗の仏教学自体の教育の近代化と並んで、「外学」の拡充と洋学を含む「普通学」化をはかるなどの方向で進められ、その先には「僧俗共学」による、言ってみれば「仏教主義」に立つ新しい教育機関の創設も構想され始めていた。

しかし、そうした危機感とは裏腹に、復古主義から欧化主義、さらに国粋主義へと揺れ動く社会情勢を背景に、改革をめざす近代派・改革派と伝統に固執する保守派・守旧派とが宗派内で抗争を繰り返し、エネルギーを使い果たして改革は一向に進まないというのが、若干の違いはあるものの、仏教系の各宗派にほぼ共通したパターンであった。

明治二八年に内務省が発した訓令は、「神道仏教各宗派（中略）教師［すなわち神官・僧侶］中、無学悖徳《はいとく》ニシテ、其ノ任ニ適セサルモノ少カラス」として、「人民ニ布教伝道スル教師ハ、教義宗旨ニ精通スルノ外、尚《なお》尋常中学科相当以上ノ常識ヲ具備スルニアラサレハ、到底其任ニ適セス」と、僧侶の養成制度と資格制度の抜本的な改革を求めているが（『社寺宗教法規全集』三二三―三二五ページ）、それは明治も後半期を迎えた時点での、仏教教育の実態を踏まえての訓令であったと見てよい。仏教系の専門学校が「僧俗共学」の方向に一歩踏み出し、高等教育機関として成長を始めるには大正期以降を待たねばならなかった。

ミッション系の私学

キリスト教系の専門学校として、「一覧」には同志社神学校の一校だけが登載されているが、同じ宗教系でも、いわゆるミッション系の私学は、仏教系とは著しく異なる状況に置かれていた。学校の開設は、維新前後から活発化したプロテスタント系の各教派による布教の重要な手段とされ、その数は明治二一年にはすでに、神学校一二校のほか、男子校一四校、女子校三六校、在学者総数は五〇〇〇人を超えていたからである。当時のキリスト教徒数二万四〇〇〇人と比べれば、教育活動がいかに活発に展開されていたかがわかる。

しかも明治二一年当時の神学校の在学者数は二〇〇人強に過ぎず、仏教系と違ってキリスト教系私学の場合には、教育の力点がこの時期すでに、聖職者の養成よりも世俗的な「キリスト教主義」の教育に置かれていたことがわかる。急激に高まった「洋学熱」を背景に、宣教師が英語で教育にあたる「キリスト教主義の学校は、当時甚だ不足してゐる中等教育を補ふもの」（相沢、一〇八ページ）として、若者たちの目にきわめて魅力的な存在に映っていたのである。

ただ、こうしたミッション系学校の盛況は長くは続かなかった。中学校令と帝国大学令の公布以降、官学中心の教育体制の整備が進むとともに、キリスト教系私学の果たしてきた役割も転換を迫られるようになるからである。しかも、明治二三年の教育勅語下賜の翌年に起こった、当時第一高等中学校の教員であった内村鑑三の「不敬事件」に象徴される「教育と宗教の衝突問題」（武田編、一九六三年）は、「欧化主義の風潮に乗って順風万帆の勢いを示して発展を続け」てきた諸学校に、大きな打撃を与えるものであり（『青山学院九十年史』二三七ページ）、キリスト教系私学はこのころから一転して停滞の時代を迎えることになった。

これまで見てきた明治学院・立教学院・青山学院・同志社、それに東北学院（現・東北学院大学）・関西《かんせい》学院（現・関西学院大学）などを加えたミッション系の有力男子校は、神学校のほかに中等・高等の両段階にまたがる独自の教育課程を設け、高等部・専修部などと呼ばれる高等教育の課程では特定の職業人養成を避け、アメリカのリベラルアーツ・カレッジをモデルにした、英語中心の高等普通教育を行なっていた。その意味では、早くから「総合大学」の建設をめざし、普通学校・神学校のほかに、政法学校や理科学校などを開設した同志社は、例外的な存在だったことになる。

しかし、専門教育重視へと傾斜する一方の、しかも官学中心の高等教育システムのなかで、キリスト教主義に立ったアメリカ的な教養教育をめざす、これら学校の高等部・専修部は振るわなかった。

たとえば、明治学院は尋常中学校にあたる五年制の普通学部の上に二年制の高等学部を置いていたが、学校史によれば、その高等科の卒業者は明治二八～三三年の六年間にわずか一六名に過ぎず、三二・三三年には卒業者はゼロ(『明治学院九十年史』一〇七ページ)、普通学部を含めて生徒数自体が激減し「殆んど校庭には、生徒の影なきに至った」という(『明治学院五十年史』二八八ページ)。立教学院は明治二七年、それまでの教育体制を一新し、中学校相当の本科五年の下に一年の補充科、上に三年制の専修科を置いて本格的な高等教育機関化をめざしたものの、十分な数の生徒を集めるに至らず、二年後には専修科を廃止し、中学校卒業者を入れて哲学・文学を教授する二年制の立教専修学校に改組したが振るわず、明治三四年には閉校に追い込まれている(『立教学院八十五年史』四四―四五ページ)。

明治二四年に予備学部(四年制)の上に高等普通学部(三年制、のちに四年制)を置き、優等卒業者にはアメリカのカレッジから学士号が授与されるなど、早くから高等教育機関としての整備に努力した青山学院は、高等普通学部のなかに年限三年の「英語師範科」を設け、

「各府県尋常中学校、尋常師範学校ノ英語教師タルニ適スル者」の養成をはかった（『青山学院九十年史』一七四ページ）こともあり、前記の二校に比べれば、安定的な成長をたどりつつあるかにみえた。明治二四年から二九年の六年間の高等普通学部卒業者は、英語師範学科の六人を含めて五二人に及んでいる（同書、一八七ページ）。

しかしこの場合にも、明治二〇年代の中ごろから生徒数が減少し、高等普通学部の生徒数は二五年の五五人をピークに、三〇年には一八人にまで落ち込み、明治三三年には先に見たように無試験検定の「認可」を受けるなどの努力をしたものの、再び五〇人の線を超えるには明治三六年を待たねばならなかった（同書、二九九ページ）。

こうした苦境を招いた原因として各学校史があげているのは、尋常中学校から高等（中）学校・帝国大学、あるいは官立専門学校へという進学、ひいては社会的な上昇移動のルートとしての官公立セクターの「正系」化、それに徴兵制度上の特典問題と私立学校令施行の影響である。これらは他の私立学校も共通に直面した困難だが、キリスト教系私学の場合には、さらに独自の問題があった。それは「教育と宗教の衝突問題」とも絡んだ、学校における宗教教育の問題である。宗教教育がなぜ問題になったのか。それについてはまず、徴兵制上の特典の問題にふれておかなければならない。

徴兵制上の特典問題

わが国の徴兵制は、明治六年の発足当初から、中等・高等教育を受けたものに対する徴兵の猶予や免除の特典を認めていたが、その対象は官公立の諸学校に限られていた。たとえば明治一二年改正の「徴兵令」には、官立諸学校および公立の中学校・師範学校・専門学校の卒業者には「平時ニ於テ兵役ヲ免」ずるとあり、また「公立中学校及ヒ公立専門学校ニ於テ、修業三ヶ年ノ課程ヲ卒《おわ》リタル以上ノ生徒」には、一年間の徴兵猶予が認められていた。

明治一六年改正で「免除」の規定はなくなったが、その代わりに「一年志願兵」制度が設けられた。年齢満一七〜二七歳で「官立府県立学校ノ卒業証書ヲ所持」するものには、費用自弁を条件に「願ニ依リ一箇年、陸軍現役ニ服」させるというものである。満二〇歳になって壮丁《そうてい》検査を受け、合格して徴兵されれば三年間、兵役に服さなければならないのに比べて大きな特典である。それだけでなく「官立大学校及ヒ之ニ準スル官立学校本科生徒」は在学中、「官立府県学校ニ於テ修業一箇年以上ノ課程ヲ卒リタル生徒」は六年まで、「徴兵猶予」を認められることになり、官公立学校在学者・卒業者に対する特典が、さらに拡大された(『明治以降教育制度発達史』第二巻、五一一―五一三ページ)。

若者たちにとって、それがいかに魅力的な特典であったかは、「私立学校中ただ一校の特例をもって、兵役免除の特典を受けていた」慶應義塾が、一六年の改正でその特典を剝奪されることになり、退学者が続出する事態になった(『慶應義塾百年史』上巻、八〇七―八〇八ページ）ことからもうかがわれる。福沢をはじめ慶應義塾の関係者は、「『私学私塾』を取り潰《つぶ》す政策にほかならない」として、自校の特典維持を政府に強く働きかけたが入れられず、他の私学同様、対象外に置かれることになった。

徴兵令はその後、明治一九年にも改正されて「徴兵猶予」の特典が、「官立府県立学校」だけでなく「文部大臣ニ於テ認メタル、之ト同等ノ学校」、つまり私立学校にも初めて及ぶこととされた。ただし「認可学校」となるためには私立学校は、毎年の収入のうち二四〇〇円以上は「全ク資本ノ利子」でなければならない、それだけの利子収入を生む基本財産を持たなければならないという、この時期の私学にとってきわめて厳しい条件を満たすことを求めるものであった（『明治以降教育制度発達史』第三巻、七七一―七七二ページ）。

その徴兵令は、明治二二年に再び改正され、一年志願兵と徴兵猶予の特典が、「文部大臣ニ於テ、中学校ノ学科程度ト同等以上ト認メタル学校、若《も》シクハ文部大臣ノ認可ヲ経タル学則ニ依リ、法律学政治学理財学ヲ教授スル私立学校」にも拡大される（同書、七七四―七七五ページ）。後段の「私立学校」が、官僚養成における「特別認可学校」を想定したものであることは、あらためて言うまでもないだろう。これら私立学校もまた二四〇〇円以上の利子収入があり、それに三年以上の教育課程を持ち、尋常中学校卒業ないしそれと同水準の学力を持った生徒を入学させる学校であるという条件の充足を求められていた。

明治二七～二八年の日清戦争が、兵役を現実の問題として若者たちに強く意識させ、ひいては私立学校に、徴兵制上の特典の重要性を再認識させる役割を果したことは、容易に推測される。しかし、特典が私立学校にも及ぶようになったとはいえ、文部大臣の認可を得ることが、いかに困難であったかは、表4－2の専門学校一覧のいちばん右の欄に示した、認定取得の年次と学校名からもうかがわれる。明治二二年に直ちに認可を得た公立の三医学校と、法学系の特別認可学校五校を除けば、最も早い慶應義塾で明治二九年、他はいずれも明治三〇年代に入ってから、しかも全体で二一校に過ぎなかったからである。

キリスト教系私学の対応

こうして生徒獲得の重要な手段となり始めた徴兵制上の特典について、キリスト教系私学がまず取り組んだのは、それまで「各種学校」扱いだった中等レベルの教育課程の、正規の中学校化である。たとえば立教学院・青山学院は明治二九年、明治学院も三一年に尋常中学校として認可を得、同時に在学中の徴兵猶予の特典にもあずかっている。

正規の中学校になれば、高等学校・帝国大学や官立専門学校への進学も容易になる。自校の高等教育段階の課程への進学者の増加も見込める。そして実際に生徒数が増え始めたその矢先に起こったのが、「私立学校令」の公布に伴う宗教教育、というよりキリスト教教育の問題であった。すなわち、私立学校令と同時に出された「訓令」で、文部省は「官公立学校及学科課程ニ関シ、法令ノ規定アル学校」、具体的には「中学校令」に準拠する私立学校では、「課程外タリトモ、宗教上ノ教育ヲ施シ、又ハ宗教上ノ儀式ヲ行」ってはならないとしたのである。

「治外法権撤廃・居留地廃止により外国人の内地雑居が行われるという新事態」に備えるため、とくに「外国人宣教師が多数渡来して、キリスト教の宣教と、その学校教育が発展するのを惧《おそ》れ」ての措置とされるが（『青山学院九十年史』二七七―二七八ページ）、これによってミッション系の諸学校は、中学校でのキリスト教教育を廃止するか、それを続けるために各種学校に戻るかの選択を迫られることになった。

選択は学校間で分かれ、前記の三校についていえば立教学院は前者の、明治学院・青山学院は後者の道をとることになった。各種学校に戻ったからといって、徴兵制上の特典はともかく、官立諸学校への進学の道が完全に閉ざされるわけではないが、正規の尋常中学校卒業者が急増するなかで、それが険しい道になったことは間違いない。ただ、そのことが逆に、卒業生のために「高等専門教育を授けねばならぬ責任」を生じ（『明治学院五十年史』二九五ページ）、教育事業の重点を高等教育に移し、その拡充整備に力を入れざるを得なくなるという、思いがけない事態をもたらしたことも、指摘しておくべきかも知れない。

このように、帝国大学・高等学校・尋常中学校以外の学校令が未整備だったこの時代、徴兵制度、それに各種の国家資格試験制度にかかわる特典・特権は、キリスト教系に限らず、私立学校の使命や盛衰に直接かかわる重要な問題であった。国家・文部省はそれを教育法令に代わる私立学校の統制手段として巧みに利用し、規制を強めていった。

しかし同時に、こうした特典・特権の付与と絡んだ規制については、それが教育機関としての組織形態や、教育課程・内容において多様な私立学校の間に一定の基準を導入し、水準や質の向上をはかる(強制的な)手段として重要な役割を果たしたことを、見落としてはならない。「庇護」と「統制」、アメとムチは、わが国が大きな私立セクターを抱える独自の高等教育システムを、国家主導のもとに構築していく過程で、つねに表裏一体の関係にあったのである。この問題については、法学系私学の項であらためてふれることにしよう。

九、女子高等教育機関の出現

キリスト教と女子教育

キリスト教系の私学については、それが女子高等教育の生成にも先駆的な役割を果たしたことを、指摘しておくべきだろう。

先に見たように、明治二一年の時点でキリスト教系の女子校の数は、男子校の二・六倍にのぼっていた。関係者の一人は「宣教師方の事業中、最も発達し尤《もっと》も成功したものは女子教育」であり、「最初は宣教師諸君の外に、女子を教育したるものは日本国中にあらざりしこと」であったと述べているが(平塚、一九三七年、一〇〇ページ)、それはけっして誇張ではなかった。多くがアメリカからやってきたミッションの宣教師たちは女子教育に熱心であり、英語教育を主体に中等段階の普通教育を行なう女学校を開港地を中心に次々に設立し、一部の学校はその上にさらに高等段階の教育課程を開設していったからである。

たとえば長崎の活水女学校（現・活水女子大学）は明治二二年、中等科の卒業者を対象に、英語で物理学、化学、経済学、文明史等を教授する高等科を開設しているし（平塚、一九六五年、九八ページ）、神戸英和女学校（現・神戸女学院大学）も二四年、「アメリカのカレッジと同程度」の三年制の高等科を置き、文科と理科を分けて高等中学校と同程度の教育をめざしている（『神戸女学院八十年史』一六〇ページ）。この種の高等教育水準の課程を開設したミッション系の女学校は、明治二〇年代初めにすでに一〇校を超えていた。

ただ、女子の義務教育就学率がまだ名目値でも三〇％前後と、男子の半分にも満たなかった時代の、しかもアメリカ的なリベラルアーツ型の女子高等教育である。せっかく開設してみても、多くの若い女子学生をひきつけることは望み得なかった。「高等科の入学者ははなはだ少く、年々の卒業者はわずかに一、二名」という神戸英和女学校の実情は、他の諸校にも共通したものであったと見てよい。有力校のひとつ、同志社女学校（現・同志社女子大学）の明治二一年に開設された専門科の例をとれば、三年ごとの卒業者は明治二七〜二九年の一五人から、三〇〜三二年七人、三三〜三五年二人と、年を追って減少していることがわかる（『同志社九十年小史』二七〇、五三八―五三九ページ）。高等科や専門科のほとんどが、閉鎖に追い込まれていった。

本格的な女子の高等教育機関は、これらミッション系の女学校とは別のところから、日本社会の現実により深く根ざしたものとして、明治三〇年代前半に集中的に出現するのである。

日本女子大学校の設立

本格的な女子高等教育機関として最初に登場してきたのは、成瀬《なるせ》仁蔵《じんぞう》の日本女子大学校である。設立者の成瀬はキリスト教徒であり、牧師やキリスト教系女学校の教師として活動していたが、明治二三年、三二歳のときに渡米し、同志社の新島襄も学んだことのあるアンドーヴァー神学校に入学し、のちにクラーク大学に移って主として社会学を学んだ。

当時のアメリカは、一九世紀の六〇年代以降次々に設立された女子大学の発展期であり、成瀬は「セヴン・シスターズ」と呼ばれる東部の名門女子大学を訪問し、とくにウェルズレー女子大学の教育に強い印象を受けたとされ（青木、八二ページ）、「帰朝後は一の女子大学校を興し、之を中心トシ本体として日本全体ニ感化を及ボす事に致度（中略）其、大学トイフハ今米国ニある女カレージ或は日本ニあるカレージ（神戸の）のごときものとは異リ、一種殊別《しゅべつ》［他と違っていること］ノ日本ニ適する専門学校也」（原文のまま、同書、六四―六五ページ）と、女子大学設立の構想を夫人宛に書き送っている。「神戸のカレージ」とは、神戸英和女学校をさすものと思われる。成瀬がアメリカに学びながらも早くから、ミッション系の女子カレッジとは異なる、独自の「日本的」な女子大学の設立を考えていたことがうかがわれる。

成瀬は明治二七年に帰国したあと、大阪の梅花女学校の校長になるが、女子大学の設立構想を練り、渋沢栄一や岩崎弥之助《やのすけ》ら実業界を中心に各界の名士に働きかけ、明治三〇年、第一回発起人会で設立構想を発表し、三〇万円の基金募集活動を開始した。

明治三三年の「設立認可願」に付された「大学校規則」によれば（『東京の女子大学』五八―五九ページ）、日本女子大学校は、「本邦ノ女子ニ、適実ナル高等ノ学芸ヲ授ケ、能《よ》ク日進ノ社会ニ順応シテ、其職務ヲ完《まっと》フスルノ淑女タリ、良妻賢母タルベキ者ヲ、養成スル所トス」とされ、本科三年・研究科三年以内の課程を置き、本科には「家政部文学部教育部体育部音楽部美術部理化部」の七学部を開設するという、堂々たる「大学校」構想であった。また、幼稚園から高等女学校までの普通教育機関と、「簡易専門諸学校」が付設されることにもなっていた。

もちろんこの総合的な女子教育の殿堂作りは、あくまでも成瀬が描いた理想であり、明治三四年、一〇万円の寄付金が集まったところで開設に踏み切った現実の女子大学校は、そのごく一部を実現しえたに過ぎなかった。「初学年度ニハ、家政文学ノ両学部ヲ設置シ、時宜ニ応シテ、他学部及研究科ニ及《およぼ》スモノトス」という但し書きにもあるように、開校時に開設されたのは、家政・国文・英文の三学部と英文予備科、それに付属の高等女学校にとどまっており、その後も理想のすべてが実現されたわけではなかった。

しかしそのことは、成瀬がモデルとしただろう当時のアメリカの女子大学にも例を見ない、七学部からなる壮大な、しかもいまに至るまで事実上唯一の「女子総合大学」構想の価値を、損なうものではない。全体で五〇〇名の入学者を予定し、実際に大学校に二二二名、付属高等女学校に二八八名を集めたというのも、それが時代の要請をとらえたものであったことを物語っている。わが国の本格的な女子高等教育は、この日本的な「女子大学校」の創設から始まったといってよい。なお、この日本女子「大学校」の設置認可が、その後私立専門学校の一部が「〝大学〟なる名称を得る上に重要な契機となっていた」という指摘のあることを付記しておく（中野、二〇〇三年、二〇〇ページ）。

津田梅子と女子英学塾

成瀬の滞米と同時期、女子高等教育機関のもう一人の重要な創設者である津田梅子も、「セヴン・シスターズ」のひとつ、ブリンマー女子大学で学んでいた。

梅子が明治四年、岩倉使節団とともに渡米・留学したことはよく知られている。まだ七歳にもならない年齢での留学であり、中等教育まで終えて明治一五年帰国したあと、華族女学校などで教員として経験をつみ、高等教育を受けるため再度渡米したのが明治二二年、明治二五年の帰国後は華族女学校のほか、女子高等師範学校の教授も兼務していたが、退職して明治三三年、女子英学塾（現・津田塾大学）の開設に踏み切った。文検の英語科教員の検定試験委員をしていた梅子は、「外国人の設立したミッションスクールでは、英語は教えても日本の事柄の勉強がおろそかになりがちな欠点」（『津田塾六十年史』四七ページ）があり、女性のための本格的な準備教育機関がないことを、残念に思っていたという。

「婦人の英学を専修せんとする者、並に英語教員を志望する者に対し、必要の学科を教授するを目的」に掲げ、「教員志望者には、文部省検定試験に応ずへき学力を習得せしむ」（『東京の女子大学』一五ページ）ることを謳った女子英学塾は、そうした梅子の思いから生まれたものである。高等女学校または師範学校卒業者を入学させ、実質二年の予備科を経て三年間英語を学ばせるこの学校は、最初の入学者は一〇名と、発足当初は梅子の家塾といってもよい小規模の各種学校に過ぎず、厳しい経営状態に苦しまなければならなかった。

女子の専門職業教育

女子英学塾もそうだが、この時期のミッション系以外の女子校には、男子校の場合と同様、国家試験のための準備学校・各種学校として設立されたものが多い。「良妻賢母」の養成を目的に謳った日本女子大学校自体、「設立之趣旨」のなかで、女子教育の振興のために「本校大学部に於ては、官公師範学校、若くは高等女学校の教員たり得べきものを養成するを以て、一の任務とせざるべからず。実に教員の欠乏は、天下の訴ふる所にして、特に女教員の養成に至りては、尤も急要を感ずる所なり」としていた時代である（『日本女子大学校四拾年史』四三ページ）。そして高等女学校の教員は、高等教育をめざす女性たちに開かれた数少ない、しかも最大の職業機会であった。

明治三三年創設の女子美術学校（現・女子美術大学）も、そうした教員養成の機能を期待された学校のひとつである。「女子ノ美術的技能ヲ発揮セシメ、専門ノ技術家及教員タルベキ者ヲ養成スルヲ以テ目的」（『東京の女子大学』九七ページ）としたこの各種学校は、普通科のほかに高等女学校卒業者を入れる高等科を置き、日本画・西洋画・彫塑《ちょうそ》・蒔絵《まきえ》・刺繡《ししゅう》・造花・編物・裁縫の各科を教授するとした。工部美術学校で彫刻術を学んだ東京美術学校教授の藤田文蔵や、横井小楠《しょうなん》の甥の未亡人横井玉子ら四人の発起人のうち、ミッション系の女学校女子学院を退職した玉子が学校運営の中心になったが、経営はなかなか安定するに至らなかった（『女子美術大学八十年史』九一―一二五ページ）。

狭き門ではあったが女性に開かれたもうひとつの職業、医師養成の領域で、最初の女子高等教育機関東京女医学校（現・東京女子医科大学）が設立されたのも、明治三三年である。創設者の吉岡弥生《やよい》は、医師一家に生まれ、済生学舎に学んで明治二六年に医術開業試験に合格、二七番目の女医となった。東京で開業していたが明治三三年、専門学校への昇格を考え始めた済生学舎が女子学生の入学を拒むようになったことから、医師志望の女子を対象とした医学校の開設に踏み切った。医学校とはいっても、自医院の一室に机をいれ、生徒四人で発足した受験準備学校であり、学校というより私塾に近かった。生徒集めと資金難・経営難に苦しめられたのは、女子英学塾や女子美術学校の場合と同様である（『東京女子医科大学小史』七一―七五ページ）。これらの学校が正規の専門学校として認可を受け、発展の軌道に乗り始めるのは、さらにあとのことである。

当時としては多額の寄付金を集め、最初から女子「大学校」として出発し、明治三五年の文部省の「専門学校一覧」に、女子校として唯一名前を連ねた日本女子大学校は、その意味でまったく例外的な存在であったことがわかる。

一〇、法学系私学の盛衰

最大の私立専門学校群

さて、法学教育を中核に発足したことから、法学系私学とこれまで呼んできた専門学校群である。

明治三五年の時点で公私立の専門学校数、全五一校のうち一五校と、全体の三割を占めるに過ぎないこれらの学校は、全体の在学者数では六三%、私立だけをとれば七一%と、圧倒的に高い比重を占めていた。明治一九年から三三年の期間の、帝国大学を含む高等教育機関の全卒業者約三万二〇〇〇人の三九%、私立セクターの卒業者約二万人の六三%を占めていたのも、これら法学系の私学である（前章、表3－6）。この時期の専門学校問題は何よりも、官立セクターとほぼ肩を並べる在学者・卒業者数を持った、法学系私学の問題であったといってもよい。

「学校一覧」に見るように、他の専門分野と同様、この分野の学校のなかにも予備校的な、あるいは泡沫的なものが含まれている。しかし、明治一九年の帝国大学特別監督学校、明治二一年の特別認可学校、それに明治二六年の司法省指定学校という、官僚任用試験制度上および徴兵制度上の特権にかかわる国家の「庇護と統制」政策が、この領域の私立専門学校の高等教育機関としての「離陸」を促し、助けるうえで大きな役割を果たしたことはすでに見てきたとおりである。わが国の高等教育における私立セクターの形成も、「大学の誕生」も、これら法学系の私学に主導されながら進展したといってよい。

ただ、その発展の過程は順風満帆というわけではなかった。在学者数の変動を見ても、明治一九年の三〇〇〇人弱から、明治二五年の六〇〇〇人強へと倍増した後、二六年以降四〇〇〇人台で低迷し、明治三〇年代に入って再び増加の局面を迎え、三五年になんとか一万人の大台を超えたことがわかる。また、同じ法学系私学の間でも、さまざまな軋轢や消長があったことが知られている。その一端は第二章ですでにふれたところであり、若干の重複は免れないが、その変動の軌跡を簡単に跡付けておこう。

監督学校・認可学校

法学系私学に対する国家の「庇護と統制」が、まずは帝国大学の監督下に置かれた私立法律学校の優等卒業者に司法官僚、具体的には判事への無試験登用を認めるという、明治一九年の「私立法律学校特別監督条規」から始まったことは、すでに見たとおりである。専修学校（専修）・明治法律学校（明治）・東京専門学校（早稲田）・東京法学校（法政）・英吉利法律学校（中央）の五校（カッコ内は、現大学名）がその監督対象に選ばれた。

しかしこの制度は一年余で廃止され、明治二〇年に文官試験制度が発足したのに伴い、明治二一年から新たに「特別認可学校制度」が導入された。文部大臣の「認可」を受けた学校（課程）の卒業者には、高等文官試験の受験資格と、普通文官（判任官）への無試験任用の特典を与えるというもので、前記の五校のほかに独逸学協会学校（現・独協大学）・東京仏学校（のちに東京法学校と合併して現・法政大学）を加えた七校が、「認可学校」となった。

その際、行政・司法両官僚の任用ということで、法律学だけでなく「政治学・理財学」の学科・課程も認可の対象とされた。つまり特典は、法学以外の社会科学分野にも広げられることになった。これによって、専修学校の理財科（旧経済科）、明治法律学校の政治学部（旧行政科）も特別認可を得たが、政治・法律・行政・英学の四学科を置いていた東京専門学校の場合、政治科ははじめから認可を求めず、行政科は認可規則中にその名称がないという理由で対象外とされ、第二法律科と改称して認可を得るという一幕もあった。

いずれにせよ、これら認可学校・学科の在学者・卒業者は、官僚任用制だけでなく徴兵制上の特典にもあずかることができたから、認可を得られるかどうかは、学校の死命を制するほどの重大事であった。ただ特典については、それが認可を受けた法学系私学の生徒全員ではなく、あくまでも「特別認可」の要件を満たした学科・課程の学生だけを対象としたものであったことを指摘しておかなければならない。その要件として最重要視されたのは、すでに見たように何よりも入学者の学歴・学力であり、尋常中学校卒業あるいはそれと同水準の学力試験の合格者だけが特別認可課程の学生、すなわち「特別認可生」たり得るとされたのである。

法学系私学の消長

中等学校の整備が遅れ、正規の尋常中学校卒業者の数が限られ、しかもそのほとんどが高等（中）学校をはじめとする官立諸学校への進学をめざすなかで、特別認可学校になったとはいえ、法学系私学にやってくる中学校卒業者もまた学力試験の合格者も、けっして多くはなかった。それだけでなくこの時期の法学系私学は、学校経営の事実上唯一の財政的基盤である授業料収入を確保するために、資格を問わず可能な限り多くの生徒を獲得する必要があった。

そのため、「本科・正科」などと呼ばれる中学校卒業者、あるいはこれに準ずる学力試験

表４－４　特別認可学校の状況

	明治23年		明治25年	
	在学者総数	認可卒業生	在学者総数	認可卒業生
独逸学協会学校	350	7	374	21
東京法学院	1,359	175	619	110
東京専門学校	970	72	953	30
専修学校	967	26	419	19
明治法律学校	1,325	192	956	19
和仏法律学校	550	59	658	13
合計	5,521	531	3,979	212

（『日本帝国統計年鑑』明治26年度による）

の合格者を入れる課程のほかに、入学資格不問で多数の生徒を入れる「別科・特科」などの課程を置き、そこから得られる授業料収入に経営の基盤を求めるというのが、一般的な学校運営の形態であった。特別認可の対象となったのが、「本科・正科」と呼ばれた教育課程だけであったのは言うまでもないだろう。

表４－４は、東京法学校と仏学校が合併して和仏法律学校になったため、六校になった特別認可学校（英吉利法律学校は東京法学院と改称）の状況を見たものである。在学者総数と認可課程の卒業者数しかとらえることができないが、学校経営の基盤が「別科・特科」にあったこと、また特典にあずかる若者が厳しく限定されていたことがうかがわれる。

それはともかく、官僚任用上の特典を認める特別認可学校制度がこれら法学系、というより社会科学系の私学における明治二〇年代前半の在学者増に、一役買ったことは疑いない。しかし同時に在学者数の全体的な増加とその後の減少は、六校の法学系私学の間での勢力の消長をはらむものであり、政府の「庇護と統制」政策はそこにも大きくかかわっていた。

最初の補助金交付

わが国の近代法制の建設が、英米法・フランス法・ドイツ法の三者間の葛藤をはらみながら進められたことは、これまで見てきたとおりである。東京大学法学部の英米法に対して、司法省法学校はフランス法を教育し、それに応じて法学系私学も、英米法系の専修学校・東京専門学校・東京法学院（英吉利法律学校）、フランス法系の明治法律学校・和仏法律学校（東京法学校・仏学校）、そして後発のドイツ法系の独逸学協会学校と、はっきり色分けされていた。

このうち独逸学協会学校の法律科は、国家体制の選択ともかかわって、「内閣直轄学校の様な行き届いた保護を受け」たと関係者が自認するほど、政府の露骨な梃《てこ》入れのもとに創設されたものである（『独逸学協会学校五十年史』一八ページ）。司法省はこの学校に明治一九年から、年額二万円の補助金を与えてその育成をはかった。

同校の教員は独逸学協会の有力メンバーでドイツ公使であった青木周蔵が、ドイツ皇帝に直接依頼して招いた三名のドイツ人学者が中心となり、帝国大学法科大学の手厚い支援を受け、そこでの教育の水準は帝国大学のそれを凌《しの》ぐほどであったとされる。明治二一年の第一回の高等文官試験では、特別認可生が合格者九名のうち八名を占めていたが、その全員が独法専修、すなわち独逸学協会学校の卒業生であった（『専修大学百年史』上巻、五八〇―五八一ページ）。

ドイツ法系の学校に対するこの手厚い庇護は、当時の最重要政策課題のひとつであった、条約改正・治外法権の撤廃問題とも深くかかわっていた。治外法権撤廃後に予想される外国人判事を含めた「合議裁判ノ構成」に対応するため、外国法に通じた日本人判事の育成が強く求められていたからである。

条約改正に取り組む外務大臣井上馨《かおる》は明治二〇年、司法大臣山田顕義にドイツ法だけでなく、フランス法・英米法についても人材の養成を求め（『中央大学百年史』通史編上巻、一六八―一六九ページ）、司法省はこれに応じて明治二〇年、「英仏独語ヲ以テ、法律ヲ教授スル、府下相当ノ私学校」に対して補助金を与えることとした。具体的には英吉利法律学校と東京仏学校が選ばれ、各五〇〇〇円が下付されることになったが（『法政大学百年史』一一二―一一三ページ）、その際、独逸学協会学校に対する補助額は一万円に減額されている。ただし同校には、そのほかにも皇室費から年額二五〇〇円が下賜されていた。

明治法律学校の年間の経常支出が五〇〇〇円程度であったことからすれば、こうした政府の補助金がいかに大きな額であったかが知られる。

差異的な扱い

ちなみに東京仏学校は、古市公威《ふるいちきみたけ》・岸本辰雄・寺尾寿《ひさし》ら、フランスに学んだ名士たちが集まって設立した仏学会が経営するフランス語学校であり、補助金の下付が決まってから急遽《きゅうきょ》、法律科の開設が進められたものである（『法政大学百年史』一一五ページ）。外国語と外国法に熟達した司法官を早急に養成する必要があったとはいうものの、フランス法系の学校として実績のある明治法律学校や東京法学校を差し置いて、新たに学校を設立するという選択、さらには英米法系でも東京専門学校や専修学校ではなく、英吉利法律学校だけに補助金を与えるという決定には、国家の法学系私学に対する差異的な扱いが見て取れる。

この三校に対する補助金は、帝国議会の開設とともに高田早苗ら民党議員の厳しい批判を浴び、明治二四年以降は廃止され、補助金に全面的に依存してきた独逸学協会学校専修科は明治二八年、最後の卒業生を出して閉校になっている。しかし「司法省からの四年間にわたる補助金が（中略）経営を安定させたことはいうまでもない」という中央大学史の記述（『中央大学百年史』通史編上巻、一七〇ページ）は、明治二二年に東京仏学校と東京法学校を統合して発足した、和仏法律学校の場合にも当てはまる。法政大学史によれば、補助金のおかげで「財政事情は潤沢」だが生徒のいない東京仏学校に対して、多数の生徒を抱える東京法学校のほうは財政難に苦しんでおり（『法政大学百年史』一一八―一二一ページ）、両校の合併は双方の救済と、和仏法律学校の経営基盤の確立につながるものであったからである。

補助金といえば、「我国ニ日本法学ナルモノヲ振起シ、国家盛運ノ万一ヲ増進」する目的で明治二三年に設立された、国学院と同根の日本法律学校（現・日本大学）は、法相山田顕義が事実上の創設者であり、その創立されたばかりの日本法律学校に、司法省から年間五万円の補助金が与えられたことも指摘しておくべきだろう（『日本大学　七十年の人と歴史』第一巻、六七ページ）。国家の助成を受ける学校と受けない学校、六校の法学系私学の政府・国家との距離は、微妙に変わり始めていたのである。

「民法典論争」の影響

こうした法学系私学の間の葛藤と消長は、明治二三年に公布された民法の施行をめぐる、いわゆる「民法典論争」によって、ひとつのピークに達した（天野、一九八九年、四六六―四七一ページ）。

司法省顧問のボアソナードを中心に、フランス民法をモデルに起草されたその民法に対しては、早くから「「各人ニ独立ヲ得セシメ、私権ヲ拡張スル」ものであり、「我国今日ノ家族ト相反シテ、全ク相容レサルモノ」」という強い批判が向けられていた（中村、八五ページ）。批判に応える形で修正が加えられたものの、民法が正式に公布されると議論が再燃し、明治二三年末には二六年までの施行延期が決まったが、明治二五年になると再び帝国議会に延期案が提出され、法学系私学を巻き込む激しい議論が展開されることになった。

延期を主張したのは主として帝国大学法科大学と東京法学院の関係者、すなわち英米法系の人たちであり、施行を主張したのは旧司法省法学校の卒業者を中心にしたフランス法系、なかんずく明治法律学校の関係者である。こうして法典施行の延期派と断行派の争いは、英米法系とフランス法系の間の、東京法学院と明治法律学校による代理戦争と化した。

この論争は法科大学教授穂積八束が、その争点を「民法出《いで》テ忠孝滅ブ」という一句に集約したとき、保守と革新、伝統と近代の激突する政治的な闘争に転化し、結局、断行派の敗北に終わる。それはフランス法系の諸学校の低迷と英米法系、というより帝国大学法科大学系の東京法学院の、飛躍的な発展を約束するものであった。

「法典延期の決せらるるや、仏法系の諸学校は敗戦の結果、非常なる衰運に遭遇し、轗軻落《かんからく》莫《ばく》の観を呈せしに拘らす、本大学は斯《かか》る戦勝の結果、意気頓《とみ》に揚《あが》り、正《まさ》に之と反対なる盛況を齎《もたら》し、以て今日に至れり」という『中央大学二十年史』の記述（一八七ページ）は、そうした変化の、勝者の側からする端的な表現といってよいだろう。

新しい時代の幕開け

この民法典論争については、それが同時に法学教育におけるひとつの時代の終わりと、新しい時代の始まりを象徴するものでもあったことを、見落としてはなるまい。欧米諸国に直接学ぶ形で始まった近代法制の建設作業であったが、施行が延期されたとはいえ明治二三年には民法と商法が公布され、他の法律も次々に制定されて法体系の整備が一挙に進んだ。特別認可学校制度は、国家による「統制」の一環として、法学系私学にそれに応じた、法学教育のカリキュラムの組織化と標準化を求めるものであった。英米・仏・独の三系統に分かれて各校が競いあう、外国法ベースの法学教育の時代は終わろうとしていたのである。「日本法律」学校の出現は、そのひとつの象徴と見てよいだろう。

補助金の打ち切りだけでなく、明治二六年には、「高等文官試験試補及見習規則」に代わる「文官任用令」の公布により特別認可学校制度も廃止され、法学系私学に認められた官僚任用上の特権も失われることになった。かろうじて「判事検事登用試験」については、「司法大臣ニ於テ指定シタル、公私立ノ学校ニ於テ、三年以上法律学ヲ修メタル証書ヲ有スル者」に受験資格が認められ、また徴兵令上の特典はそのまま残されたが、少数の法学系私学だけがそれらの特典を独占する時代が、終わりを迎えたことは疑いない。時代は「庇護と統制」から「統制と競争」へと、大きく転換し始めていたのである。

なお、判事検事登用試験の指定を受けたのは、六校の旧特別認可学校のほか、関西法律学校、日本法律学校、慶應義塾の三校であり、旧認可学校以外で最初に徴兵制上の特典にあずかったのは、明治二九年の慶應義塾であった。

表4－5　私立法律学校卒業者数（明治26―33年）

学校名	明治26年	27	28	29	30	31	32	33
独逸学協会	38	24	33	—	—	—	—	—
東京法学院	151	134	137	211	228	242	195	194
東京専門	41	23	32	25	39	45	49	40
専修	—	—	3	—	—	—	—	—
明治法律	122	87	69	88	87	101	92	142
和仏法律	51	51	38	46	53	?	?	40
関西法律	15	18	23	40	48	40	27	33
慶應義塾	5	1	2	—	6	4	4	—
日本法律	46	48	79	102	103	108	135	140
同志社政法	—	2	8	7	1	1	—	—

（『九大法律学校大勢一覧』その他各大学史資料より作成）

卒業者数の変動

特別認可制度廃止後の、法学系私学の相対的な位置関係を知るためには、明治二六年以降の法学関係学科卒業者数の推移を見た表4－5が役立つ。そこからは次のような点を読み取ることができる。

第一に、先の『中央大学二十年史』の記述に見るように、帝国大学法科大学直系の東京法学院が、年間二〇〇人前後の卒業者を出し、ひとり勝ち状態になったのに対して、明治法律学校のそれは一〇〇人を大幅に割り込んで低迷し、明治三〇年代に入ってようやく旧に復そうとしていた。もう一校のフランス法系私学である和仏法律学校は、民法典論争の影響を直接受けることはなかったものの、卒業者数から見る限り、横ばい状態を続けていた。

第二に、外国法系と無関係な日本法律学校も着実に成長し、東京法学院に次ぐ卒業者を出すようになった。第三に、すでに見たように独逸学協会学校は法学教育から撤退し、専修学校も理財学（経済学）中心の専門学校へと転換していった。

第四に、有力法学系私学の集中する東京を離れて、大阪と京都に設置された二校、とくに京都の同志社政法学校は振るわなかった。大阪の関西法律学校は、明治一九年、司法省法学校出身者を中心とした、大阪在住の判事・検事たちが協力して設立したものであり、特別認可についてはカを尽くしたが認められず、明治二六年に至ってようやく判事検事登用試験の指定学校となった。東京以外では唯一の指定校であり、経営は苦しいながら安定的に卒業生を送り出すようになっていたことが知られる。

第五に慶應義塾と東京専門学校である。この二校は、早い段階から「大学」を志向し、法学以外に文学、政治、経済学（理財学）などの学科を開設してきた。教育の中心も慶應義塾は理財学、東京専門学校は政治経済学にあり、法学はいわば傍系であって卒業者数も多くはなかった。卒業者の内訳がわかっている明治三六年の数字についてみると、慶應は（大学部のみだが）理財学三六人、政治学四人、法律学三人、早稲田（東京専門学校）は（新・旧専門部だけの数字だが）政治経済学一四五人、法律学九〇人、文学五〇人であった。

明治三五年の専門学校一覧表を見ると、それ以外の法学系私学もほとんどが、法律のほかに政治・経済・理財などを開設学科名としてあげるようになっており、教育の内容を法学だけでなく他の分野にも広げ、社会科学系、さらには文科系の複合的な教育機関への転換をはかりつつあったことがわかる。現在まで続く、学生獲得を中心に複合的な高等教育機関への発展をめざす私立学校間の競争の時代が、幕を開けようとしていたのである。

二、私学の連帯と挑戦

競争と連帯

このように法学系を中心に、「質」はともかく在学者数・卒業者数という「量」の点で、官立セクターと肩を並べるところまで成長を遂げた私立セクターの内部では、相互の競争の一方で、私立学校としての共通の利害を守り、さらには主張していくために、連携してことに当たろうとする新しい動きが生まれ始めていた。官学に対峙《たいじ》する私学の存在、社会的な役割の自覚化といってもよいこの動きの中心にあったのも、法学系私学である。そしてその協力・連合の動きを引き出す直接の契機となったのは、政府による「庇護」、具体的には特別認可学校制度の出現であった。

まず、制度の発足が決まると、それまでの特別監督学校五校は直ちに協議して、認可学校への移行と在学生徒の認可生としての自動的な承認を求めることとし、翌年の第二回の会合では、認可生について相互転校の自由を求める「請願」を提出した。さらに明治二二年の第四回会合では「代言試験ヲ受ケントスル者ハ、五法律学校生徒得業生ノミニ、制限セラレンコトヲ、司法大臣ニ請願スルコト」を（結局提出は見送られたが）議決している（『専修大学百年史』上巻、五四四―五四五ページ）ことも注目される。それだけでなく、最も重要な認可生確保の方策として、明治二一年末には五校が連携して「諸学校ノ認可生徒タラント欲スル者ノ受験準備ノ為メ、必要ノ普通学ヲ教授」する「法学予備校」を設立する（同書、五九一―五九二ページ）などのこともあった。

連携は教育・研究の面にもおよび、英吉利法律・明治法律・東京法・専修・東京専門の五校の「研究と親睦の場」として、「五大法律学校聯合会」が結成された。その主催になる「大討論会」が、明治二一年から明治二三年まで毎年四、五回開催され、その「討論筆記」も出版されている（『中央大学百年史』通史編上巻、一九一―一九四ページ）。討論会が一三回で幕を閉じたあとも、たとえば明治二六年の、「代言人規則」に代わる「弁護士法」制定にあたっては、聯合会の作成した修正案が提出され、一部条文を改めさせることに成功している。

さらに明治二三年、司法省の全面的な支援のもとに日本法律学校が創設された際、「特別保護を非難する「校友有志大会」」を開いて反対運動を展開したのも、また後述するように、明治二四年ごろからいわゆる「私立学校撲滅論」が登場してきたときに、それに対する抗議運動の中核となったのも、「五大法律学校聯合会」であった（同書、一九四ページ）。

官学と私学の抗争

法学系私学の共通の利害にかかわる問題として、もうひとつ重要だったのは、官僚任用にかかわる特権をめぐる問題である。

特別認可学校制度が、高等文官試験の受験資格と普通文官への無試験任用の特典を、認可を受けた学校・教育課程の卒業者に与えるものであったことはすでに見たとおりである。法学系私学の経営基盤は、この制度のおかげで固まったといってよいが、明治二六年になると、「文官任用令」とそれに応じた新しい「文官試験規則」が公布され、特別認可学校制度が廃止されるという大きな改革がおこなわれた。

それによれば、認可課程の卒業者に認められていた普通文官への無試験任用、高等文官試験の受験資格の特典は奪われ、帝国大学卒業者についても、高等文官への無試験任用の特権が廃止されることになった。ただ、新しい高等文官試験は予備試験と本試験に分かれ、帝国大学卒業者は予備試験を免除され、さらに普通文官試験についても中等以上の官公立学校には、無試験任用の特権が認められていたから、この改革は法学系私学に、より大きな打撃を与えるものだったといってよい。

共同してこの改革に反対する動きはなかったようだが、いくつかの学校史は、明治二六年から二九年にかけての在学者数の激減は、この改正の結果だと指摘している。しかし、この改革は数年後に思いがけない形で、すなわち帝国大学法科大学の側からの再改革要求という形で、官学と私学の間の対立・抗争を呼び起こすことになった（天野、二〇〇七年、二二一―二二八ページ）。

明治一九年の「高等文官試験試補及見習規則」が、帝国大学法科・文科両大学の卒業者に、高等文官への無試験任用の特権を保障するものであったことは、繰り返しふれてきたとおりである。年々の任用数の限定された高等文官のポストに、これも年々数の増えていく帝国大学卒業者が押しかけ、優先的に採用されれば、試験採用される認可学校卒業生の枠が狭まっていくのは、当然である。

実際に明治二一年の第一回試験では、五八名もの帝国大学卒業者が特権を行使したため、試験合格者はわずかに九名、しかも全員が司法官であり、その後も翌二二年は一七名（行政四、司法一三）、二三年は四七名（行政五、司法四二）と、認可学校卒業者の高級官僚への門戸は狭く、とくに官僚としての地位も給与水準も高い行政官僚には、ほとんどなれないことが明らかになった。そのうえ明治二四・二五年度は、行政整理のあおりを受けて高等文官の新規採用がゼロになり、試験自体が実施されないという事態に立ち至った。新しい官僚任用制は、発足から数年で手詰まり状態に陥ってしまったのである。

こうした事態に、当時の有力雑誌『国民之友』（明治二五年一一月号）は、「帝国大学と官吏登用法」という一文を載せ、これでは藩閥の情実人事を排除するために導入されたはずの、試験による官僚任用制が有名無実化し、帝国大学は官僚養成所と化してしまうではないかと厳しく批判している。

帝国大学の反撥

法学系私学だけでなく、帝国大学卒業者の特権も奪い、しかも行政官と司法官の任用制度を分ける新しい「文官任用令」と「文官試験規則」は、そうした現状を打破する目的で、さらにいえば増えすぎた帝国大学卒業者についても、学力試験によるふるい分けをする目的で、導入されたものである。そしてそれは法学系私学以上に、帝国大学側の強い反撥を呼ぶものであった。すなわち無試験任用の特権を奪われた帝国大学卒業生が、この改革に抗議して、明治二七年の新制度による第一回試験をボイコットする挙に出たのである。この年の帝国大学からの受験者はゼロであった。

ある法律雑誌は「多年唯一の登竜門たりし大学出身と、私学出身との両者を一器に盛りて、平等に実力競争試験を受けしめんとするは、頗《すこぶ》る試験法の発達を認むるに足る」ものなのに、法科大学生「一名の奮《ふる》て起《た》つものなし」というのはどうしたことか、と皮肉交じりに書いている（『法学新報』明治二七年九月号）。しかし、このボイコットは結局一年しか続かなかった。なんといっても高級官僚のポストの魅力には勝てなかったのである。

私学の実力

こうして明治二八年からは、帝大出と私学出との「実力競争試験」が始まったが、その結果はある意味では意外なものであった。新しい制度のもとで、私学出身者はまず予備試験に挑まなければならなかった。尋常中学校卒業程度の学力を前提に、一ヶ月前に公示する問題について論文を提出させる。その論文審査にパスしたものに、今度は「口述試験及迅速作文試験」を課す。それに合格してようやく、帝大出と同じ本試験に望むことができる。明治二九年の例で言うと、予備試験の出願者一四四人、二段階の予備試験の合格者は四三人であった。予備試験で七割が振り落とされた計算になる（和田、一九五五年）。こうして厳しい予備試験を経て、帝大出と「一器に盛」られて本試験に臨んだ私学出身者だが、明治二八年から三四年の八年間の合格率は、帝大出の四二％に対して一九％であった（天野、二〇〇五年、二七一ページ）。

この数字をどう読むかは意見の分かれるところかも知れない。しかし、中学校・高等学校・法科大学と順序を踏み、恵まれた環境のもとでじっくり教育されてきた帝大出に、太刀打ちできるだけの実力を備えた人材を、どう見ても貧弱な教育環境しか持たない法学系私学が無視し得ない数を、育成し送り出す力を持つことを証明してみせたことは事実である。それは私学関係者を勇気づけ、自信を与え、また私学を見る社会の目を変えさせるに足るものであったといってよい。

こうして新しい官僚任用試験制度は、法学系私学にこれまでの政府、それに帝国大学への従属的な地位から抜け出し、制度上の対等・平等を勝ち取るべく運動の展開をはかる、重要な契機となったのである。

「帝大特権」への挑戦

運動は明治二九年末、無試験任用の特権を失った帝国大学側が、その復活を求めて政府に働きかけたことを機に、大きな盛り上がりを見せることになった。

当時の新聞は「府下六法律学校生徒及び出身者［が］、大学出身者無試験高等官採用の議に反対」して「非大学同盟倶楽部《クラブ》」なるものを結成したことを報じており（『報知新聞』明治二九年一二月一〇、二三日）、当時の有力教育情報誌『教育時論』（明治二九年一二月一五日号）も「私立法律学校生徒の奔走」というタイトルで、「近頃世間に物さはがしきは、法科大学生の特権に対する、府下法学校生徒の反対運動なり」として、「大学派」と「非大学派」あるいは「私立校派」との対立に関する記事を掲載している。

それによれば「私立校派の反抗の理由」は、①「官私立両校共、之れ等しく教育を施す者」であるのに、一方にだけ特権を認めるのは「教育の本旨に反する」、②仮に帝大出のほうが「学術優等」だとしても、「行政官なるものは、学術以外に一種の技倆を有」している必要がある。無試験で任用する帝大出の「行政官たる技倆は、何を準拠として信用」するのか、③「大学派」は、帝大出は「外国語を能《よ》くし、正則の教育を受け」ているのだから特典は当然だという、しかしすでに予備試験を免除されているではないか、④高等官については、いまでさえ「供給は需用を超過しつつある」、制度改革したら「今後の高等官は悉皆《しっかい》、大学の内より出づる者」をもって充足され「私立校出身者は、遂に官界に踏み込むの余地」がなくなってしまうのではないか、というものであった。

私学の自己主張

法学系私学の在学者や卒業者を中心にしたこの運動は急速に盛り上がり、高等文官だけでなく、今後は司法官・弁護士・医師・中等教員などの国家資格試験についても、「総て大学出身に対し、試験を行ふの方針に変更するの運動をなすに決」（『報知新聞』明治二九年一二月二三日）するところまで広がり、明治三一年には、「府下の法学文学政治経済医科理化学の諸校」が連合して、「是等《これら》私立学校の卒業生に対し、特典附与の件」を文部大臣あてに「建議請願」するに至った。

この「連合」に参加した校名を見ると、東京法学院・明治法律学校・和仏法律学校・日本法律学校・東京専門学校、専修学校、哲学館・国学院、済生学舎・高山歯科医院、東京物理学校と、この時期の在京有力私学が（慶應義塾を除いて）すべて、名を連ねていることがわかる（『毎日新聞』明治三一年七月一七日）。先に見た、中等教員の無試験検定における「認可学校」化の要求とその実現は、法学系以外の有力私学をも巻き込んだ、こうした同格化運動の一部をなすものに他ならない。

帝国大学卒業者に対する高等文官の無試験任用特権の復活は、結局実現されなかった。それがこの運動の結果かどうかはわからないが、重要なのは、それまで官公立学校に対して一段低く位置づけられ、従属的な地位に置かれてきた私立諸学校が力をつけ、学術・研究はともかく、教育と人材養成の世界で官学と競合し肩を並べるところまで成長し、運動の展開という形ではっきりと自己主張をし始めたという事実である。

それはわが国の高等教育システムの変動をめぐるダイナミックスを見ていくうえで、「大学―専門学校」だけでなく、「官学―私学」というもうひとつの軸が、無視し得ない重要性を持ち始めたことを意味するものであった。

第五章 「私立大学」の登場

一、成長する私立高等教育

芳川文相の危機意識

前章で見たように、法学系を先頭に私立専門学校が社会的に存在感を増し自信を強め、帝国大学をはじめとする官立諸学校の特権的な地位に、挑戦的な姿勢をとるようになったことは、国家主導・官学中心の高等教育政策を採ってきた明治政府にとって、大きな問題であったに違いない。

そうした私学の擡頭《たいとう》を最初に意識し、対応策を講じようとしたのが明治一〇年代の後半という時期、のちに初代の内閣総理大臣に就任する伊藤博文であり、穂積陳重ら東京大学法学部の教授たちであったことは、第一章で見たとおりである。法科大学を筆頭にすえた帝国大学の創設はそうした危機感を、少なくともひとつの契機とするものであった。しかし、問題はそれで解決されたわけではない。森有礼のあとで文相に就任した芳川顕正も、問題が建設途上の高等教育システムの根幹にかかわるものであることを明確に認識しており、その危機感を端的な形で表明している。

芳川が、実施に至らなかった「大学令案」「専門学校令案」等の諸学校令案の作成にかかわりを持っていたことは、第三章で紹介したが、その芳川は同時期の明治二三（一八九〇）年、「高等教育ニ関スル意見」を閣議に提出し、法学系私学に対する政府の「庇護と統制」政策の現状を厳しく批判している。その後の対私学政策の展開を考えるうえで、きわめて重要な意見と思われるので、少し長くなるが彼の「意見」の内容を紹介しておこう（倉沢、一九七八年、二八二―二八三ページ）。

わが国の学校教育システムの構築は、明治一二年に公布された「自由教育令」のように、アメリカ的な「民」主体の構想が打ち出された時期もあるが、その後は一貫して「官」主導で進められてきた。

芳川によればその結果、「教育ノ全権ヲ国家ニ掌握シ、其《その》準備亦《もまた》、略《ほぼ》備」わったと思われたのだが、しかし現実には「世ノ進運ニ伴ヒ、政治ニ法律ニ医ニ文理等ニ、社会ノ必要、日ニ月ニ繁激ヲ加ヘ、官公立学校ノ設置ノミニテハ、遂《つい》ニ其需求ニ応スル能《あた》ハサルノ勢トナリ、或《あるい》ハ有志ノ私金ヲ拠シ、或ハ官衙《かんが》ノ補助ヲ請《こ》ヒ、以《もっ》テ学校ヲ設立シ、社会ノ急需ニ応セント欲シ、官准《かんじゅん》ヲ請フモノ、踵《きびす》ヲ接シテ起リ、官亦其請ヲ容《い》レサルヲ得」なくなった。芳川は現状認識をそう述べたあと、特別認可学校制度の問題を取り上げ、次のように危機感を表明している。

特別認可学校の廃止論

とりわけ「法律政治ニ係《かかわ》ル学校ハ、特別ノ認可ヲ得タルモノアリテ、此《この》学校ノ業ヲ卒《お》ユルモノハ、恰《あたか》モ高等中学校ノ業ヲ卒リタルモノニ異ナルコトナク、試験ヲ経スシテ判任官トナリ、或ハ直チニ高等試験ヲ受クルコトヲ得ルノミナラス、兵役ニ関スル特典ヲモ享有」している。そもそも「此特別認可学校ノ起ル所以《ゆえん》ノモノハ、前述ノ如ク、社会ノ必要止《や》ムヘカラサルニ出テ、官之《これ》ヲ允准《いんじゅん》［許可を与えること］シ、遂ニ此特権ヲ得ルニ至」ったものである。

しかし「元来、其設置ハ私立ニ係リ、有志ノ協同ニ成ルモノナレハ、或ハ資金ノ充備セサルカ為メ、或ハ統理其宜《よろし》キヲ得サルカ為メ、規律ニ厳正ヲ欠キ、設備ニ周到ナルヲ得サルハ、亦勢ノ免レサル所」である。また「其教員タル者ハ、概《おおむ》ネ官私業務ノ余暇ヲ以テ、此《これ》ニ従事シ、深遠ノ学理ヲ講究シテ、学術ノ推輓《すいばん》ヲ力《つ》トムルカ如キニ至リテハ、殆ント望ムヘカラサルモノノ如」くである。なかには「陰ニ学校ヲ利用シテ、政党ノ機関ト為サントスルノ傾キアルモノアリ、或ハ専ラ英仏独等ノ一偏ニ膠着《こうちゃく》シテ、自然国情ニ遠カルノ弊アルモノ」もある。

そうした問題をはらんだ法学系私学が、「特別認可ノ名誉ト、実利トヲ誇称シテ、天下ノ青年子弟ヲ蒐集《しゅうしゅう》」しているのだが、それでは「血気偏旺《へんおう》シテ、教育ノ素《もと》ナキモノ、漫然、法律学、若《も》シクハ政治学ノ一斑《いっぱん》ヲ此学校ニ窺《うかが》ヒ、空理ニ走リ、学説ニ泥《なず》ミ、国家ノ福祉ヲ翼賛スルノ本旨ニ、背馳《はいち》セントスルノ虞《おそれ》ナキ」としない。「国家教育ノ責ニ任スルモノ、須《すべか》ラク其弊ノ由《よ》ル所ヲ察シ、其害ノ伏スル所ヲ撥《おこ》シ、漸《ぜん》ヲ杜《ふさ》キ、微ヲ防クノ策ヲ講明セサルトキハ、将来社会ニ、名状スヘカラサルノ危害ヲ醸成シ、国家ノ秩序ヲ紊乱《びんらん》スルノ基ヲ為スモ、未タ知ルヘカラサル」ところではないか。

芳川が抜本的な解決策として主張したのは、特別認可学校制度の廃止である。しかしそれが直ちにはできないのであれば、次善の策として第一に官立学校の拡充をはかり、第二に特別認可学校に対する統制の強化をはかる必要がある。そのために芳川は、帝国大学の地方新設と高等中学校専門学部の新増設を進めると同時に、「特別認可学校ニ対シ、一層ノ検束ヲ加」え、入学者の資格の厳格化と同時に、「教員ノ資格ヲ定メ、学校ノ規程ヲ正クシテ、大ニ監督ヲ精密」にすることを求めている。

これよりすれば第三章で見た、そのなかに新増設計画を含んだ「大学令案」「専門学校令案」は、まさに官学中心の高等教育システム構築政策の強化をはかったものであり、また明治二六年の官僚任用試験制度の改革は、特別認可学校に対する特典の剝奪を意図してのものであったことが、わかってくる。彼は、「社会ノ必要ニ迫リテ」作られた特別認可学校制度が、「遂ニ官公立学校ノ教育ニ、其利害ヲ波及シ、官私交《こもご》モ、教育ノ権ヲ争フカ如キ情勢ヲ馴致《じゅんち》」しつつあることに、強い危機感を抱いていたのである。

法学教育の社会的役割

法学系私学の発展はたしかにさまざまな意味で、政府関係者に危機感を抱かせるものであった。

東京専門学校や明治法律学校などが、芳川の指摘するように、自由民権運動を中心とした「反体制的」な政治運動と深いかかわりを持っていたことは、すでに見たとおりである。それだけでなく、厳しい財政事情のもと、その高い教育コストのゆえに拡充のままならない官立諸学校に対して、授業料収入に依存する私立学校は、学校経営上の必要に駆られて、絶えず規模の拡大を求めざるを得なかった。「質」はともかく、「量」において私学が官学と肩を並べ、「官私交モ、教育ノ権ヲ争」うという状況が、たしかに出現しつつあったのである。

それだけではない。「官」主導の、上からの近代化と不可分にかかわって生成してきた官立学校は、近代化の「官」セクターが求める国家戦略性の高い分野の人材養成を重視する一方で、規模においてははるかに大きく、また絶えず拡大していく「民」セクターからの人材需要に応える意欲と能力に乏しかった。官立諸学校における専門教育の分野や、卒業者に開かれた雇用機会の偏りは、その端的な表われと見てよい。

そこには一握りの官立学校では満たされることのない、大きな学習要求と人材需要の世界が広がっていたのであり、私立の専門諸学校は、そうした「民」主体の社会的ニーズに対応するものとして、「世ノ進運ニ伴」って自生的に出現し、発展を遂げつつあった。私立セクターの主導的な部分である法学系私学は、その例外ではない、というより代表的なものであった。

法学系私学の場合、特別認可学校制度はたしかに、その発展の重要な制度的基盤のひとつであった。それは官僚任用上の特典に結びつくものとして、学校の社会的な評価を高め、学生を集めるうえで有利にはたらいた。しかし同時にそれぞれの学校にとってみれば、どんなに努力しても年間わずか一〇人にも満たない、行政・司法官僚の任用試験合格者を出すだけで、学校経営が成り立つはずがなかった。明治二一年から三〇年の、一〇年間の国家試験合格者を見ても、行政官五三名、司法官二九二名であり、年平均で見ればそれぞれ五名、三〇名程度に過ぎない。

また在野法曹として社会的威信の低い、したがって帝国大学出身者のなりたがらない代言人・弁護士にしても、司法制度の整備が本格化した明治二三、四年ごろには、年間二〇〇人を超える試験合格者があったが、その後は急減し、明治二〇年代後半の合格者は四〇名程度にとどまっている（天野、一九八九年、一九八ページ）。授業料収入を事実上唯一の収入源とする法学系私学にとって、国家試験の準備というだけで多数の学生を集められる状況にはなかったのである。

だとしたら、芳川文相の言葉を借りれば全国から「入学ヲ求メ、現ニ在学スル者、其数殆ント五千人ノ多キニ上」る法学系私学の学生は、そこでの教育に何を求めていたのだろうか。

福沢の開校式演説

それを知るうえで明治一八年、英吉利法律学校の開校式に来賓として招かれた、福沢諭吉の行なった「演説」が参考になる（『中央大学百年史』資料編、八二―八四ページ。引用は原文ママ）。

福沢は言う。法律学校の創設が相次いでいるが「大層法律ノ学者ガ出来テ、段々増ヘルトシテ、其人々ガ、是カラ如何《ど》ウスルカトイフ、一ツノ疑問ガ起リマス。追々法律ヲ学ビテ行ク先キハ、判事ニナルノガ、一番先キデアリマセウ。役人ニナルノハ、六ヶ《むつか》敷訳《しきわけ》デモナイガ、ソンナニ役人ニバカリナラレテハ困ル（中略）サウスルト、自分ノ糊口《ここう》ガ出来ナイカラ、其次ギハ、代言人ニナルデアリマセウ。ソレガ順当ノ道デアリマス」。

とはいっても、「代言人ト人民ノ間ハ、丁度《ちょうど》医者ト病人ノ割合」と同じで、医者ばかり多くても困る。それではどうするのか。

「私ハ少シモ恐レナイ。政府ニ入ラナヒデモ宜《よろ》シヒ、代言人ニナランデモ宜シヒ（中略）法律ヲ学ビテ、ソレカラ身ヲ起サウト云フ人カアリ。又法律ヲ学ビテ、何カ身ヲ立ル種《たね》ニシヤウト云フ人モアル。又必ラズ法律ヲ学ビテ、ソレヲ売ツテ、食ハンデモ宜《よ》イ人モア」る。

それでは「其人ノ身ニナッテ見レバ、法律ハ何ニナルカト云フニ、凡《およ》ソ法律ハ、何ト云ツタラ宜《よ》カラウ。先ヅ人間ノ学フベキ世渡リ、即チ処世ニ入用ノモノデ在ツテ、必用ノモノデアル。譬《たと》ヘハ、家ヲ一ツ買フニモ、法律ガ必用デアリマシテ、人間世界ニ居レバ、法律カナクテ宜シヒト云フ場所ハアリマセン。既ニ法律ノイラナヒ所ガ、世界ニナヒトスレバ、法律ヲ知ラナケレバナリマセン（中略）法律ハ実ニ、人間必須《ひっす》ノ学問デアルノミナラス、最一ツ便利ノコトガアリマス。法律ハ鳥渡《ちょうど》半分学ンデモ、ソレダケノ役ニ立ツモノデ、一寸《ちょつと》学ベバ、一寸ダケノ役ニ立ツモノデアリマス。学問ニ依《よつ》テハ、半分デ役ニ立タヌモノガアリマス（中略）半分学ヒデモ、半分ダケ役ニ立チ、一日学ベバ一日役ニ立ツモノハ、法律デアルカラ、何卒《なにとぞ》諸君ハ、コレカラ一生懸命ニナッテ勉強」してほしい。

「人間普通日用に近き」学問、すなわち「実学」の必要性と重要性を説いた、福沢らしい演説の内容だが、それは、この時期の法学を学ぼうとする大方の若者たちの「実感」に近いものだったのではないか。法律は、欧米近代社会の基本的な仕組みを知るための最重要の入り口であり、その意味で法学は（理財学〔経済学〕と並んで）「文明開化」を代表する、啓蒙性のきわめて強い学問であり、新しい時代を生きていくうえで、「鳥渡半分」生噛《なまかじ》り程度であっても学ぶことにそれなりの効用があると考えられていたのである。

五〇〇〇人前後で推移していた明治二〇年代の法学系私学の在学者の、教育課程別の構成がどうなっていたのか、残念ながら知ることのできる資料はない。しかし前章に示した在学者と卒業者の数などからは、①尋常中学校あるいはそれと同等の学力試験を経て入学した、正規の（本科・正科・認可課程等の）在学者は少数であった、②入学資格を問わないそれ以外の（別科・特科等の）生徒が多数を占め、彼らの支払う授業料が主要な収入源、つまり経営基盤になっていた、③中途退学者が多数にのぼり、就学形態は不安定で流動的であった、などのことが推測される。

だいぶ後になるが、専門学校令施行後の明治三八年の在学者に占める「本科」（つまり正規の課程）在学者の比率（％）を見ても、慶應一〇〇、早稲田九四、明治五三、中央一八、法政二四、日本三六、専修五三、関西三〇、立命館四三などとなっている（天野、一九八九年、二二六ページ）。それ以前の時期には、入学資格を問わない別科等の在学者数が、さらに大きな比重を占めていたと見てよいだろう。

尋常中学校から高等（中）学校、あるいは官立専門学校へという正統的な進学の道が、長い教育年数と高額の授業料、それに学力による厳しい競争と淘汰の過程であり、それゆえにごく少数のものだけに開かれていた時代である。私立専門学校の、しかも入学資格を事実上問わない（正科以外の）「簡易速成」の課程は、社会的な上昇移動だけでなく、欧米の新知識・新思想にふれるための「捷径《しょうけい》」でもあった。社会の近代化とともにますます必要性を増していく、法律・行政・経済などに関する「社会科学的」な知識の伝達・普及をはかるうえで、法学系を中心に私立専門学校の果たした役割には、正規の卒業生の数だけではとらえきれないものがあったというべきだろう。

二、講義録と啓蒙の時代

通信教育としての講義録

知識の伝達と普及といえば、この時期の法学系私学の多くが、「講義録」という名の通信教育機関でもあったことを指摘しておく必要があるだろう。

その講義録の発行に、法学系私学のなかで最初に踏み切ったのは、英吉利法律学校であった(天野、一九九七年、三五三ページ)。外国法の学習が中心で、本格的な翻訳書も教科書もなかった時代である。明治一八年の開校の直後から同校が始めたのは、講師たちの毎回の講義内容を筆記して学生たちに配布することであった。講義録の始まりである。それを積み上げていけば、「全備」の「教科用図書」を作ることができる。それだけでなく、英吉利法律学校は、明治四年に発足した近代郵便制度を利用して、その講義録を校外の学習希望者にも頒布する仕組みを作り出した。

「遠隔ノ地方ニ在リ、又ハ業務ノ為メ、参校シテ、親シク講義ヲ聴ク能ハサル者ノ便ヲ計リ、校外生ノ制ヲ設ケ、講義ノ筆記ヲ印刷シテ之ヲ頒《わ》ケ、且《かつ》修業証書、又ハ卒業証書ヲ受ケント欲スル者ハ、試験ノ上之ヲ授与スベシ」（『中央大学七十年史』一五ページ）というのがそれである。現在につながる「大学通信教育」の嚆矢《こうし》といってよい。

この講義録という名の通信教育は、同じ明治一八年、法学系私学とはまったく関係のない「通信講学会」という、これまでもたびたび記事を引用してきた『教育時論』と深いかかわりを持った団体によっても、開始されている。こちらのほうは、明治期の民間教育家として知られる山県悌三郎《やまがたていざぶろう》が、たまたま読んだアメリカの教育雑誌のなかに「コーリスポンダンス・ユニヴァーシティ（通信大学）の広告あるを見て、其の報告書を取寄せ、詳細に研究して、之を本邦に適用するの頗《すこぶ》る有益なるを知り」、『教育時論』の社主である辻敬之《つじたかゆき》に働きかけたのが契機とされている（山県、一〇四ページ）。アメリカで「通信大学」が始まったのが明治一六年だから、なんとも早い制度の輸入であり、模倣である。いまも変わらぬ日本人の外国事情への好奇心や、たちまちそれを取り入れようとする新奇なもの好みに、感心させられる。

「新知識」への渇望

ただ、山県や辻が報告書を読んだ程度でどこまで、当時としては斬新《ざんしん》なこの教育システムの運営に必要な条件を理解していたかは、疑わしい。通信講学会は、明治二二年には二万人を超える会員を持っていたというが、二四年にはすでに活動を停止しているからである。明治五年に発足した近代学校制度のもと、義務教育の就学率も卒業率もまだごく低かった時代である。無理もない挫折というべきだろう。しかし彼らが目をつけたように、文明開化の進展とともに、地方には「新知識を渇望」する学習者層が急速に出現しつつあったことも事実である。

幕末期にすでにわが国は、欧米諸国に比べて遜色《そんしょく》のないほど、民衆の間に読み書き能力が普及した国であった。学習への潜在的な意欲は、近代化の開始時にすでにかなり高い水準にあったと見てよい。義務教育は終えたが、それ以上の学校で直接学ぶことのできない人たち、東京に集中した高等諸学校に学ぶ機会を持つことができない人たちに、彼らの渇望する新知識を速やかに送り届けるための、学校以外の「装置」に対する社会的な必要性が、文明開化の進展とともに高まっていたことは疑いない。

明治の一〇年代にはすでに、新聞・雑誌・書籍などの印刷物が、文明開化の中心である東京から地方へと、大量の知識や情報を送り出し始めていた。講義録はそのなかで、より高度の最先端の知識をより組織的・体系的に、そうした学習者たちに直接送り届ける媒体として、開発されたものに他ならない。ただ、講義録の頒布による通信教育が持続的な事業として成立していくためには、その媒体としての独自性に対する自覚と同時に、講義録の執筆者を含めて、「大学」とは言わぬまでも「学校」という教育の組織体、知識の蓄積と生産の安定した集団的な基盤が必要とされる。一出版社にとって、それは手に余る事業であったといってよい。

「ユニブーシチー・エキステンション」

同じことが、東京専門学校における最初の講義録発行の場合にも当てはまる。

早稲田大学の総長もつとめた高田早苗の回顧談（高田、一九—二〇ページ）によると、彼は前記の通信講学会から政治学の講義録の執筆依頼を受けたことにヒントを得て、「東京専門学校で我々が講義したものに筆を入れ、講義録の形にして毎月何度かに是《これ》を出版し、校外生を募集して其の雑誌を頒《わか》ち、質問を許して講義録の余白で答へる事にしたならば、学校外の学生にも及ぶ事になり、大変具合の好い事になりはすまいかと考」えた。

その高田は、「西洋でも工夫した人があつて、所謂ユニブーシチー・エキステンションの一方法になつて居た」ことを、当時は知らなかった。明治一九年に知人の一人が設立した「政学講義会」という団体に、名義を貸して講義録の出版を委ねたが結局うまくいかず、二四年に東京専門学校が直営に乗り出してからようやく、事業が軌道に乗り始めるのである。

ただ、東京専門学校の校外生制度自体は直営前からあり、明治二一年には「校外生ニシテ本校ニ入学セントスルトキハ、学力ニ応ジ特ニ第一年級ヨリ第三年級マデニ編入スベシ」という規程も作られていた。アメリカの制度についての知識がなかったとはいえ、「ユニブーシチー・エキステンション」（大学拡張・大学開放）の構想は、やがてわが国の最初の「私立大学」になるこの学校に、すでに芽生えていたのである。

こうして英吉利法律学校や東京専門学校が始めた校外生の制度化と講義録発行に、他の法学系私学も和仏法律（明治一八年）、明治法律（同二〇年）、専修（同二〇年）、関西法律（同二〇年）、日本法律（同二三年）と次々に追随し、明治二〇年代から三〇年代にかけて、講義録はその最盛期を迎える。いま、国会図書館の蔵書目録から、所蔵の講義録の点数（明治期のみ）を拾ってみると、英吉利法律（東京法学院）三〇二、東京専門二七四、明治法律一八八、和仏法律一六〇、日本法律一二二、専修三六などとなっている（天野、一九九七年、三六〇ページ）。

校外生（つまり講義録の購読者）の実数ははっきりしないが、英吉利法律学校では、発行開始時に一〇〇〇名を超える申込者があり、明治二一年には校外生数三一二三人で、校内生四六二人を上回っていた。明治法律学校の場合にも、校内生・校外生の数はそれぞれ、明治二〇年が一六〇〇人と八五〇〇人、二三年には一二〇〇人と六五〇〇人というように、圧倒的に校外生が多数を占めていた。両校の校外生数は、東京法学院（中央）大学・明治大学時代になった明治三七年にも、それぞれ七五〇〇人、一万五〇〇〇人であったから、その後も発展を続けていたことがわかる（同書、三七四ページ）。

啓蒙と学校経営

とはいえすべての法学系私学が、この「通信教育」事業に成功したわけではない。専修・日本法律・関西法律などの諸校は早くに撤退しており、他の諸校も大正期に入ると相次いで廃止に踏み切り、唯一早稲田大学だけが戦前期を通じて事業を継続している。それは先にふれたように、同校が早い時期から「大学開放」を主要な使命のひとつに掲げ、その一環として講義録事業の推進をはかってきたことと、無関係ではない。また、同校だけが法律に限らず政治経済・行政・文学・歴史地理と、多様な専門分野の講義録を発行したことも付け加えておくべきだろう。

明治三五年発行の『早稲田大学規則一覧』を見ると、「講義録発行の趣旨」として、「本校が多年政治経済、法律、行政、文学教育、史学等各科講義録を発行し、広く校外生に頒つ所以のものは、一に建学の本旨たる高等学術の普及、国民教育の発達を企図せんが為」であるとあり、「講義録の発行は実に、本学が学問普及の最も重要な手段として、特に重きを置く所」であり、校外生の数は修了者を含めて「十数万に達」していると書かれている。

このように、近代化の初期段階に特有の「啓蒙の時代」のなかで、法学系私学は、校外生と講義録という形の「通信教育」事業を展開することによって、その高等教育機関としての外延を拡大していった。それが啓蒙という理念的なきれいごとだけでなく、学校経営上の必要性から生まれた、収益事業としての側面を持つものであったことを、指摘しておくべきだろう。学校史を読むと、それが生成期の法学系私学にとって、財政面でいかに大きく寄与したかが述べられている。

多くの場合、講義録は一方的に送られるだけで、たとえば質疑応答とか答案添削といった、双方向のコミュニケーションが制度化されていたわけではない。また、校外生を一定の条件付きで正規の校内生に迎える仕組みを持っていたのも、東京専門学校だけである。その意味で、この時期の多くの私学による講義録発行は、アメリカの「コーリスポンダンス・ユニヴァーシティー」の理念とは、遠いところにあったと見るべきだろう。

しかし同時に、それが中等・高等教育の普及が不十分であったこの時代に、近代社会の基本的な仕組みに関する知識や情報の伝達・伝播の媒体として、一定の、しかも大きな役割を果たしたことは否めない。高等教育の私立セクターは、その点でも、帝国大学をはじめとする官立セクターとは異なる役割を果たしていたのである。

三、学生の社会的出自

族籍と学校

役割の違いといえば、法学系を中心に私立セクターの諸学校が、官立セクターとは異なる社会層の教育と学習の場であったことを、指摘しておかなくてはなるまい。

表5－1は、設置者と専門分野ごとに、卒業者の族籍別を見たものである。旧武士階級である士族は、人口比で五～六％程度を占めたに過ぎないから、表の数字はこの時期の高等教育機関に学んだものが、誰よりも士族の子弟であったことを教えている。幕藩体制のもとで

表5－1　各学校卒業者の士族―平民比率（明治23―33年）

％

学校別	明治23年		明治28年		明治33年	
	士	平	士	平	士	平
官立						
大学	63.3	36.7	59.0	41.0	51.0	49.0
大学予備	61.6	38.4	59.3	40.7	47.7	42.3
専門	48.3	51.7	42.5	57.5	38.2	61.8
農・工	54.7	45.3	49.5	50.5	47.6	52.4
医・薬	35.0	65.0	35.2	64.8	27.3	72.7
公立						
医学	27.6	72.4	13.6	86.4	24.0	76.0
私立						
法学	27.7	72.3	32.9	67.1	34.1	65.9
文・理	59.8	40.2	44.1	55.9	35.3	64.7
医学	26.6	73.4	24.0	76.0	25.1	74.9

（天野、1989年、189ページによる）

事実上、行政官僚化し俸給生活者化していた彼らは、維新後その旧支配階級の身分を失い、秩禄処分によって収入源を断たれた。士族層はいってみれば社会の没落階級であり、斜陽階級であった。

その彼らはまた、町人や農民の子弟と違って、少・青年期を通じて藩校での学習を事実上義務づけられてきた、したがって維新の時点で最も高い水準の教育を受け、旧時代の「教育資本」を独占的に継承した社会層でもあった。それは彼らが、近代化とともに出現した新しい学校教育のシステムを利用し、それを媒介として近代的職業群へと転身を遂げるべく

最も強く動機づけられた、しかもそれに必要な知的ストックを、最も多く備えた社会層であったことを意味している。

実際に、生成期の官立諸学校、とりわけ東京大学と日本型グランド・ゼコール群では、学生の圧倒的多数が士族層の出身者で占められていた。官費で教育を受けることができ、しかも卒業後には高級官僚としての地位が約束されたこれら官立学校は、彼らにとってきわめて魅力的な、社会的転身の手段だったからである。個別学校の断片的な数字だが、士族出身者は明治一八年の工部大学校在学者の七二％、明治一三年司法省法学校入学者の八四％、札幌農学校の明治一三〜一八年卒業者の七六％、明治九年の駒場農学校入学者の九四％、明治一八年の東京大学卒業者の七〇％を占めていた（天野、二〇〇五年、五二ページ）。明治初期の官立学校は、まさに「士族学校」に他ならなかった。

士族の官立・平民の私立

前記の表の数字は、それよりも後の時期のものだが、それでも官立学校では依然として、士族出身者が圧倒的に高い比率を占めていたことがわかる。しかし同時に士族比率には、学校の設置者と専門分野の別によってかなりの違いがあり、官立・公立学校の場合にも、医学の分野では早くから平民の子弟が多数を占め、また私立の場合には、医学だけでなく法学でも同様であったことが知られる。漢方医から洋方医への転換があったとはいえ、職業的連続性の強い、しかも維新前には「賤業《せんぎょう》」視されていた平民の職業としての医師は別として、士族は官公立、平民は私立という学校とそれを利用する社会層との間の異なる対応関係が、形成されていたのである。

表の数字は、卒業生だけのものであり、しかも各種の国家試験の合格者の族籍別をもとに算出されたものである。すでに見てきたように非正規の課程に学ぶ生徒や中途退学者、さらには講義録で学ぶ「校外生」など、その大部分が平民と想定される学習者を多数抱えた私学は、表中の数字が示している以上に「平民学校」であったといってよいだろう。

「平民学校」の典型的なものは、国家の「庇護と統制」からつねに一歩はなれた位置に身を置いてきた、慶應義塾である。

その慶應義塾でも、明治一〇年代までは在学者の圧倒的多数は士族の子弟であった。「一般に農商の人口に比例するときは、高尚の学に就く者甚だ寥々《りょうりょう》」というのが実情であり、福沢自身、「祖先遺伝の能力」において「大いに他の三民［農工商］に異なる」士族の子弟に、奨学金を与えてでも「実学」を学ばせて、新時代の実業人要請をはかるべきだと考えていた。「時勢の変遷に随ひ、近来は大いに平民の眼を開き、農工商の社会にて苟《いやしく》も資産ある者は、其の子弟の教育に心を用ひざるはな」い、という時代がやってきたと福沢が認めるようになったのは、明治二〇年代になってからである（『福沢諭吉選集』第一巻、三五四ページ）。

学問の三つの道

その福沢は、「学問」には三つの道があると考えていた。第一は「学問を学び得て、之を生涯の本職」とする道で、この道をとるものを「学者」という。第二は「専門の一科学を学び得て、直に之を人事に施し、以て自他に利する者」で、これを「学術の事業家」と呼ぶ。この二種類の人たちは「学問を其のまま利用して、身を立て家を興すもの」だから、つまりは「無き財産を作るの方便として、学問を学び、学問を用ひる者」である。

これに対してすでに一定の資産を持ち、それを「維持し、又随て貨殖する」ことを必要としている「富豪」は、別に「高尚の学者たるを要せず、又専門の芸術家たるにも及ばず、唯その知識見聞を博《ひろ》くして、物理人事の概略を知ること」こそが大切である。福沢は、この第三の道をめざすものを「普通学者」と呼んだ(『福沢諭吉全集』第十二巻、一〇〇―一〇一ページ)。慶應義塾の教育が何よりも、このうちの第三の道をめざすものであったことは、あらためて言うまでもあるまい。

こうした福沢の分類にしたがうなら、士族の子弟が多数を占める帝国大学は第一と第二の、官公立専門学校は第二の、そして平民中心の法学系私学の多くは第二と第三の道をめざすものであったといってよい。慶應義塾は近代職業への転身、ひいては社会的な上昇移動(立身出世!)をめざす貧乏士族や平民の子弟ではなく、いわば恒心恒産を持った富裕な平民層の子弟に、「実学」という名の「高等普通教育」、言い換えれば新しい産業社会に生きる人たちのための新しい「教養」形成を、その主要な教育目的として設定することによって、帝国大学をはじめとする官学に対抗し、また他の私学との差異化をはかったのである。そしてそれは、法学ではなく政治経済学を教育課程の中核にすえた、東京専門学校・早稲田大学にも共通の志向性であったといってよい。

四、法学系私学の卒業者

卒業後の就業状況

法学系、というより社会科学系私学のそうした官学とは異なる役割を、さらに具体的に裏づけるものとして、卒業者たちのその後の状況を見ておこう。

資料は十分ではないが、たとえば明治三一年刊行の『九大法律学校大勢一覧』に掲載されている「府下司法省指定法律学校卒業生就職別一覧表」から、各校の創設以来明治三〇年までの卒業者の、同年末時点でのおおよその状況を知ることができる（表5-2）。

法学関係学科の卒業者だけの数字だから、東京専門学校・慶應義塾・専修学校のように、経済学や政治学系、それに文学系の学科を持つ諸学校の卒業者数は、実際よりも少なくなっている。東京専門学校と慶應義塾の二校の卒業後の状況についてはまたあとで別に見ることとして、法学系全体で明治三〇年までの卒業者数は五六七〇人、同時期の帝国大学法科大

表５－２　私立法律学校卒業者の職業分布（明治30年現在）

	中央	早稲田	慶應	明治	日本	法政	専修	独協	計
高等文官	20	8	—	7	6	4	3	11	59
高等武官	25	7	—	12	11	3	—	22	80
判・検事	134	30	—	126	18	48	19	12	387
主理・理事	3	—	—	4	—	1	—	3	11
弁護士	143	24	1	190	13	66	26	2	465
公証人	4	1	—	3	—	7	1	—	16
判任文官	241	70	1	84	49	84	17	49	595
議員	9	10	—	10	—	3	1	—	33
新聞雑誌記者	14	20	2	16	7	2	2	—	63
執達吏等	8	1	—	7	—	4	3	—	23
教育家	7	14	2	3	—	4	5	4	39
銀行・会社員	96	68	8	55	23	43	19	12	324
合計	704	253	14	517	127	269	96	115	2,095
卒業者全数	2,030	570	19	1,585	378	665	259	164	5,670

（『九大法律学校大勢一覧』による）

学卒業者総数が八四三人だから、その八倍近くにのぼることをまず確認しておこう。

卒業者のうち「就職別」が判明しているのは二〇九五人で、全体の三七％である。この数字については、あげられた具体的な職業名から明らかなように、事実上そのすべてが近代化の開始とともに新たに登場してきた「近代職業」、さらにいえば（弁護士・公証人を除いて）俸給の支払いを受ける都市的な職業であることがわかる。

裏返せば、それ以外の、たとえば農業や商業等の自営業に代表される伝統的な仕事についている卒業者、さらには地主等のいわゆる「地方名望家層」に属する人たちなどは、この表には姿を見せていない。もちろん職業名のわからない、それ以外の三分の二の卒業生のなかには、その後の消息の不明なものも少なくないと思われる。しかしそれらを含めて多数を占めていたのは、法学を学んだあと農業や商業など、「伝統」セクターのさまざまな仕事・家業についた人たちであったと推測してよい。

先にふれたように、この時期、法学系私学に学んだ人たちの族籍別を見ると、官学とは対照的に、多数を占めたのは平民層の出身者であった。先ほどの福沢の分類を借りれば、表中に姿を見ることができるのは、主として「学術の事業家」たちであり、多数を占める「普通学者」たちは、「その他」や「不明」のカテゴリーに分類されていたと見るべきだろう。あとで見る、法学系以外を含む東京専門学校の卒業生の状況を示した資料の末尾には、「その他」の説明として、「多くは帰省して家業を継ぐものなり」と付記されている。

卒業者の職業別

さて、職業別の数字である。職業の判明している卒業者について見ると（カッコ内は二〇九五人を母数にした比率）、最も多いのは「判任官」の五九五人（二八%）、次いで弁護士四六五人（二二%）、司法官三八七人（一九%）の順になっている。それ以外で多いのは銀行・会社員の三二四人（一六%）だが、比率的にはまだ全体の二割弱にとどまっていることがわかる。これらの数字から何が読み取れるのか。要約すれば次のようになるだろう。

第一に、法律科の卒業生として当然のことながら、司法官・弁護士など法曹の職にあるものが四割を超えている。しかもその過半を占めるのは、在野法曹としての弁護士である。同時点の数字ではないが、明治三五年までの帝国大学法科大学卒業者の卒業後の状況は、司法官は二七五人、弁護士一〇三人であるから（『文部省年報』明治三五年度）、法曹界、とくに在野法曹の世界で、私学出身者がいかに多数を占めていたかがわかる。

第二に、法学系私学でも行政官僚になった卒業生が多いが、高等官は文官・武官あわせても一三九人（七％）に過ぎず、ほとんどが判任官、つまり普通文官であったことが知られる。行政官は官学、司法官は私学という住み分けと同時に、高等文官は官学、普通文官は私学という階層的な構造が作られていたことがうかがわれる。

第三に、法律学を学んだもののうち、銀行・会社員という民間企業のホワイトカラー職につくものの数は、まだ限られていた。企業セクターの規模が小さく、また東京高等商業学校や慶應義塾で理財学や商業学を学んだものが、銀行・会社員の主流を占めていた時代である。帝国大学法科大学出身の銀行・会社員も、明治三五年の時点で一六四人に過ぎなかった。法学系私学が商科や経済科を新設して、企業職員の養成に軸足を移していくのは、明治三〇年代の末になってからである。なお、司法官・行政官をあわせた「官」セクターの就業者は半数強の五六％、「民」セクターは三八％だが、そのうち弁護士等の自営（開業）者が二三％となっている。

第四に、職業別一覧表を載せている『九大法律学校大勢一覧』にいう九校は、表の八校に帝国大学法科大学を加えたものだが、その法学系として一括された学校の間で、次第に個性の違いが鮮明になりつつあったことが見て取れる。すでに見たように、独協と専修は法学教育から撤退し、東京専門学校と慶應義塾は文科系の複合大学化の道をたどり始め、残る四校のなかでは、東京法学院と明治法律学校が、和仏法律・日本法律の二校を卒業者数において大きく引き離していた。また明治法律と東京法学院を比べてみると、ともに法曹が多数を占めているものの、在野法曹である弁護士は明治のほうに多く、また東京法学院はより多く官僚、とくに普通文官を出しているなどの特徴が見られる。「法学系私学」というラベルは、次第に妥当性を失い始めていたのである。

地方志向の東京専門学校

官学と私学の果たしていた社会的役割の違いを知るために、最後に法学以外の分野の学科を開設していた、東京専門学校と慶應義塾の卒業者の動向にふれておこう。

まず東京専門学校だが、明治三四年までの卒業生（得業生）の総数は二七七七名、その専門分野別の内訳は、政治学四一％、法学一八％、行政学一四％、文学二七％で、政治学と文学主体の専門学校であったことがわかる。卒業後の状況の判明しているものはほぼ半数で、残る半数については「多くは帰省して家業を継ぐもの」という説明が付記されていることは、

表5－3　東京専門学校卒業生の状況

行政官	240
市町村吏員	185
学校教員	198
議員	147
弁護士・公証人	50
銀行会社員	297
新聞雑誌記者	280
その他	1,380
合計	2,777

(『早稲田大学百年史』第一巻（得業生職業分布概況〔明治34年8月〕、1029ページ）

先にふれたとおりである。

『半世紀の早稲田』によれば（一二五ページ）、当時同校の幹事だった高田早苗は、卒業生の送別会で「第一、成るべく官吏にならないやうにしろ」、「第二、成るべく地方に行け」、「第三、立身を急ぐな」と演説したという。とくに第二の点については、「我邦は目下、知識の中央集権の結果、動《やや》もすれば、国家的脳充血に罹《かか》らんとする虞《おそ》れがある。新人は宜しく、各地方に散布して腰を落ち着け、地方に知識を分配する役目を勤めるがよい」と説いている。第一の点について「官吏には人材が多く（中略）民間は功を立つる余地が多い」とも指摘している。

中央での立身出世を強く志向する官学出身者に対して、私学出身者の役割は地方に、民間にあるというのが、のちに早稲田大学総長になる高田の餞《はなむけ》の言葉だったのである。そしてその言葉どおり同校の卒業生たちには、職業不明の半数の人たち以外でも、市町村吏員・学校教員・新聞雑誌記者・議員など、地方性の強い仕事を選んだ人たちが多数を占めていた（表5－3）。

慶應義塾と実業の世界

卒業生の「民」と「地方」重視は、慶應義塾の場合も同様であった。同校の教育課程編成は複雑に変化し、名称の変遷が繰り返されており、卒業者の総数をとらえにくいが、整理すると創設以来、明治三四年までの高等教育レベルの課程の卒業者は「本科・正科・高等科」（明治九～三二年。この年で廃止）一二六四人、大学部（明治二五～）二一七人と見ることができる（『慶應義塾百年史』付録、一三四－一三七ページ）。これに「別科」卒業生四六四人も加えておくべきかも知れない。

大学部卒業者の専門分野別は、理財学六一％、文学二一％、法学一六％、政治学二％であり、理財学を学んだものが多数を占めていたことがわかる。本科・正科・高等科と名称が変遷した教育課程は、教育年限や中等教育との接続関係からすれば、高等学校あるいは専門学校と同水準であるが、専門学科制をとらない慶應義塾独自の産業社会型の「教養」教育の場であった。

その卒業生の状況を、同校の「塾員姓名録」をもとに整理したのが表5－4である。それによれば同校が、帝国大学に代表される官立学校とは対照的な性格も持った、まさに教育における「民」セクターを代表する学校であったことがわかる。

姓名録に登載された一〇八七人の卒業生のうち、官僚は四％に過ぎず、民間企業の勤務者が四五％、自営業の従事者も三一％と、圧倒的に「民」セクターが多数を占めている。大学

表５－４　慶應義塾卒業者の状況（教育課程・時期別）（明治19―28年）

	大学部		本（正）科			別科		計
	明治25―28年	明治29―33年	明治19―23年	明治24―28年	明治29―33年	明治19―23年	明治24―28年	
民間企業	39	38	65	181	75	36	54	488
金融	20	12	24	81	23	15	16	191
商業	7	9	10	27	21	6	12	92
運輸	5	9	15	30	15	5	9	88
製造	6	4	11	34	6	3	13	77
その他	1	4	5	9	10	7	4	40
官庁	3	3	7	15	5	7	8	48
学校	20	11	16	17	6	10	23	103
自営	12	9	20	117	75	36	67	336
農業	5	4	11	42	26	15	23	126
商業	2	4	5	54	39	13	30	147
その他	5	1	4	21	10	8	14	63
新聞雑誌	7	3	6	23	3	12	14	68
その他	2	—	2	10	2	6	22	44
計	83	64	116	363	166	107	188	1087

（「慶應義塾々員姓名録」明治36年より作成）

部に比べて、本科や別科、とくに入学資格のゆるい別科の卒業生に、自営が際立って多い点に注目する必要がある。自営者の半分近くが商業（一四％）というのも、同校の重要な特徴であろう。民間企業では金融（一八％）が最も多いが、商業・運輸業・製造業と、満遍なく卒業生が就職しているのも特徴的である。

表５－５に、「民」セクターへの人材供給源として比較されることの多い、官立の（東京）高等商業学校卒業者の状況を示しておいたが、たしかに同校も「官」セクターの就業者は七％、

ほとんどが公立の学校教員を加えても一四%程度に過ぎない。しかし同時に慶應義塾に比べて自営の比率が低く（四%）、また製造業よりも金融（一七%）と商社・商店（二二%）に多くなっている。高等商業が会計や貿易など、いわば組織のなかで働く、企業経営における専門技術者の育成の場であったのに対して、慶應義塾は、まさにわが国の起業家や産業資本家の主要な供給源であったといってよいだろう。

その一人に、のちに「電力の鬼」といわれた実業家松永安左ェ門がいる。壱岐《いき》の豪商の家に生まれ、明治二二年に一五歳で慶應義塾に入ったが父の死にあい、家業を継ぐためいったんは退学して郷里に戻る。その後、明治二八年に復学してはじめは別科に籍を置いたが、やがて正科を経て大学部に入学し、まもなく卒業というときに中退している。

「学校の卒業といふことも、さう大した事のやうに思へぬし、今後一ヶ

表5－5　高等商業学校卒業者の状況（明治32年現在）

	本校	
	専攻部	本科
民間企業	10人	378人
銀行保険	5	110
運輸	2	68
商社	1	68
商店	2	73
その他	—	59
官庁	7	42
外務省	5	13
鉄道省	—	12
その他	2	17
学校	4	60
商業学校	4	56
自営	—	30
在学中	1	17
その他	8	20
不明	—	53
死亡	—	39
計	30	639

（『高等商業学校一覧』明治32年度による）

年学校に居たからとて、格別利益があるとも考へられない。それよりも寧《むし》ろ世の中に早く出た方が将来の為めになる」と考えて、福沢のところに相談に行くと、言下に「学校の卒業などといふことは、詰まらないことだ」といわれたという（松永、一七六ページ）。

私学がまだ、「学歴」と無縁の自由な学習の場でありえた時代が、たしかにあったのである。

五、高等学校と専門学校の間

井上毅と私学問題

私立セクターのこうした拡大発展は、「大学」対「専門学校」という軸に、もうひとつの「官学」対「私学」という軸を加えて複雑化した高等教育政策の、再検討を求めずにはおかなかった。

芳川文政期に提起された高等教育制度の改革問題が、明治二六年から二七年にかけての井上文政期に引き継がれたことは、これまで見てきたとおりである。しかし、井上の関心はあくまでも官立セクターの改革、つまり帝国大学とは異なるタイプの「大学」としての高等学校の創出にあり、私学の擡頭に危機感を抱いた芳川とは対照的に、私学問題に意外なほど冷静で、それを直接の政策課題として取り上げることはなかった。井上が私学の成長を、芳川ほどには深刻に受け止めていなかったことは、『教育時論』（明治二六年九月五日号）に紹介された、『郵便報知新聞』記者のインタビュー記事の内容からもうかがわれる。

それによれば井上は、「今来、教育上の施政を為すに就き、可成《なるべく》、官公立と私立との学校の間に、区別を立てざる可し。ゆゑに学士の称号の如きは、是迄《これまで》は大学卒業生の特有物なりしも、今後は学士試験を行ひ、私立学校卒業生にても、学事堪能《たんのう》の者あらば、学士の称号を与へ、大に学者を優遇」したい、また自分は「私立学校の盛行を望む」者であり、「身自ら力《つと》めて、之を擁立す可し」と考えていると述べている。それだけでなく「若《も》し私民の教育事業大に発達して、官公立学校と同様の成績を呈するの日来たらば、余は其日の近く来る可しとは信ぜざれ共《ども》、若し果たして其日来らば、総ての教育事業を挙げて、彼等の手に委ね、文部省は唯《ただ》、之を補助するに留《とど》むべし。殊に実業学校、諸専門学校は、民業に任ずるの甚だ便益なるを見る」とまで言っている。

談話のなかにあるように、私学が官学と肩を並べる日が当分来ることはないという認識に立っての発言であるにせよ、官学と私学の対立よりは並立のほうが、井上の関心事だったのである。

高等学校令と私立専門学校

しかし、明治政府の高官として「官」を代表する井上の、そうした見解とかかわりなく、

「民」の側には、官学と私学が肩を並べる時代がすでに来ているとする認識が強まりつつあった。たとえば『教育時論』(明治二七年七月五日号)は、井上の「高等学校令」を論評するなかで次のように述べている。

「当局者は高等学校を以て、英米の『コレージ』と同じと説明」している。しかし「英米の『コレージ』は極めて不規則なる名称」であって、時には「大学『ユニヴァルシチイ』」と、また時には分科大学や専門学校とも、同義語である。ただ「高等学校令」によれば、高等学校は専門学科を教授するところだというのだから、専門学校と同義と見て差し支えあるまい。ところで「我が国現在に於いて、高等の専門教育を授くる所は、第一に分科大学あり、第二に高等師範学校あり、第三に慶應義塾大学部、早稲田専門学校、同志社、明治学院、其外余多《あまた》の法律学校等あり(中略)要するに高等学校とは、尋常中学の科程を終り、更に四ヶ年間、専門の学科を修むる学校なれば、之を慶應義塾が、普通科を終へて大学部に進み(中略)更に三ヶ年の修学を為さしむるものと、差したる区別なし。されば高等学校の地位は、府下の私立学校等に比して、左《さ》まで径庭《けいてい》あることなからん」。つまり、高等学校が専門学校だというのなら、私立専門学校とどこが違うのか、大した違いはないではないか、というのである。

同様の意見は、同年末の同誌の「社説」(明治二七年一二月二五日号)でも繰り返されている。従来の大学予科としての高等中学校を、専門教育機関としての高等学校に改組したのは良しとして、「文部当局者の眼中には、慶應義塾、［東京］専門学校、法学院等の私立高等学校なく、其卒業生なし。故に文部が本年に於て、全然高等学校に改造せる唯一の、第三高等学校が、教員の配置宜しきを得、成績善良にして、遥《はるか》に是等の私立学校に、超越する所あるにあらずんば、其卒業生が、自己身上の処分方に困難すること、今の私立卒業生に異なることなく、折角の規画も水泡に帰する憂なしとせず」。

すなわち、帝国大学との関係だけでなく、私立専門学校の存在を考慮に入れ、卒業者の就職の問題まで考えた制度設計をしなければ、専門教育機関としての高等学校構想は失敗するのではないか。高等学校は私立専門学校との競争に敗れるのではないか、というのである。この懸念が現実のものになるのは、すでに見たとおりである。井上はその点で、芳川に比べて私学の存在を過小評価していたといわねばなるまい。

学制改革論議の軸

井上の高等学校構想はたしかに、学校教育システムの改革問題にひとつの回答を与えるものであった。しかしそれは、私学の擡頭の問題を無視していただけでなく、官立セクター内における帝国大学と高等学校・専門学校の問題自体についても、十分な解決策たりうるものではなかった。

それだけではない。日清戦争後の経済の活況に促されて、初等・中等教育の就学・卒業者数が急速に増加し、高等教育への進学希望者も激増して進学・受験競争が激しさを増しているにもかかわらず、政府は厳しい財政事情を理由に、官立セクターの規模拡大に消極的な政策を採り続けた。そして、それは私立専門学校への進学者数を増やし、たくまざる形でその経営基盤の強化を助け、さらなる発展を可能にし、私学対策をいっそう重要な政策課題へと押し上げる役割を果たしたのである。

こうして、明治三〇年代前半に最初の大きな盛り上がりを見せ、「専門学校令」の制定へと導いていく学制改革論議は、「帝国大学―高等学校・専門学校」という学校階層間の軸と、「官学―私学」というセクター間のもうひとつの軸が複雑に交差するなかで、ダイナミックに展開されていくことになる。

六、学制改革論議の本格化

官立セクターの拡張計画

学制改革論議が大きく燃え上がる明治三〇年代に入るまで、高等教育をめぐる政策論議の中心は、改革問題よりは拡張問題にあった。それはすでにふれたように、日清戦争後の好況のなかで中学校の卒業者数が、ひいては高等学校や官立専門諸学校への進学希望者数が急増し始めていたからである。

すなわち、尋常中学校の卒業生数は、明治二五年には七九二人だったものが、二八年一五八一人、三〇年二四五八人、三二年四一七五人と激増し、それとともに高等教育機関への進学希望者数も大幅な伸びを示し始めていた。高等学校を例にとれば、入学志願者に対する入学者の比率は、明治二八年六六％、二九年五六％、三〇年四五％と低下し、以後も四〇％台で推移している。同じ比率は明治三一年、産業化の進展とともに人気の急上昇した東京工業学校では二七％、高等商業学校でも三二％であった。資格を持った生徒を集めるのに苦労した時期もあった実業系の官立専門学校だが、正規の尋常中学校卒業者がなかなか入学できない時代がやってきたのである。

こうした厳しい進学状況を反映して、明治三〇年代に入るころから、帝国議会には個別の官立高等教育機関の設立を求める建議案が、次々に提出されただけでなく、「高等学校及帝国大学増設に関する建議案」（明治三二年三月）のような包括的な増設要求も提出され、可決されるようになった。

井上文政期以降、新設されたのは明治二九年大阪工業学校、三〇年京都帝国大学、第五高等学校工学部・第三高等学校大学予科、それに東京外国語学校（高等商業学校の付属として発足、三二年独立）だけである。まさに焼け石に水状態であり、明治三二年にはついに文部省も重い腰を上げて、一大増設計画を立てることになった。このときの文部大臣は薩摩閥の実力者樺山資紀《かばやますけのり》である。

明治三三年に着手して四〇年までに、官立高等教育機関の数を、帝国大学四（二）、高等学校一二（七）、高等商業学校三（二）、工業学校七（二）、農林学校五（〇）まで増やす（カッコ内は既存の校数、内数）という大計画であり、「八年計画」と呼ばれていた（『教育時論』明治三二年七月五日号）。明治三三年度には、第六高等学校、九州帝国大学、東北帝国大学、農林学校（盛岡）を創設するものとし、必要経費の総額を算定して予算要求をするという、本格的な拡張計画であった。

この案が明らかになると有力紙の多くはこれを歓迎し、たちまち各地に学校誘致運動が展開され始めた。ところが、肝心の政府のほうは大蔵省を中心に、財政難を理由になかなか首をたてに振らず、八年計画を一〇年計画に延長する案とか、寄付金を当てにする案が出されるなど、さまざまな議論があったが、紆余曲折《うよきょくせつ》の末、具体化されることなく終わってしまった。結局、明治三三年中に新設が決まったのは、第六高等学校（岡山）だけであった。

なお、この拡張案に対しては、「何ぞ、私立学校を設けざる」という社説を掲げて「若し真に子弟教育に志ありて、数十万の寄付金をも厭《いと》はざるの熱心あらば、何故に政府の施設をのみ頼みとせず、百尺竿頭《かんとう》、更に一歩を進めて、地方独立の私立学校を設計するの奮発に出ざるや」と皮肉った福沢の『時事新報』や、「高等教育は、成る可《べ》く民間の施設に委《まか》す可き者」であり、「学校増設を希望する地方人士は、自ら学校増設の業を企《くわだ》つ可く、妄《みだり》に政府に依頼して之を遂げんとするは、卑屈の甚しきもの」だとした『万朝報《よろずちょうほう》』のように、官立セクターの拡大政策に批判的な新聞もあったことを、付け加えておくべきだろう（『教育時論』同号）。

「拡張」から「改革」へ

こうして文部省の増設計画が頓挫するなかで、それに代わって再度頭をもたげてきたのは学制改革の議論である。

井上文相の「低度・地方大学」としての高等学校構想の挫折が明らかになり始めたいま、学校系統をめぐる問題を放置したまま、官立諸学校の増設をはかっても問題の解決にはならない。まずは学制改革を議論し、その決着をはかったうえで規模の拡大を考えるべきではないか、というのである。「拡張」が挫折したあと、明治三六年の専門学校令の制定に至る数年間は、こうして「改革」すなわち学制改革論議が、最初の大きな盛り上がりを見せた時代であった。

学制改革論議に火をつける役割を果たしたのは、早くから学制改革の必要性を訴えてきた国家教育社の伊沢修二である。なかなか進まぬ改革に業を煮やした伊沢は、広く教育問題に関心を持つ帝国議会の議員や在野の教育者等に働きかけ、明治二七年、近衛篤麿《あつまろ》公を会長に高田早苗らも加えた「学政研究会」（翌年学制研究会と改称）を設置して、教育行政や学校制度の研究に乗り出した。明治二八年初めの帝国議会に、加藤弘之ら研究会メンバーを中心に提出された「教育高等会議」の設置を求める建議は、その活動のひとつの具体的な表われに他ならない。

内閣も文部大臣も頻繁に交代し、百年の大計であるはずの「教育ノ方針、画策半途ニシテ改変セシモノ、少シトセス」という現状を改め、「教育ニ関係アル、適当ノ朝野人士ヲ以テ、之ヲ組織」し、「重要ノ事項ニ関シテ、審議翼賛セシ」めることにすれば、「学政上激変ノ虞《おそれ》」がなくなるというのが、建議の理由であった（倉沢、一九七八年、七八八ページ）。

教育問題を審議する独立の組織の必要性は、井上文相もすでに認識していたところであり、明治二六年には「欧州各国ノ例ニ倣ヒ、高等教育会ヲ設ケテ、文部諮詢《しじゅん》ノ機関トシ、公議ニ力ヲ藉《か》リテ決行」すべきだとして、閣議に高等教育会議の設置案を提出している（同書、七八六ページ）。しかしこの提案は具体化されず、また外部からの介入を嫌う政府は加藤らの建議も受け入れを渋ったが、明治二九年になってついに「高等教育会議」を設立するに至った。現在の「中央教育審議会」につながる、教育関係の審議会の始まりである。

しかし、設置されたこの会議の議員の主力は、帝国大学の総長・分科大学長、文部省各局長、官立諸学校校長などで占められており、それ以外の「学識アル者、又ハ教育事業ニ閲歴アル者」から選ばれる委員は、わずか七人以内と定められていた。高等教育会議は、「審議」会というより文部行政の「翼賛」会であり、そこで取り上げられた議題を見ても、明治三五年の第七回会議になるまで、学制改革に直接かかわる問題はまったく取り上げられなかったことがわかる。

「学制研究会」の役割

学制改革論議の主要な推進母体となったのは、その高等教育会議よりもむしろ、会議の設置の必要性を主張した、それこそ「学識アル者、又ハ教育事業ニ閲歴アル者」を主体とした学制研究会である。

明治二九年に伊沢の国家教育社と、元文部次官の辻新次《つじしんじ》を会長とする大日本教育会が合併して、在野教育関係者の最大の団体「帝国教育会」(会長近衛篤麿)が発足してからは、その学制研究会はさらに大きな影響力を持つようになった。なぜなら帝国教育会の有力メンバーが加わる学制研究会は、帝国議会の有力議員を擁し、「民間の「教育世論」は学制研に媒介され、「議会の教育意見」にまで上昇することによって、当局の教育政策形成に多大の影響を与え続ける」ことになり、活動の最盛期には「教育政策の形成過程における主導権を握るようにさえなった」からである(小股、一九八一年、五七九ページ)。

文部省に従属的な高等教育会議の役割に飽き足らない学制研究会の関係議員は、明治三二年末の帝国議会に、新たに「学制改革調査会」の設置を求める建議案を提出した。「教育ノ普及拡張」をはかる必要があるのはもちろんだが、そのためには「完全ナル計画」を立てる必要がある。ところが「我カ国教育ノ現状ヲ視《み》ルニ、教育制度其ノ宜キヲ得ス、教育機関ノ整備ヲ闕《か》キ、未タ今日ノ時態ニ適セサルモノ」が少なくない。増設計画の前に、まずは学制改革のための調査会を設置すべきではないか、というのである（倉沢、一九七八年、七九九―八〇〇ページ）。この建議案は可決されたものの、政府は採用することを拒んだ。

その同じ時期、帝国教育会は、会長で建議案提出者でもある辻新次を中心に、「学制改革同志会」なる団体を立ち上げ、改革構想の検討を開始した。会の発足時に発表された「要綱」を見ると、「中学校の教育を完全にして、中学校より直ちに、大学に進入することを得しむる事」、「高等学校の組織を改めて大学校となし、高等の専門学科を増設し、専ら国家須要の人材を養成する所たらしむる事」、「帝国大学は、主として学術技芸の蘊奥を攻究する所たらしむる事」などとあり、目標を具体的に設定しての検討であったことがわかる（『帝国教育会五十年史』一一一ページ）。

七、二つの改革構想

久保田譲の演説

学制改革論議を盛り上げる大きな契機となったのは、時を同じくして帝国教育会で開催された講演会における、「教育制度改革論」というタイトルの、久保田譲《ゆずる》の講演である（『明治以降教育制度発達史』第四巻、六〇八―六三四ページ）。

久保田は、普通学務局長・文部次官などを歴任した高級官僚だが、明治二六年、井上毅の文相就任時に退官して貴族院に入り、学制改革に論陣を張った。久保田はまた、学制改革同志会の有力メンバーの一人でもあり、以下に紹介する彼の講演内容は、同志会の「要綱」に示された改革の狙いと、大きく重なり合っていたことがわかる。

久保田は講演を、教育年限の問題から始めている。現状では、小学校入学から帝国大学卒業まで、規則どおりに教育を受けても卒業時には二三〜二四歳になってしまう。これでも欧米諸国よりすでに二〜三年長いのに、「学校ノ足リナイノト、学校聯絡ノ不備デアル等ノ為」に、中途で試験に落第したりしてさらに時間がかかり、実際に大学を卒業するのは「平均二十六七歳、甚シキハ三十歳ヲ超」えるものもいる。それでなくても国民の資力・体力ともに欧米諸国に劣るわが国にとって、大きな負担であり、なんとしても学校系統を見直し、制度を改革して教育年限の短縮をはからなければならない。

帝国大学棚上げ論

久保田によれば、最大の問題は帝国大学の存在にある。

かつて伊沢修二が指摘したように、小・中学校と帝国大学は起源を異にしており、両者の間には大きな溝があって「聯絡スルコトガ出来ナイ」。「ソコデ止ムヲ得ズ、高等学校ノ大学予科ト云フヤウナル、一種特別ノ学校ヲ設ケテ、其溝ニ橋ヲ架」けるという「奇道ヲ取」ることになってしまった。そのために小・中学校までが犠牲になっているのだから、帝国大学を学校系統からはずしてしまわなければならない。「此大学ヲ、学校ノ正系以外ニ置イテ、特殊ノ大学トシ（中略）学術技芸ノ蘊奥ヲ研究スル」ところにしてしまう。帝国大学は「他ノ学校トノ聯絡関係抔《など》ニ頓着セズ、自由ニ行動」して、必要なら自ら予科を付設すればよい。要するに「帝国大学棚上げ論」である。

高等学校の代わりに彼が構想したのは、ドイツ流の中等学校制度である。まず小学校は尋常・高等各四年の八年制とする。次に、それとは別に、尋常小学四年修了で接続する八年制の中学校を置く。ドイツの中等学校であるギムナジウムが、そのモデルと見てよい。中学校は初等・高等各四年にわけ、高等小学卒業者でも高等中学に入学できるようにする。また初等中学の下に、尋常中学相当の「予備校」を置くことも認める。つまり、ドイツと同様に、大学進学者とそれ以外を早くから分岐させる、複線型の学校制度を導入しようというのである。

新しい大学は、この中学卒業者を入れる三〜四年制の教育機関にするから、年限が二年短縮されることになる。その大学は、いまの帝国大学のように、六つの分科大学を持たなくても、二分科のみでも認めることにする。

現在の高等学校は不要になるが、高等学校にいま開設してある「医科工科等ノ専門学科ハ、之ヲ修正シテ増補ヲスレバ、新ラシイ大学ニ改造」できるだろう。そうなれば「森大臣モ井上大臣モ、定メテ満足ヲセラレルデアラウ」。大学予科は「新ラシキ高等中学ノ模範トシテ」、官立のまま維持すればよい。複雑になるので、専門学校のことにはふれないが「私立ノ専門学校ノ中ニハ、修正増補ヲ加ヘテ参《まい》ツタナラバ、大学ノ資格ヲ備ヘルニ至ルモノガ、数校アルト思」われる。そうすれば人材の供給量も増え、「官立私立ノ学校ハ、各々自分ノ特色ノ競争ニ依テ、学問ノ進歩モ、大ニ見ルベキモノガアルヤウニナルダラウ」。

「帝大派」の反撥

久保田は、この改革案を帝国議会でも公表したが、それは帝国大学関係議員の強い反撥を招かずにはおかなかった。「大学派」、「帝大派」などと呼ばれた彼らは、学制改革論議の当初は学制研究会（「学制研派」）と近い関係にあったが、帝国大学の棚上げ論が提示されるに及んで決裂し、両者の間で激しい議論が展開されることになったのである。

明治期の教育関係議員と改革論議の関係を取り上げた論文のなかで、小股憲明はこの時期の帝国大学について、「文部省としてもその改変には手をつけることのできない〝聖域〟としての地位を保持していた（中略）実質的には文部本省に匹敵するほどの権威と発言権を持っていた」（小股、五七二ページ）と指摘している。その帝国大学の地位に挑戦し、「文部省の山法師とまで綽名《あだな》せられた大学を、根本的に改革せねばならぬと宣言したので、所謂《いわゆる》大学側の長老連には、学制研究会は非常に憎まれた」と、学制研究会の幹事であった湯本武比古《たけひこ》も述べている（同、五七三ページ）。なお湯本は『教育時論』の主幹であった。

菊池の学制改革構想

帝国議会で久保田構想に強く反撥したのは、菊池大麓である。

帝国大学教授から文部省の高等学務局長や次官を歴任し、当時帝国大学総長の職にあり、貴族院議員でもあった菊池は、「大学派」を代表して「久保田君ハ、大学ノコトヲ御存ジナイ」「大学ノ程度ヲ下ゲル、大学卒業ノ標準ヲ下ゲルト云フ事ハ、是ハ如何《いかが》ナ理由デアリマセウカ」と真っ向から反論した。いまでさえ卒業生の学力がおぼつかないと懸念しているのに、さらに「卒業生ノ力ガ落チハシナイカ」。また「低イ程度ノ大学」を新設して、帝国大学は「蘊奥ヲ研究スル所」にするのだというが、「大学ノ性質ヲ知ラヌ」からそんなことを言うので、「研究ヲシナイ大学ト云フモノハ、アルコトハ出来ナイ」（『明治以降教育制度発達史』第四巻、六三五―六四〇ページ）。

文部省も手を出せないほどの帝国大学の権威と地位が、学術の独占体であるだけでなく、さまざまな特権によって庇護された、高級官僚を中心とする学歴エリートの育成・供給の独占体であることによって保障されているのだということを、帝国大学総長である菊池は誰よりも深く認識していたに違いない。

ところが久保田は、その「従来、大学及大学ノ学生ニ附与シタル所ノ特権、名誉、即チ学位ノ授与、留学生ノ派遣、徴兵ノ猶予、官吏、教官、医師、技師、弁護士等ノ資格ハ、悉《ことごと》ク新シイ大学ニモ附与」すべきだという。それだけでなく「私立学校ニモ、或ル制限ヲ以テ、大学ノ名称ヲ附シ、［官立大学と］同一ノ特権名誉ヲ附与」しようというのだから（同書、六二五ページ）、菊池の目に学制改革同志会の改革案が、帝国大学の特権に正面から挑戦し、それを侵害するものと映ったとしても不思議はないだろう。

その菊池が、明治三四年六月に第一次桂太郎内閣が発足すると、今度は文部大臣の職につくことになった。否応なく学制改革の問題に取り組まざるを得なくなったわけである。

菊池が文相に着任して半年後の明治三五年初め、帝国議会に「大学校及中学校改正建議案」と「学制調査ニ関スル建議案」が相次いで提出され、この二つを折衷した修正案が議決された。「政府ハ、大中学ノ系統ニ改革ヲ施シ、大学及中学ノ直接、連絡ヲ有スルノ制トナシ、学生修業ノ年限ヲ適宜ニ短縮シ、高等教育ノ設備ヲ拡張セラレンコトヲ望ム」というその建議の内容が、久保田に代表される学制改革同志会のめざす改革の方向と合致するものであった（倉沢、一九七八年、八〇一ページ）ことは、言うまでもあるまい。

行政整理と学制改革

その建議とほぼ同時期、桂首相は政費節減に向けて行政整理案を検討するため、内閣に「政務調査委員会」を設けており、政府の側の学制改革案もそこで検討されることになっていた。実際に、委員長が文部次官から法制局長官に転じた奥田義人《よしと》であったことから、「奥田案」と呼ばれたその委員会が作成した「行政整理案」（同書、八〇四ページ）を見ると、教育制度の改革についても多くの項目が含まれていたことがわかる。

高等教育の関係でいえば、①徴兵制度や国家試験上の特典にあずかることのできる「専門学校ハ、中学校卒業者、又ハ之ト同等已上《いじょう》ノ学力ヲ有スル者ヲ入学セシメ、修業年限三年已上ノモノニ限ルコト」、②「現在ノ高等学校ハ、之ヲ帝国大学ノ予備校ト為スノ制ニ改ムルコト」、③「高等専門学校ハ、今後国立トシテ増設セサルノ方針ヲ採リ、必要ニ応シテ府県立学校、及私立専門学校中、適当ナルモノヲ選択シ、国庫ノ補助ヲ与ヘテ、完全ナル専門学校ト為スコト」などの項目があげられており、これに関連して文部省が作成した学校系統図も残されている。

それによれば①「専門学校（新ニ制定）」は、前記の要件を備えるものとし、「法学、医学、理学、文学等ノ学校」と「工業、農業、商業、商船等ノ学校」を分ける。②「大学予備門（新ニ制定）」は修業年限を二年とする。③大学には大学予備門のほか、「専門学校ヨリモ、一定ノ条件ヲ以テ入学ヲ許ス」など、さらに詳しい説明がされている。なお専門学校について「法学理学文学等ヲ、官立トシテ之ヲ設立セス」と明言している点が注目される。

実業系の専門学校は官立、法文系は私立という機能分化を、政府自体が考えていたことになる。

それだけでなく高等学校についても、①大学予備門に移行させるのは第一（東京）、第二（仙台）、第三（京都）、第五（熊本）の四高等学校の大学予科だけとする、②第四（金沢）、第六（岡山）の二校の大学予科は、専門学校に組織変更する、③山口・鹿児島の大学予科は廃止する、④第五高等学校の工学部は工業専門学校とし、他に仙台に高等工業学校を新設する、という大幅な再編構想が書かれている。

高等学校は事実上廃止、官立は実業専門学校に限るという政策が、きわめて具体的なものであったことがわかる。ただし、帝国大学については、まったくふれていないことに注意したい。

経費の節減を目的にした改革構想らしく、拡充の困難な官立セクターは、実用的な人材養成に向けて、高等学校の縮小と実業専門学校の拡充の方向で再編をはかり、すでに私学が大きな比重を占めている法文系の専門教育は私立セクターに委ねる――なにやら、一世紀後のいま進行中の教育改革を思わせる大胆な構想が、行財政改革の一環として打ち出されたことになる。この学校系統案は、明治三五年一〇月には閣議決定までされている（倉沢、一九七八年、八〇七ページ）。

学制改革は菊池文相のもと、最大の課題である帝国大学の位置づけの問題を棚上げしたまま、専門学校制度の創設と高等学校の再編を軸に、大きく動き出したのである。

専門学校の法制化へ

菊池は同年一一月、この学制改革案を高等教育会議に諮問した。会議冒頭の菊池の演説によれば、その内容はほぼ前記の閣議決定案どおりで、帝国大学の問題にはふれず、「高等学校令」の廃止と「専門学校令」の制定を基軸としたものであった。

彼がとりわけ、専門学校制度の創設を重視していたことは、その冒頭演説の次のような一節からもうかがわれる（『第七回高等教育会議議事速記録』六―七ページ）。

「一体、今日事業ヲ執ルニ於テ必要ナルコトハ、必ズシモ大学程度ノ、高イ教育ヲ受ケナイデモ、十分間ニ合フ、中学校ヲ卒業シテヨリ、三年乃至《ないし》四年位ノ学科ヲ卒《おわ》ツタ者デ以テ、十分ニイケルトコロノ職業ト云フモノガ、沢山アル（中略）此方ニ向ツテ、学校ヲ沢山設ケ、又之ニ向ツテ、相当ノ特権名誉等ヲ与ヘタナラバ、此方ニ向フ者ガ多クナル」

「専門学校ノ中モ、主トシテ実業専門学校ヲ、今日ヨリ多ク増設シタイ（中略）大学ノ増設ト云フヨーナコトハ、今日ドーモ、国家ノ経済ニ許サヌコトデゴザイマスカラ、是ハ先《ま》ツ止メル」

森や井上以来の「低度大学」構想は、帝国大学には手をつけぬまま、専門学校の法制化をはかり、実業教育中心に拡充する方向に変形されたと見てよいだろう。

しかし問題は依然として、帝国大学の存在にあった。帝国大学の数を増やすつもりはない。しかし構想どおり高等学校を大学予備門に組織変更し、その数を四校に減らせば、予備門の入学者、ひいては帝国大学進学者の数が減少してしまう。それもまた望ましいことではない。進学者数の減少を防ぐために、大学予科を予備門に変更する際、教育年限を三年から二年に短縮したい。そうすれば施設を拡充しなくても、入学者数を増やせるから、現状維持が可能になる。年限を短縮したのでは学力の低下が懸念されるというのなら、当面、中学校に一年の補習科を置き、その修了者を入学させればよい、というのが菊池の考えであった。

高等学校改革の挫折

しかし、帝国大学をはじめ官立学校関係者が多数を占める高等教育会議は、「専門学校令」の制定はともかく、菊池の高等学校の再編案についてはきわめて批判的・否定的であった。文相就任前の菊池自身がそうだったように、彼らは帝国大学の学生の学力低下につながるような改革、つまり大学予科の年限短縮は、絶対に受け入れられないと考えていたのである。予備門の年限短縮自体、帝国大学の入学者数を確保するための数合わせ的な措置であるうえに、中学校の補習科に高等学校並みの教育ができる保障がない。一年分を大学に移したらどうかという案もあったが、結局、高等学校の再編案は否決され、専門学校制度の創設だけが実現することになった。その意味で菊池文相もまた「大学派」に敗れ、学制改革は中途半端なまま先送りされることになったのである。

菊池は明治三六年七月に文相を退任しているが、その直後に出された著書の序のなかで、

「余は大学の制度に就ては、一つの考を持て居る。或いは直に実行することは出来ず共、将来は之に達す可きものと思ふて居る。従て予備門に就ても、今より其方針で進んで行きたいと考へて居る。此意見は他日、折を見て公にする時期が有らふ」と述べている（『菊池前文相演述九十九集』一二ページ）。

この時点でどのような構想を抱いていたのか、具体的な内容はわからないが、やがて菊池は帝国大学の存続に直接かかわるような、きわめて大胆な改革案を持って学制改革論議の舞台に再び登場してくる。それについてはまたあとでふれることにしよう。

八、「専門学校令」の成立

専門学校令の性格

勅令「専門学校令」が公布されたのは、菊池文相在任中の明治三六年三月である。当時文部次官の職にあった岡田良平は、のちにその意義についてこう述べている。

「井上文相の高等学校専門部は、世間では之を地方大学と称する者もあった（中略）失敗に終はつたが、併しながら、菊池君は予《か》ねて之を再興する考へがあつたので、明治三十四年自分が文部大臣になると、新たに専門学校令を制定して之を実施した。（中略）此の専門学校令の精神に就いて一言すれば、予ねて高等学校の本体とする所の専門部を独立させて、之を専門学校としたもので（中略）一方に於ては各種の官立専門学校を増設し、即ち低い大学を沢山つくって、学制改革の目的の一端を果たさうとし、又一方に於ては、多くの私立専門学校を、名実共に備つた立派な専門学校になさうといふのが、其の主眼とする処であった（中略）此の専門学校令が出て、始めて（私立政治、法律学校が）専門学校の形を備ふるに至り、一方に於ては宗教、美術、文学、医学、薬学等の各種専門学校が続々出来て来た訳である」（『教育五十年史』二一二ページ）

専門学校令は、帝国大学・高等学校・高等師範学校以外のすべての高等教育機関を対象にした、きわめて包括的な勅令である。もちろん、帝国大学以外の官立専門教育機関の制度的位置づけを第一の目的に制定されたものだが、それ以上に、私立専門学校を想定してのものであったと見てよい。

それは菊池文相が専門学校令の制定にあたって閣議に提出した請議の、「近来文運ノ進歩ト共ニ、専門ノ教育大イニ膨張シ、私立ノ専門学校ニシテ程度ノ高キモノ、漸次多キヲ加フルノミナラス、此等《これら》各種専門学校ニ就テハ、私立学校令ノ外ハ、徴兵令第十三条ニ拠ル認定上、二三ノ制限ヲ存スルノミニシテ、其他ニ於テハ、遵拠《じゅんきょ》セシムヘキ法令ノ規定備ハラス、監督上不都合少」なくないので、という文面に端的に示されている（倉沢、一九七八年、八二四ページ）。すなわちそれは擡頭著しく、敵視も無視もしえなくなった私立専門学校を学校教育システムのなかに正当に位置づけ、官立諸学校の補完的な役割、あるいはそれとは異なる役割を担わせることを目的に、制定されたのである。

国家・政府が支援や助成をほとんどすることがないまま、いわば自生的な、自由な生成と発展に委ねてきた私立専門学校だが、気がついてみれば規制する法規はないに等しい。ところが各種の人材養成、すなわち官僚、とくに中級官僚や法曹、中等教員、開業医、薬剤師、新聞記者、それに銀行・会社員などの育成に、これら私学が大きな役割を果たすようになり、数の上でいえばその規模は、官立セクターのそれをはるかに上回っている。とくに法文系の教育には帝国大学は別として、私立専門学校が圧倒的に大きな役割を果たしている。

官僚の養成にかかわる法学系私学については、試験制度上の特典と引き換えに規制をはかってきた時期もあるが、それもいまはない。わずかに司法官試験の指定学校と、中等教員無試験検定の認可学校の制度があるだけで、あとは徴兵制度上の特典と関係した、中等学校以上かどうかの認定制のみ。力をつけた私立専門学校のなかには、「大学」を志向するものまで現われつつある。しかも厳しい財政事情のもとで、帝国大学はおろか、実業系の官立専門学校の増設もままならない。

急増する進学希望者の受け皿として専門諸学校、とりわけ私立専門学校を学校体系のなかに正式に位置づけ、さまざまな特典をあたえてその発展をはかることが避けて通れぬ政策課題になっていたのである。高等教育会議の議論に見るように、その点で関係者の間に大きな意見の食い違いはなかった。

庇護と統制

こうして成立した専門学校令は、それまで一部の学校だけに適用されてきた「庇護と統制」政策を、すべての私立専門学校に及ぼそうとするものであった。

同令によれば、専門学校とは「高等ノ学術技芸ヲ教授スル学校」であり、中学校・高等女学校の卒業者またはこれと同等の学力を持った者を入学させ、修業年限は三年以上とされた。認可を得るためには、法令の施行から一年以内に文部大臣に申請をする必要があり、申請しなければ廃校、また不認可の場合も廃校とみなされることになった。それがいやなら各種学校に移行することになるが、その場合にも「専門学校ト称スルコト」を禁じられた。専門学校と各種学校の間に、明確な制度上の境界が設定されたわけである。

それだけでなく専門学校令と同時に公布された「公立私立専門学校規程」には、認可を得るための諸条件が細かく定められており、適切な校地・校舎・教具といった物的条件とともに、教員資格、備えるべき書類や帳簿、学則に規定すべき事項など、現行の大学設置基準の原型とも言うべき条項が並んでいる。

このように専門学校令は、国家の設定する一定の基準を満たした私立学校だけに専門学校の名称を、言い換えれば高等教育機関としての制度上の地位を認め、国家試験と徴兵制上の特典を保障するものである。裏返せば、特典を望まぬ限り自由な発展の可能であった私立専門学校に、国家の直接的な統制下に入るか、各種学校となるか、それとも閉校するかの選択を迫るものであった。

ただ、それを国家による一方的で強権的な統制策とのみ、見ることはできない。高等教育機関として官立諸学校に比べて水準が多様で、押しなべて低い私立専門学校の質をどのようにして高めていくかは、高等教育政策上の最重要課題のひとつだったからである。これまで見てきたように、特別認可学校制度も徴兵令上の特典も、そうした質の向上、基準の維持・向上策としての性格を持たされていた。

それでも明治三〇年には、認可学校や指定学校の制度の早期導入により水準の引き上げが進んでいたはずの法学系私学について、当時の法務大臣が明治法律・東京法学院・東京専門・和仏法律・日本法律の五校の代表者を招いて、「改良上進」を強く求めている。

「民」の立場に立つ『教育時論』誌は、この記事を紹介しながら、「我国現今の形勢は、私立法律学校に向て、早晩、一大刷振《さつしん》を加へざる可らざる機運に迫れ来れり」として、五校が統合して「完備せる私立法律学校を興起し（中略）帝国大学の法科大学と相拮抗《きっこう》」する必要性を説いているが（明治三〇年八月一五日号）、社会的に無視しえない存在になったとはいえ、高等教育機関としての基盤整備は、まだ期待どおりには進んでいなかったのである。

専門学校規程に示された諸基準が、設置認可にあたってどのように適用され、運用されたのかは定かではない。この時期にはすでに有力私学は多くが、規模はともかく自前の校地・校舎を持っていたが、専任教員を持つ学校は限られており、非常勤の時間講師に全面的に依存する学校がほとんどであった。

そうした現実のなかで、認可の条件として最も重視されたのは、入学してくる生徒の質の管理である。尋常中学校・高等女学校卒業者ないしそれと同等の学力を持ったものを入学させる、という条項を満たすことが、最も強く求められたのである。そしてそれは、この時期の私立専門学校にとってきわめて厳しい条件であった。

専門学校令の原案が公表されたとき、帝国大学法科大学教授で、いくつもの私立法律学校の講師をつとめていた戸水寛人《とみずひろんど》は、それを歓迎する一方でこう述べている（『教育時論』明治三四年一月五日号）。「私立学校の有様は、ただ関係者の外に之れを知るものなく、文部当局の如きも（中略）私立法律学校の事情には甚《はなはだ》疎し。（中略）今回専門学校令の立案を見るに至りたるも、現時の実情に適せざる点多く、之を直ちに私立学校に適用せんとするに於ては（中略）首肯し難きものあり」。

彼が問題にした「現時の実情」とは、法学系私学に学ぶ学生の質であった。専門学校令の規定は入学者の資格を、中学校卒業ないしこれと同等の学力の者に限るとしている。ところが現実を見ると、東京専門学校ではすでに中学校卒業者が多数を占めているものの、夜間授業だけの日本法律・和仏法律の二校は「莫大の学生を有するにも拘はらず、其の中、中学卒業者を数ふれば、皆甚僅少」である。昼間授業も行なっている明治法律・東京法学院の二校の学生数はさらに多いが、中学校卒業者が少ない点では同様である。

専門学校令を施行すれば、「本科生非常に少く、別科生著しく夥多《かた》成るべく、甚面白からぬ状態を呈」することになるだろう。しかも、授業料収入以外の収入源がないから、本科生と別科生とを分けずに同じ教室で、一緒に教育せざるをえず、試験をしてみたら別科生のほうが上位を占めるという「奇観を呈する」ことになりかねない。たしかに「普通学を研究せずして、直ちに法学の研究に入るは、学力の発達に益少きのみならず、一種の弊害を醸すこと疑を容れ」ない。どうしても本科生中心の法学教育をしようというのなら、「まず私立学校に「年二万円程度の」国庫の補助を与へ」るべきである。法学系私学の実態を知悉した戸水ならではの、現実を踏まえた正論というべきだろう。

巧妙な私学政策

『教育時論』誌も、専門学校令の制定後に同様の見解を述べている（明治三六年四月五日号）。

制度の趣旨はよくわかるが、規定どおり実施しようとすれば「頗《すこぶ》る資金を要す。かの授業料を以て、学校の維持費とせる学校の如きは、今日の所、本令の規定にては、多大の困難を感じざるを得ず、其の最も大打撃を蒙《こうむ》るものは、実に私立法律学校」である。「当事者が、本令を制定したる意思も、主とする所、法律政治経済を修むる学生の、無素養にしてこれに向ふを、拒否せんとするにありといへば、本令の如きは、一面より見れば教育の改善にして、一面より見れば私立学校の淘汰たるや明《あき》らけし。未だ保護を加ふる所なくして、かくの如き最重なる制限を附するは、目下の状態に於て、頗る酷なるもの」ではないか。

たしかに有資格の本科生以外の学生を入学させ、教育することは罷《まか》りならぬということになれば、法学系に限らず、大方の私立専門学校は経営が成り立つはずもなく、各種学校になるか閉校の道を選ばざるを得なくなる。実際に最大の医学専門学校済生学舎のように、専門学校令の施行を機に突然閉校した学校もあるし、東京物理学校や東京薬学校のように、専門学校にはならず各種学校として存続をはかったところもある。

しかし法学系を中心に多くの学校が選んだのは、専門学校への道であった。そしてそれが可能だったのは、専門学校令が、設置基準を厳しくする一方で、「専門学科ニ於テハ、予科、研究科、別科ヲ置クコトヲ得」という条項を設け、とくに法学系私学にとって命綱ともいうべき、入学資格を問わない「別科」の存続を認めたからである。

弁護士や中等教員、薬剤師など国家試験を伴う資格職業に、まだ学歴による受験の制約条項がなかった時代である。いや、この国では在野法曹である弁護士だけでなく、高級官僚の任用試験の受験についても、戦前・戦後期を通じて、学歴による制限がなかったことを想起すべきだろう。時代をさかのぼるほど立身出世の「捷径」として、あるいは職業上の知識や教養を身につける簡易な方法として、別科は多数の生徒を集め、その授業料によって正規の教育課程を支え、(戸水や『教育時論』の懸念をよそに)私学の高等教育機関としての発展を支えたのである。

国家は一切の財政的な支援をせず、ひたすら「アメとムチ」で私学の、まさに命懸けの努力を引き出し、私的で個人的な負担による低廉なコストで、高等教育の機会の拡大と人材養成をはかる。現在に至る、巧妙とも狡猾《こうかつ》ともいうべき高等教育政策の形は、明治三六(一九〇三)年という二〇世紀の始まりの時点で、すでに創られていたことになる。

九、「大学名称」の獲得戦略

私学と「大学名称」

こうして明治三六年の春に施行された専門学校令だが、危惧されたような大幅な「私立学校の淘汰」をもたらすことはなかったものの、思わざる形で、その後の学制改革論議とも深くかかわるもうひとつの厄介な問題を生むことになった。

それは「大学名称」を持った私立専門学校群の登場である。「大学と専門学校」「官立と私立」という、わが国の近代学校制度の発足以来の課題が、私学の擡頭により、「私立大学」

問題という新しい衣をまとって登場してきたのである。それは、専門学校についてはようやく法令が整備されたが、大学については、帝国大学のみを対象にした「帝国大学令」という特殊な法令以外に、一般的な規定が存在しないという、いわば制度上の空白がもたらした問題でもあった。

私学の大学名称については、すでに見たように明治一〇年代にアメリカのカレッジをモデルにした、ミッション系私学の一部が一時期、校名に「大学」「大学校」などを謳ったことがある。また、東京専門学校や同志社のように「大学」設立への志向を表明する私立専門学校もあった。明治二〇年代の初めには、哲学館・国学院などが、「西洋大学」に対峙する「日本大学」の設立構想を打ち出している。法学系でも明治二二年、英吉利法律学校が東京法学院と改称した際、関係の深い東京医学院・東京文学院とともに「東京学院聯合」を立ち上げ、将来は「聯合東京大学ヲ組成スルノ希望」を抱いて、「私立大学組織ノ方法ヲ講究シ、之ニ必要ナル諸般ノ準備ヲ為」そうとしたことがある（『中央大学百年史』通史編上巻、二一二―二一三ページ）。

しかしこれらはいずれも構想や夢の域を出るものではなく、それを具体化し実現するのに必要な条件は、ほとんど整っていなかった。唯一実現されたのは、慶應義塾が明治二三年に開設した「大学部」だけであり、それも在学生数が一〇〇名を超えることがほとんどなく、なんとか存続しているというのが、厳しい現実だったのである。その慶應義塾も、初等段階から高等段階まで、文部省の諸法令に定められた学校教育体系を離れて、独自の一貫教育のシステムを持つ自立的な「学園」であって、校名に大学を称することはなかったから、明治三〇年代に入った時点で「私立大学」はまだ一校も存在しなかったことになる。

「早稲田大学」の構想

そうした私立「大学」問題の閉塞《へいそく》的な状態に風穴をあけ、新しい局面を開き、学制改革問題に新しい難題を突きつける役割を果たしたのは、最初に校名に「大学」を謳った専門学校「早稲田大学」の出現であった。

その早稲田大学の母体となった東京専門学校は、十数年後には「邦語ヲ以テ我ガ子弟ヲ教授スル大学ノ位置ニ進」めるのだという、明治一五年の開校時に小野梓が行なった演説に見られるように、早くから大学設立の意思を表明し、努力してきた私学のひとつである。実際に、高等教育機関としての整備の状況からすれば、慶應義塾と並んで、東京専門学校は一頭地を抜く存在であったといってよい。

たとえば、先の戸水寛人も「早稲田専門学校の如きは、所在偏頗《へんぱ》なるが為［つまり早稲田という都心を離れた場所に立地しているため］に、其学生は専ら学事に身を委ねるもの多きが故に、学生中には中学校卒業者、割合に多し。加之《しかのみならず》、此の校は、諸地方に散在せる政治家に縁故あるにより、其の子弟、或いは其の友人の子弟等、特に此の校を選んで上京する者多く、かかる篤志の学生中には、中学校の卒業者も自然多数なり。思ふに此の校に於ては、全学生の五六割は、中学校卒業者なるべし。是れ実に此の校の長所にして、他校の企及《ききゅう》すべからざる所なり」（『教育時論』明治三四年一月五日号）と、その（学生の）質の高さを評価している。

同校の関係者の間でも、東京専門学校はすでに立派な大学であるとする自負が、早くから生じつつあったことは、「日本の首府に、堂々たる大学三箇あり。帝国大学と、慶應義塾、及び東京専門学校是なり。此三のもの、其組織、及び学科の種類程度、所謂ユニバルシチーに該当するものなれば、其名称異なるを問はず、共に大学と称す可き学校なりとす」という明治二六年の、同校の機関誌である『中央学術雑誌』の社説（『早稲田大学百年史』第一巻、九六五ページ）からもうかがわれる。

その東京専門学校が、創立から一八年経った明治三三年、「学監」として事実上の学長職についた高田早苗を中心に、具体的な「大学」設立構想を打ち出したのである。その高田は、学制改革同志会の有力メンバーでもあったことを、付け加えておくべきかも知れない。

「周年」事業の始まり

創立二〇周年を迎える、明治三五年の実現を目標に描かれたその構想は、①教育課程を大学部と専門学部の二つに分ける、②大学部の下に中学校卒業者を入れる一年半の高等予科を置き、その修了者を大学部に進学させて専門教育をする、③専門学部は中学校卒業者を入れ、「邦語」で専門教育を行なう、④さらに基本金三〇万円を募集して「講堂建築、専務講師増聘、図書館拡張、海外留学生派遣等」を進める、⑤校名を早稲田大学に変更する、というものであった。三四年の一月には実際に文部省に大学部設置の願書が提出され、校友大会の賛同を得て募金活動が開始されている（同書、九七一―九七三ページ）。

校友大会に提出された「早稲田大学設立趣旨」によれば、「本校は現今、政学、法学、文学の三部より成りて、之に政治経済、法律、行政及び哲学、史学、国語漢文の各分科を設けたり。其の課程の整備せる、既に私立大学の規模に庶幾《しょき》」している。このたびはさらに水準を高め組織を改善して、「其事業の歩武を進めて、儼《げん》たる私立大学を建設」するのだと記されている。

創設者の大隈重信は「大学などを拵《こしら》へるに付いては、其設備に随分入費の掛る者」である、「専門学校は大きな寺であるが、どうも宜い檀家が一向ない、大隈は専門学校の頭檀家であるが、此檀徒が余り富んだ檀徒ではない、残念にも寺は大きいが貧乏寺である」として、「檀家・講中」としての校友に寄付の必要性を強く訴えた（同書、九七四―九七五ページ）。東京専門学校にとっては、これが最初の募金であり、以後「周年事業」の形で募金をして、授業料ではまかなえない学園の物的基盤の強化をはかり、新学部の開設のような事業を立ち上げるというのが同校の、さらにいえば他の私学にも共通した、学校経営の基本的なパターンになっていく。

帝国大学との関係

この「早稲田大学」構想を見ていくと、唯一の大学である帝国大学との関係が強く意識されていたことがうかがえる。その最大のものは、中学校卒業者を入学させる高等（大学）予科の開設である。その予科について、高田はこう述べている。

「帝国大学に入りますれば、三年の高等学校、即ち高等予科の準備を要します。此［東京］専門学校では、一年半だけの予備科を設けて、入れて見やうと云ふ考えを持つて居ます」（同書、九七一ページ）。なぜ予科か、なぜ一年半かといえば、「邦語」だけで教育をする「専門学部」と違って、「大学部」での専門教育には（帝国大学と同様）外国語の能力が不可欠だが、その外国語を二ヶ国語の高等学校と違って一ヶ国語（具体的には英語）に限れば、同水準の予備教育が可能だからというのである。

それがいかにも年限短縮を重視する学制改革論者らしい、高田の考えた独自の「私立大学」の設計図であった。

大学予科としての高等学校の存在が、「西洋大学」として発足した東京大学・帝国大学の出自にかかわる「奇道」であり、年限短縮のためにも廃止して大学と中学校を直接連絡させるべきだというのは、先に見た久保田に限らず、学制改革同志会系の改革論者にほぼ共通の認識であった。

しかしそれがすぐには実現されないとすれば高等学校に準ずる、しかし年限は半分の予科を置いて外国語の能力を身につけさせ、そのうえで大学部で専門教育をすれば、年限の短縮と帝国大学と同水準の教育の双方が、同時に実現可能になる。「大学」を称して当然ではないか。しかも、東京専門学校は明治三二年に、それまであった英語学部を改組して、「文学科、史学科、及び英語政治科に入るべき予備教育」を行なう、一年制の高等予科をすでに開設している（『半世紀の早稲田』一四四ページ）。準備は整っていたのである。

こうして、わが国で最初に「大学」という名称を校名に掲げる私学が、出現することになった。

たしかに、理屈としては一応の筋が通っている。とはいえ「大学」とは何か、どのような要件を具備した組織体でなければならないのかについて議論のないまま、このような「便法」ともいえるやり方で、文部省がなぜ「私立大学」の設立を認めたのか、経緯は明らかではない。菊池文相のもとで次官をつとめた岡田良平は、回顧談のなかで「菊池は内心不賛成であったが（中略）［予科一年半をつけるという条件で］遂に之を許す事」にしたと述べているだけで、それ以上詳しい事情にはふれていない（『教育五十年史』二一三ページ）。制度の不備を突いた早稲田大学の要請を拒否するに十分な、「論理的」根拠を見出すことができなかったのであろう。

「私立大学撲滅策」か

しかし、「大学」を称することは認められても、早稲田大学が正規の大学ではなかったことに変わりはない。それはむしろ、専門学校の（正規の）大学化への要求を封じ込めるための便法、巧妙な「私立大学」潰しの方策であったと見るべきかも知れない。

実際に、専門学校令案が高等教育会議で議論された際、有識者議員の一人である長谷川泰が、東京専門学校から「大学」になったばかりの早稲田大学を例に引いて、その点を鋭く突く発言をしている。

「此専門学校令ノ中ニ、私立ノ大学ハ皆、網羅サレルト云フノデアルガ、左様《さよう》致シマスルト、別言スレバ、私立ノ大学ヲ撲滅スル、ト云フコトハ穏当デナイカモ知レヌガ、即チ私立大学ヲ設置スルノ必要ナシ、即チ私立大学ノ設置ヲ、此専門学校令ノ為メニ妨」げることになるのではないか。

「言葉ヲ換ヘテ申スト、大学ナルモノハ、国立ノ帝国大学ノ外ハ、一切相成ラヌト云フ新法令ヲ、御発布ニナッタモ同一ノ結果ニナル。何ヲ以テ、斯《かく》ノ如ク私立ノ大学ヲ一位下ニ、御下ゲニナル必要ガアリマセウカ。慶應義塾ノ大学モ、亦然《またしか》リ。大学ト云フヤウナ名称ヲ付ケテ置イテモ、専門学校令ニ支配サレルナラバ、大学ヨリ下ノモノト、云フコトニナリマス。斯《こ》ウ云フヤウニ、勅令ノ結果、私立大学ノ設立ヲ相成ラヌト、禁止令ヲ御出シニナッタ」も同然ではないか(『第七回高等教育会議議事速記録』三一〇ページ)。

実際に、「大学」と称することは認められても、法令上は「専門学校」なのだから、専門学校令が「私立大学撲滅」を意図したものではないか、「私立大学」を専門学校の枠内に押し込めようとするものではないか、と疑われても仕方がないだろう。帝国大学総長をつとめた菊池は「大学派」の中心人物の一人であり、森・井上文政期以来の高等学校の実質的な「低度大学」化構想に強く共感していたのだから、なおさらである。

大学とはいっても、制度上はあくまでも専門学校令に準拠する「大学」なのだから、帝国大学と同等の地位に立つわけではない。あくまでも「一位下」の存在に、つまり「低度大学」に過ぎない。それが、最初は消極的であったとされる菊池が、条件付きにせよ一部の私立専門学校に、「大学」名称を認めることにした重要な理由であったことは、容易に想像される。

いずれにせよ明治三五年九月、専門学校令の公布に半年先立って、東京専門学校の「早稲田大学」への組織変更と名称変更が、認められることになった。そして、専門学校令の公布を機に、多くの(早稲田大学のような十分な準備に欠ける)私立専門学校が次々に、同様の方法で「大学」への名称変更を申請してきたとき、文部省は先例のゆえに、それを拒むことができなくなっていたのである。

ちなみに菊池のあと文相のポストにつき、早稲田大学以外の「私立大学」を次々に認可し

表5－6　公私立専門学校と「私立大学」（明治35―38年）

		医・薬	政・法・経	文	理	宗教	合計
明治35年	公	4					4
	私	12	15	6	3	10	46
	(大)		(2)	(1)		(1)	(4)
明治36年	公	3					3
	私	2	11	8		7	28
	(大)		(6)	(2)		(1)	(9)
明治37年	公	3					3
	私	2	9	11		14	36
	(大)		(7)	(2)		(6)	(15)
明治38年	公	3					3
	私	2	9	11		15	37
	(大)		(8)	(2)		(6)	(16)

（『文部省年報』各年度版による）

注(1)　明治35年の「宗教」欄は、「その他」を含む。
(2)　(大) は私立専門学校中、大学名称を認められた学校数。

たのは、学制改革同志会系の学制改革論者久保田譲であった。

一〇、「私立大学」の真実

専門学校と「私立大学」

さて、専門学校令の施行は公私立専門学校の世界に、どのような変化をもたらしたのだろうか。

表5－6は、まずは学校数の変化を見たものである。それによれば専門学校令の施行が、それまで曖昧だった専門学校と各種学校の間の、制度的な境界設定の役割を果たし、専門学校から各種学校へ、各種学校から専門学校へ、という二方向の移動を生んだことを教えてくれる。

なお、「各種学校」とは、法令に規定さ

れた「正規」の学校以外の、まさに各種雑多（ミスセラニアス）な学校群にはられた包括的なラベルであり、そのなかには初等教育から高等教育まで、また普通教育・宗教教育から職業教育・専門教育、さらには受験予備校的な学校までが含まれていた。

たとえば教育目的・営利目的など、さまざまな理由から、教育や学校経営上の自由を放棄したくないがために、法の、ひいては国家の規制を受けることを拒む学校群も多く含まれており、そのなかから後になって中学校・実業学校・高等女学校・専門学校などに移行した学校も少なくない。各種学校は、いまに至るまでわが国の、正規の私立諸学校の重要な揺籃のひとつになってきたといってよい。

それはともかく、表中の明治三五年と三八年の数字を比較してみると、①公立では、医・薬系の四校中、薬学校一校を除く三校が医学専門学校に移行した。その医・薬系以外はすべて私立であるが、②多数を占める「政・法・経」系では、結局一五校のうち九校だけが正規の専門学校への移行を果たした。③文学系では、各種学校から専門学校に移行する学校が多く、六校から一一校に増えた。④理学系の学校は、三校とも各種学校に移行した。⑤宗教系の専門学校もほとんどが、各種学校からの移行であり、いったん減少したあと再び増加に転じ、明治三八年には一五校と最も多い数になった。
⑥大学名称を認められた専門学校は明治三八年時点で一六校であるが、その内訳は「政・法・経」系八校、文学系二校、宗教系六校となっている。⑦重要なのは専門学校としての基

準を満たしていることであり、一年ないし一年半の予科を置くという形式的な要件を満たしていれば、容易に「大学」への名称変更が認められたものとみてよい。慶應や早稲田のように、周到な準備を経て「大学」化した学校は限られていた。⑧「政・法・経」系の学校のなかには明治三六年に、せっかく正規の専門学校として認可を受けながら、次の年には姿を消しているものが二校ある。専門学校としての認可基準自体、その適用が（入学者の資格は別として）、学校の経営基盤にまで及ぶ厳しいものでは必ずしもなかったことが、推測される。

専門学校の現実

専門学校と「大学」の実態を、専門分野別にもう少し詳しく見ておこう。

まず医・薬系だが、愛知・京都・大阪の公立三医学専門学校は変わらず、富山市立の薬学校は各種学校に移った。私立二校は、東京慈恵医院医学専門学校（現・東京慈恵会医科大学）と熊本医学専門学校（現・熊本大学医学部）である。

一一校（明治三八年）に増えた文学系では、哲学館大学（現・東洋大学）・国学院・同志社のほかに、明治学院・東北学院・東京学院（現・関東学院大学）のミッション系三校が加わった。それまでは各種学校として、教養重視の高等普通教育を行なってきた諸学校である。

また女子系の専門学校が日本女子大学校に、女子英学塾（現・津田塾大学）・青山女学院英文専門科（現・青山学院女子短期大学）を加えて三校になった。女子系の専門学校はこれから後、着実のその数を増していくことになる。残り二校のうち台湾協会学校（現・拓殖大学）は、この時期には外国語中心だったがやがて、政治学・経済学の専門教育を開始して「政・法・経」系に移り、もう一校は閉校になった。なお校名に「大学」を認められたのは、この分野では哲学館と日本女子大学校の二校だけである。

宗教系が一五校に増えたのは仏教系のほかに、ミッション系の神学校・神学科が急増したためである。いずれも各種学校から移行してきた場合が多い。

仏教系には「大学」名称を認められた学校が多いが、ほとんどが学生数一〇〇名前後、一〇数名というものも少なくなく、学校としての安定性には問題を抱えていた。ミッション系の神学校の場合には、経営的にさらに厳しい状況にあったと見てよい。現在までつながる学校としては、仏教系では天台宗大学・浄土宗大学（ともに現・大正大学）・日蓮宗大学（現・立正大学）・曹洞宗大学（現・駒沢大学）・古義真言宗聯合高等中学（現・種智院大学）・仏教大学（現・龍谷大学）、ミッション系では明治学院神学部・青山学院神学部・同志社神学校などがある。

「政・法・経」系の学校数は九校と安定的で新規参入はなく、早稲田大学・慶應義塾大学・中央大学・法政大学・明治大学・日本大学・専修学校・京都法政大学（現・立命館大学）・関西大学という校名に見るように、専修学校を除く八校すべてが大学名称を認められており、しかも現在の有力私立大学につながっている。在学者数も一〇〇〇人を超える学校が多く、早稲田大学の場合には五〇〇〇人に近かった。

それに応じてこの領域の専門学校では、学部・学科編成が多様化し始めており、文部省の統計上は「政治学法律学経済学」を教授する専門学校として一括されているが、早稲田は商・文・高等師範、慶應義塾は文、明治・専修は商、日本は高等師範というように、この三領域以外の学部・学科を開設して「複合」化した専門学校が増加している。

こうした専門分野別を含めて、これら「私立大学」の教育課程構成は、大学部・予科・専門部・研究科がまずあり、それがさらに本科・別科に分かれるという複雑さであった。しかも本科・別科に相当する課程の呼称は、一種・二種、正科・特科、本科・普通科、正科・別科など、学校によって多様であった。複雑というより、混乱した状態にあったというべきかも知れない。

「私立大学」予科の実態

こうして早稲田大学を先頭に、大学名称を獲得することに成功した私立専門学校群だが、その実態は、「範型」としての帝国大学とは、大きくかけ離れたところにあった。何よりも、大学名称を認めるうえで最重要の要件とされた、高等学校に準ずるはずの大学予科自体が、早稲田・慶應義塾を除いて問題をはらんでいた。

たとえば法政大学の場合「大学予科ハ中学校卒業者ヲ収容シ、一年半ノ間、外国語其他ノ普通学ヲ授ケ、以テ大学部ニ入ルノ階梯《かいてい》トナス。然レトモ其卒業生中、我大学部ニ入ラスシテ、或ハ他ノ高等専門学校ニ赴ク者、亦尠《すくな》カラス」という『法政大学参拾年史』の記述（一七ページ）に見られるように、官立諸学校進学者のための予備校を兼ねていた。事実、同校の予科は「当時都下で有名だった［同校付設の］東京高等予備校と共通」であり（『法政大学八十年史』二〇四ページ）、日本大学の場合にも「予科の学生の大部分は予備校目的のもの」で占められていた（『日本大学　七十年の人と歴史』一九四ページ）。

こうした予科を兼ねた予備校の開設・運営が、授業料収入の増額をはかるためであったことは、付属の中央高等予備校から「大学経営上大きなプラス」を得ていた中央大学の例からも知られる（『中央大学七十年史』八九ページ）。早稲田・慶應以外の「私立大学」については、大学予科といっても名ばかりという場合が、ほとんどだったのである。

表5－7　私立専門学校在学者の課程別構成
（明治38年）　％

	本科	予科	別科	研究科	計
医薬系	83		17		100
政法経系	32	40	24	4	100
文宗教系	60	23	15	2	100

（『文部省年報』明治38年度より作成）

表5－7は、その予科を含めて、明治三八年度の私立専門学校在学者の課程別構成を見たものである。多数の「私立大学」を抱える「政法経」系で、予科の在学者が本科や別科のそれを上回る比率を占めているが、それは右に見たような予科の性格抜きに考えることはできない。また、別科が本科に準ずる在学者数を持っていたことも、指摘しておくべきだろう。

表5－8　主要「私立大学」の状況（明治38年）

	在学者数(人)	本科比率(%)	大学部比率(%)	授業料収入(円)
早稲田	4,501	94	26	136,859
慶應義塾	1,151	100	39	38,585
明治	2,558	42	—	22,151
法政	1,045	24	3	25,779
中央	1,320	18	2	34,711
日本	1,838	36	6	29,129
関西	496	30	—	13,202
京都法政	962	43	—	18,086

（『文部省年報』明治38年度より作成）

注(1)　本科比率は専門部在学者中の本科在学者比。
(2)　大学部比率は全在学者中の大学部在学者比。

経営的に見れば、教育と収入の中心は本科ではなく、予科や別科にあったことになる。

表5－8にはさらに、「政法経」系の「私立大学」の実態を示す数字をあげておいたが、それを見ると、帝国大学には依然として遠く及ばぬまでも、それに準ずる実質を構築し始めていたのは、早稲田と慶應義塾の二「大学」だけであり、他の諸「大学」は、ようやくその努力を始めたばかりというのが、現実であったと見るべきだろう。

「大学」化の現実

なぜ法学系私学が一斉に「大学」化に踏み切ったのか、その事情を『法政大学参拾年史』は、率直に次のように述べている（同書、一四―一六ページ）。

わが校は「帝国大学ニ優《まさ》ルアルモ、劣ルコトナキ私学ニシテ、而《しか》モ別ニ特色ヲ備フルモノ」が必要であるという確信のもとに、「徐々ニ之カ計画ヲ為サン」と考えてきた。ところが「明治三十五年以来、大学ト改称セシ私学、一二ニ止《とど》マラ」ず、しかも「其学科程度ヲ覧《み》ルニ、本校カ理想トセル大学ト、聊《いささ》カ其趣ヲ異ニシ、学科ニ於テハ、則チ、従来ノ法律学校ト大差ナク、程度ニ於テハ、一年半ノ予科ヲ加フルニ過キ」ない。本校が計画している大学は「巨万ノ資金ト、多数ノ碩学《せきがく》トヲ要シ、一朝一夕ニシテ之ヲ設立」するのは難しい。

しかし「既ニ強固ナル基礎ノ上ニ立テル私立法律学校」にとって、組織を変更して「大学ト改称」するだけなら、「右ニ述フルカ如キ学校ハ、今日直チニ之ヲ設立スルコト、易々《いい》タル」ものである。実際に「都下ノ私立法律学校、皆相競フテ大学ト改称」しようとしている。そのような「所謂「大学」ハ本校ノ理想トスルモノ」ではないが、そう称する学校が次々に現われているのが現実である。文部省が認めているこれら「大学」に比べてわが校は、「優ルコトアルモ、劣ルコト」はない。そこで「学科ヲ改正シ、予科ヲ増設シ、総テ他ノ大学ト同等以上ト為サハ、遂ニ亦大学ト称スルモ、何ノ不可カアラント、是ニ於テ、遂ニ組織ヲ変更シ、法政大学ト改称」することにしたのである。

ちなみに、和仏法律学校が法政大学としての認可を受けたのは、早稲田大学・東京法学院(中央)大学・明治大学に次いで四番目であった。

こうして無理を重ねて「大学」となった法学系私学の数年後の現実について、当時の新聞は次のような皮肉な一文を載せている。

「私立法律専門学校が、悉く学界の虚栄に駆られ、競ふて大学の名を称し、門戸を大にし、経済上の窮境に陥り、ために或は高等師範部を設け、或いは清国留学生部を増し、偏《ひとえ》に多数の生徒を吸収せん事に勉《つと》め、専ら法律家を養成すといへる校旨をさへ忘れて、薫訓《くんくん》の力を一所に注がざるより、影響は延《ひ》いて学績の上に及び、年を追ふて学生の学力低下し来り、学生の増加と反比例して年々の司法官、弁護士試験に登第する者の減少を来たす現状」に、関係者の間で「校資を豊にし、設備を完全にし、専任の講師を雇聘し、以て完全なる法律家養成を期する」ための合同説が出ている（『東京日日新聞』明治三九年九月二二日、『専修大学百年史』上巻、七八八ページ）。

背伸びした「大学」化の実態は、そのように厳しいものだったのである。

（下巻に続く）

天野郁夫（あまの・いくお）

1936年（昭和11年），神奈川県生まれ．一橋大学経済学部卒業．東京大学大学院教育学研究科博士課程修了．名古屋大学助教授，東京大学教育学部教授，同学部長，国立大学財務・経営センター教授を歴任．東京大学名誉教授．専攻は教育社会学，高等教育論．

著書『高等教育の日本的構造』（玉川大学出版部，1986）
『近代日本高等教育研究』（玉川大学出版部，1989）
『旧制専門学校論』（玉川大学出版部，1993）
『教育と近代化』（玉川大学出版部，1997）
『学歴の社会史』（平凡社ライブラリー，2005）
『教育と選抜の社会史』（ちくま学芸文庫，2006）
『試験の社会史』（平凡社ライブラリー，2007，サントリー学芸賞受賞）
『大学の誕生（下）』（中公新書，2009）
『高等教育の時代（上下）』（中公叢書，2013）
『新制大学の誕生（上下）』（名古屋大学出版会，2016）
『帝国大学』（中公新書，2017）
『新制大学の時代』（名古屋大学出版会，2019）
ほか

大学《だいがく》の誕生《たんじょう》（上）
中公新書 *2004*

2009年5月25日初版
2020年9月30日3版

著　者　天野郁夫
発行者　松田陽三

本文印刷　暁　印　刷
カバー印刷　大熊整美堂
製　　本　小泉製本

発行所　中央公論新社
〒100-8152
東京都千代田区大手町1-7-1
電話　販売 03-5299-1730
　　　編集 03-5299-1830
URL http://www.chuko.co.jp/

Published by CHUOKORON-SHINSHA, INC.
Printed in Japan　ISBN978-4-12-102004-8 C1237

中公新書

教育・家庭

m1

- 1136 0歳児がことばを獲得するとき　正高信男
- 2429 保育園問題　前田正子
- 2477 日本の公教育　中澤 渉
- 2218 特別支援教育　柘植雅義
- 2004 2005 大学の誕生（上下）　天野郁夫
- 2424 帝国大学―近代日本のエリート育成装置　天野郁夫
- 1249 大衆教育社会のゆくえ　苅谷剛彦
- 2006 教育と平等　苅谷剛彦
- 1704 教養主義の没落　竹内 洋
- 2149 高校紛争 1969-1970　小林哲夫
- 1065 人間形成の日米比較　恒吉僚子
- 1578 イギリスのいい子 日本のいい子　佐藤淑子
- 1984 日本の子どもと自尊心　佐藤淑子
- 416 ミュンヘンの小学生　子安美知子
- 2066 いじめとは何か　森田洋司
- 2549 海外で研究者になる　増田直紀